文化と
まちづくり
叢書

藤野 一夫 ＝著

みんなの
文化政策講義

文化的コモンズをつくるために

水曜社

はじめに

　本書は、文化政策に関心をもつ市民、学生、行政職員、芸術文化関係者など幅広いかたがたを念頭に、できるだけ噛み砕いて概説した架空の文化政策講義です。ひとりでも多くのかたに文化政策に興味をもっていただけるような入門書を心がけましたが、内容面ではこれまでの研究水準を盛り込みましたので、とくに第Ⅱ部発展編は少し難解なところが残っているかもしれません。日本の文化政策についての概要を知りたいかたは、第Ⅰ部の基礎編を読むことで主要なトピックをご理解いただけると思います。

　もとより、「文化」と「政策」はどのように関係するのでしょうか。主体的で自由な人間の創造活動と、主に国や自治体が策定する政策（法制度や基本計画）とは相容れないもののようにも思われます。そもそも現代の民主主義社会において文化・芸術を計画・管理することは必要なのでしょうか。また「文化行政」と「文化政策」はどのように異なるのでしょうか。

　まずは文化・芸術が国家政策として統制され、文化政策が芸術・表現と言論の自由を侵害してきた歴史と現在を深く省察したいと思います。それでは、「未来の文化政策」を紡ぎあげるためには、どのような思想的基盤と具体的仕組みが必要なのでしょうか。本書の根本にある問いです。

　第Ⅰ部基礎編「文化政策と文化行政」は、日独比較を踏まえた歴史的考察（講義1）に始まり、「文化・芸術と文化政策の対象」（講義2）を、自然と人為＝文化との分離、芸術の自律性の形成過程とそのディレンマといった観点から理論的に考察します。文化政策の歴史的・理論的検討を土台に「国の文化政策と法整備の問題」（講義3）を概観し、その限界を超えるための自治体文化政策の課題を深掘りします。さらに「自治体文化政策とコミュニティ創生」（講義4）では、現代の日本社会におけるコミュニティはどうあるべきか、という根本的な問いを社会理論を用いて考察したのち、自治体文化政策における法整備の思想的基礎を明らかにします。

　第Ⅰ部後半は、自治体文化政策の根幹となる「文化振興条例と基本計画の

状況と理念」(講義5) について実務経験を踏まえて現状分析し、その課題を克服するための理念を提示します。とはいえ文化政策の理念を実現し、市民に芸術の公共性を開明するのはアートマネジメントです。「アートマネジメントがめざすもの」(講義6) と「劇場、コンサートホールの仕事」(講義7) では、芸術経営の公共的使命と、文化施設をハブとした「文化的コモンズ」の形成という、本書の中心テーマが扱われます。

さらに、「文化政策・文化振興組織の多様性と指定管理者制度の課題」(講義8) では、主にわたしがかかわってきた文化審議会や財団理事会等での経験を踏まえ、歯に衣着せることなく矛盾や課題をえぐりだしたいと思います。自治体の文化政策と、その推進母体となる財団および文化施設の関係は実に多様ですが、その類型化を試みます。いずれにしても、指定管理者制度の功罪が改めて浮き彫りとなるでしょう。

第II部発展編「文化的多様性とアートマネジメント」では、現代文化政策の諸問題をグローバルな視野から究明します。まずは「感性の復権と文化的コモンズ」(講義9) において、共通感覚論を手がかりに感覚の共同性がもつ社会形成力に注目し、「都市コモンズの悲劇を超えて」(講義10) では、公共圏を紡ぎだす「文化的コモンズ」の特性を明らかにします。「創造都市と『都市への権利』の相克」(講義11) では、創造都市論の落とし穴を克服する社会包摂の本質を、ケイパビリティ・アプローチから基礎づけたいと思います。「文化的コモンズとしてのゲノッセンシャフト」(講義12) は、感覚の復権こそが世界市民社会への自由な道であることを、初期マルクスの社会理論とワーグナーの綜合芸術論の同根性から解明する試みです。

「文化多様性とマイノリティの文化権」(講義13) および「文化多様性条約の政治経済学」(講義14) では、文化政策におけるマイノリティの文化権とその課題について、国際政治とグローバル経済のせめぎあいから分析し、日本が文化多様性条約を批准できない背景に迫ります。この問題は、社会包摂による

共生社会の実現（不）可能性とも無縁ではありません。「芸術の自律性と表現の自由」（講義15）では、あいちトリエンナーレ問題で露呈した日本社会の生き苦しさの原因を、美学思想史の観点から根源的に考察します。さらに「現代ドイツの文化政策から」（講義16）を通じて、コロナ禍で顕在化した文化の自己疎外状況を解明し、インターローカルなコモンズの形成に向けた文化政策的構想力を提唱します。

　以上、本書の流れを素描しました。『みんなの文化政策講義』とはいえ、文化政策の全領域を網羅することは、浅学の一学徒の能力を超えた無謀な企てです。内容の偏りについては読者のご批判を仰ぎたいと思います。

　わたしは巻末に、固有名詞を省いて一般概念に絞った索引を作成し、思索の冒険の足跡を確認してみました。そこで改めて浮かびあがってきたキーワード群が、本書を編みあげる導きの糸となっています。最も頻出する「文化的コモンズ」は「コモンズ」と合わせると100か所以上に登場するライトモティーフです。ついで多いのは「文化（的）多様性」「公共圏／公共性」「文化権」「マイノリティ」といった社会哲学系の諸概念です。また、「芸術の自由」「表現の自由」と、それを基礎づける「芸術の自律性」「美感的判断力」「共通感覚」など、美学的概念が全編を織りあげています。

　こうしてみると本書は、社会科学というよりも、むしろ人文科学を基礎として構想された文化政策学の試みとして、少なくとも日本では類例のない概論でしょう。人文知の総合性が問われています。国境を超えることが容易ではなくなったウィズコロナの時代、わたしたちはシェアとケアにもとづくインターローカルな文化的コモンズを形成する必要があります。本書が、その議論と実践に多少なりとも資するものとなれば幸甚です。

藤野　一夫

第Ⅰ部

基礎編

文化政策と文化行政

1 講義 文化政策と文化行政

文化政策と国家

　長年、いくつかの大学で「芸術文化環境論」や「文化政策論」という講義を担当してきました。1学期間、16回の講義でいろいろな分野の話をします。事例を挙げて歴史や各国の比較をします。もとより芸術・文化についての政策や振興は、大昔から世界中いたるところで行われていました。ギリシャのポリスのように、都市国家の単位で実施されることが多かったと思われますが、キリスト教、イスラム教、仏教などの世界宗教と結びついた文化形成は、国家や帝国の枠組みをも超えてグローバルな展開を見せてきました。

　近代ヨーロッパにおいては、広義の文化政策は、国民を生み出す国民国家の文化装置として実施されました。近代的国民の誕生に不可欠な制度や装置は、学校と研究機関、軍隊と警察、病院と福祉施設です。しかし、劇場や博物館といった文化装置の重要性も、それらに劣るものではありませんでした。

　そのような政治権力による意図的・意識的な行為が「文化政策」という概念で把握されるようになったのは20世紀に入ってからのことです。第1次世界大戦期のドイツが嚆矢でしたが、ほぼ同じ時期に、日本でもドイツ語のクルトゥーアポリティーク（Kulturpolitik）からの翻訳として「文化政策」という言葉が使用され、都市や国家のレベルで文化政策が論じられるようになりました。

　文化政策は歴史的に見ると、決して幸福なことだけではありません。わたしの講義では、文化政策の悲惨な歴史や負の遺産について、多くの事例をあげて考えてもらうことにしています。国家の側が文化・芸術を通して特定の主義主張を一方的に国民に押し付ける宣伝行為。文化政策は、そのような国家イデオロギーのプロパガンダになってきた側面が実に強いのです。

写真1 ベトナム民族学博物館 新館　　　　　　　写真2 ホーチミン博物館の大階段

　学生時代からドイツの芸術文化と思想を勉強してきました。たとえばナチス
の文化政策は、文化統制政策の最悪の事例です。ソ連のスターリンの文化政
策も本当にたくさんの犠牲者を出していますし、現在の北朝鮮、中国を見ても
かなり強引なことをやっていることがわかると思います。韓国は文化政策が今
非常に盛んですが、少しやり過ぎではないかという気がします。

　アジア諸国の中で、現在においても、文化政策が民主主義と自由によって
保障されている国はほとんどありません。さらに、文化政策が民主主義と自由
を生み出し、それらを市民社会に根付かせる装置であるという認識も、少なく
とも公的にはありません。ここ10年ほどアジア各地での会議や調査を続けて
きた実感です。

　最近では、2019年1月にハノイで開催されたアジア・アーツマネジメント会
議に参加しました。ベトナムは共産主義国であり、文化は社会全体の精神的
基盤として重視されています。ただし厳しい検閲があります。共産党の方針と
政府の文化政策のもとで、美術協会のような国家公認の文化組織が全体を
統制しています。その文化予算は先進国と比べて少ないと思われるかもしれ
ません。

　ところが、ベトナムの文化関係者の報告によると、国家予算全体の1.8％を
占めているとのことでした。実際、ベトナム民族学博物館は小学生のグループ
で溢れていました（写真1）。2015年にオープンした新館には世界各国からの

文化財が展示され、「世界一周」できる常設展があります。ホーチミン博物館は、天上の国父へ上る大階段で始まります。共産主義国が涅槃のイメージで巧妙に演出されています（写真2）。

　東南アジアの先進国シンガポールも文化政策に力を入れてきた都市国家ですが、いまだに検閲があります。検閲で黒塗りにされたテキストを展示する個人ギャラリーもありますので、シンガポールでは芸術家の側もしたたかに抵抗しています。ちなみに日本の文化庁予算は国家予算の0.1％にすぎませんが、あいちトリエンナーレ2019の「表現の不自由展」が炎上したように、日本における「表現の自由」も、実は十分に保障された権利ではないことが明らかとなってきました。この点については、講義15で詳しく論じます。

文化政策のさまざまなタイプ

　世界の文化政策をいろいろ調べていますが、さまざまなタイプがあります。アメリカのように、公共は口を出さないが、お金も出さないという国があります。芸術・文化振興は市民や企業の寄付に委ねるという基本方針です。

　一方、公共文化政策が手厚いとされるヨーロッパですが、これもいろいろなタイプがある。大陸型と、2020年1月にEUから英国が抜けましたが、イギリスは少し違うタイプです。

　一般にアングロサクソン系の国は、ナチスの文化政策を反面教師として、国家による文化政策へのアレルギーがあります。そこで、戦後の英国はアーツカウンシル（芸術評議会）を設置し、国家権力に左右されにくい文化振興の仕組みを確立しました。「アームズ・レングスの原則」と呼ばれています。国は、お金は出しても口は出さない、という約束です。

　大陸型の中でも違いがあります。ドイツとフランスを対比すると、文化予算ではそれほど変わりがありません。国レベルでの文化予算を比較する限りでは、フランスの文化予算は突出しています。しかし実際には、ドイツの文化予算は国民一人当たりでいうとフランスよりも多いのです。なぜかというと、ドイツは州政府と地方自治体がベースになって文化振興をやっていて、連邦政府は文化振興に口は出さない、という原則があるからです。戦後西ドイツはこの原則

を貫いてきました。メディア政策と教育政策についても連邦政府には権限がありません。ナチスの過去に対する痛烈な反省があったからです。

　広い意味での文化、これには教育とメディアと芸術・文化が含まれますが、ドイツの連邦政府は、原則として文化の領域に関する事柄を所掌しません。難しい言葉ですが、これを「州の文化高権」と呼びます。文化に関する権限は、州政府が連邦政府よりも高いところにある、という意味です。英国はナチス・ドイツの文化統制への批判から、アームズ・レングスの原則によるアーツカウンシルを導入しましたが、戦後西ドイツは「州の文化高権」による「文化分権主義」を徹底してきました。

　1990年の東西統一後のドイツも、州、もしくは基礎自治体が文化政策の主体であるという考え方を貫いています。ですから、国家レベルでの文化予算だけを比較すると、ドイツは少ないのです。これに対してフランスは、文化面でもパリ一極集中が顕著です。中央集権の国ですから、国家主導型の文化政策を一貫してやってきましたが、近年は段階的に地方分権化を進めています。それでも中央政府の力が強いのがフランスの特徴です。

　欧米の文化政策を一括りにすることはできません。文化政策に関しては「欧米では」という切り口は通用しません。アメリカ型、イギリス型、フランス型、ドイツ型とタイプが異なります。どういう文化政策が日本に一番ふさわしいでしょうか。もしカスタマイズする、つまり日本の条件に合うような形で海外の事例を参考にするとすれば、どのタイプが日本に有効なのでしょうか。わたしもずっと考え、試行錯誤を繰り返してきました。

　個人的には、自分の教養＝人格形成（Bildung）の大半はドイツの芸術文化と思想によって育まれてきました。そのためドイツに深い親しみがあり、その地域主権型の文化政策が比較的日本に合っているのではないかと思うのですが、ただ残念ながら研究者が少ない。日本が参考にすべきモデルはアングロサクソン型か、フランス型か、という選択肢になってしまい、ドイツの文化政策はあまり注目されていません。

　芸術・文化の分野でいえば、日本人によるドイツ研究は際限がありません。ドイツは「詩と音楽の国」であり「哲学の国」とも呼ばれますが、演劇も盛んです。絵画はフランスなどと比べると少しマイナーかもしれませんが、ゲーテ、

シラーをはじめ文学の伝統も豊かです。しかし、現代ドイツの文化政策の研究は数えるほどしかありません。孤軍奮闘のような形で、日本の文化政策やアートマネジメントの現場にかかわってきましたが、ドイツと同じようなシステムや考え方を日本で理解してもらい、その応用を進めることは容易ではないと日々痛感してきました。

　ところが2020年、新型コロナのパンデミックを機に、他国に類のないドイツの手厚い文化支援が世界からの脚光を浴びました。その背景には、ヴァイマル憲法に由来する「文化的生存配慮」という法哲学的な人権理論があります。また、ナチスの文化統制政策への反省を踏まえた地域主権（地方分権）型の文化政策があります。この点については、講義16で詳しく扱いましょう。

戦前日本の文化政策

　はじめに文化政策と国家の関係について考えてみました。では、明らかになった矛盾や課題を超えて、これからの文化政策はどうあるべきでしょうか。この課題を、さまざまな理論や実践を通じて多角的に考え、解決策を構想することが本講義の狙いです。しかし、一世代前の行政関係者は「文化政策」という言葉を使っていませんでした。かつては「文化行政」という言葉が一般的でした。なぜでしょうか。

　国も含めて、「文化行政」よりも「文化政策」という、より広い概念を使うようになったのは1990年ごろからです。これにはいろいろな背景があります。戦前の日本では「文化政策」という言葉をよく使っていました。先にふれたように、「文化政策」という言葉は、第1次大戦中にドイツから日本に入ってきました。このころ、大都市部では人口増加と産業の近代化によって都市環境の悪化が社会問題化していました。大正期の文化政策は、まずは社会事業として展開されます。文化政策と社会政策は未分離だったのです。

　1919年に大阪で設立された文化政策協会は、①社会教育、②市民芸術促進、③児童保護問題、④婦人問題などに取り組みました。同じ時期に賀川豊彦は、生活協同組合の先駆けとなる神戸購買組合を設立し、「生産の芸術化と消費の文化的意義」を広めました。協同組合を基礎単位として、生産と消費

と暮らしを芸術的精神の観点から統一しようとする賀川の思想は、文化政策と社会政策を融合したアソシエーション型の社会構想であり、社会包摂や共生社会をめざすドイツの「社会文化」の理念を先取りしています。

　やがて、大正リベラリズムはファシズムに飲み込まれていきました。1938年、「日独文化協定」が結ばれると、ドイツの文化政策が次々と紹介され、ナチスの文化統制政策をお手本に、国民の精神活動にかかわる一切を「文化政策」の観点から総動員しようとしました。

　1940年には大政翼賛会に文化部が設置されます。自由な精神に基づく人間社会の形成をめざした文化政策は、国家のために芸術を利用し、国民の精神活動を「動員」する文化統制政策へと変質します。国民の精神活動とは、文化・芸術だけではありません。教育、科学、道徳、宗教なども含まれます。しかもその際に、映画やラジオといったマスメディアやテクノロジーが活用され、また大衆娯楽を利用して、国内外に向けた文化宣伝が行われたのです。

国内文化政策と対外文化政策

　大戦間の日本の文化政策がドイツから大きな影響を受けたことを、わたしは重く受けとめ、しっかり反省しなければならないと考えています。たしかに現在の国レベルで見ると、国内の文化政策は文化庁、国際文化交流は外務省（および国際交流基金）というように、管轄が縦割りになっています。しかし、国内向けの文化政策と対外文化政策との関係は、歴史的に考察しても深く絡み合っています。（朝鮮、台湾、満洲などの植民地での文化政策を「対外」と呼ぶかどうかの微妙な問題には、今は触れないでおきます）。

　1939年に出版された『教育学辞典』の中では、以下のように書かれています。まずは国内の文化政策に関する定義ですが、ここでの「文化財」の概念が、戦後とは異なり、国家・国民の精神的活動の一切を包括するものであったことに注意しましょう。

　「文化財（宗教・芸術・科学・道徳・教育等）の促進を目指す国内政策の重要な一部分を形成する国家の目的意識的活動。平時においてはかかる活動は分散的・職能別的であるが、非常時には、たとえば国民精神総動員の場合の

ごとく、国家がイニシアティブをとって、国内のあらゆる文化機関に国策の線に沿はしめる活動を促す強力な文化運動を行う機関と行動綱領をとをもつこともある」。

つぎに対外的文化事業、つまり対外文化政策に関する定義です。

「文化財を権力目的に奉仕せしめる目的意識的活動。主として対外的文化事業の形で存在するが、これは『文化宣伝』（Kulturpropaganda）とも呼ばれる。国策の遂行が外国との摩擦や軋轢を生み出す場合、とくに外国が悪宣伝によってそれを妨害しようとする場合、その真意を相手に納得せしめるためには、まず自国文化の優秀なる相、文化が一般に普及している有様などを正しく認識せしめる必要がある。そしてかかる文化宣伝は、平生から国外に自国の『友』を出来るだけ多く作っておくことから始められねばならぬ。とくに戦争の際には、これは他方を味方につける重要な役割を演ずる活動である」。

「対外文化政策」もドイツ語の「アウスヴェルティゲ・クルトゥーアポリティーク」（Auswärtige Kulturpolitik）から来ています。現在のパブリックディプロマシーやソフトパワー論のさきがけと見てもよいでしょう。ただし「文化宣伝」とあるように、まずはその本質が「プロパガンダ」なのか、それとも「ディプロマシー」にあるのかを見定める必要があります。とはいえ「文化外交」の本質を見ぬくことの難しさは、以下で述べる「日独文化協定」の例からも明らかでしょう。

日独文化協定

ここで、少しだけ国と国の間で行われる文化政策、つまり二国間での「文化協定」についても触れておきましょう。「文化協定」（Cultural agreements）という一種の政府間条約が登場したのは第1次世界大戦後のことです。文化に関する協定ですから、理念的には純粋に文化的な事項を対象にして、国家間の相互理解を深めることが目的です。

しかし、文化を通して国家と国家の信頼関係が深まれば、それは中・長期的には政治面や経済面での外交にも有利に働くという思惑がありました。とくに1930年代に入ると、日本とドイツでは国家主義が台頭し、国際的な孤立を深めていきます。それだけいっそう「国外に自国の友」をつくる必要がありました。

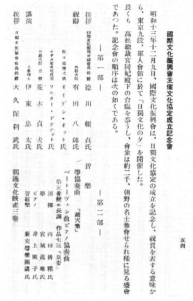

写真3 日独文化協定（冊子 筆者所蔵）　　　写真4 日独文化の夕（1938年12月9日）

　文化外交を政治外交や経済外交の前哨戦として重視する「文化協定政策」に日独が注力した背景には、こうした狙いがありました（写真3）。もっとも一番の関心が「防共」、つまりソ連による共産主義化を防ぐ国際提携にあったことは忘れてなりません。1938年の日独文化協定は、1936年に締結された「日独防共協定」から2年目の記念日に締結されているからです。そして、さらに2年後の1940年には日独伊三国同盟が締結されることとなります。

　日独文化協定は2国間の対外文化政策の取り決めでしたが、このころの日本は空前の「ドイツ・ブーム」に包まれておりました。日中戦争が泥沼化し、国際的孤立を深めていた日本にとって、ナチス・ドイツとの文化交流は特別な意味をもっていました。ヴェルサイユ体制に対するヒトラーの挑発的態度、1936年に締結された日独防共協定を後押しするプロパガンダなど、ナチス賛美の風潮がドイツとの政治的提携への期待を高めていました。

　日独文化協定の締結に先立ち、1927年に発足した「日独文化協会」の活動内容が変質していきました。もともとは学術的な性格の強い機関でしたが、

ナチス体制の成立後、日独の政治的提携関係を文化事業の面から後押しする文化政策機関へと変容していったのです。1938年にドイツ側から出された協会活動の提案を見ると、協会の性質が、従来の学術的な交流から、両国の「民族的な本質」を相互に理解する活動に変化する様子がわかります。

同年1月から2月にかけて行われたナチスの対日文化事業は、ドイツ人による講演と映画会を組みあわせたイベントで、全国11の都市で3万人もの参加者がありました。ドイツ人企画者の日本認識と文化政策の展望には驚かされます。

それによれば、日本は、科学技術や経済力や組織機構の面ではドイツに遅れを取っているが、天皇制ナショナリズムによる国民の一体性においては、その弱点を補って余りある。したがって、前者（科学技術や組織機構等）は日本がドイツから学び、後者（国体イデオロギー）はドイツが日本から学ぶべきものとされたのです。

第一次世界大戦の敗北から誕生したヴァイマル共和国には、もはやドイツ皇帝はおりませんでした。国家の中心的存在を失った国民による天皇制への憧れ、と解釈することもできるでしょう。日独文化協定における「民族的な本質」の相互理解とは、このような怪しげな意味だったのです。

日独文化協定が締結されたのは1938年11月ですが、この年に日本国内では親ナチス・ドイツ的な文化イベントが大々的に連続開催されました。第1回日独青少年交歓事業では選り抜きのヒトラー・ユーゲント30名が来日し、3か月間にわたり全国各地を巡歴しました。この交歓事業の目的は、ドイツからの青少年が神社や武道を通じて日本の精神文化の一体性を学び、日本側ではヒトラー・ユーゲントに見られるドイツの組織運営の優秀さを学習することにありました（写真4）。

また、翌年にかけて「大ドイツ展覧会」が東京、大阪、名古屋、金沢、新潟、静岡などで開催され、入場者総数は92万人を超えました。展示の内容は、ナチス第三帝国関連が大半を占め、ヴァイマル共和国時代のものは「沈滞期」としてほぼ無視されました。

ヴァイマル文化の前衛性と多様性への再評価が高まる現代では考えられないことですが、ナチスの文化政策は、その直前に花開いた文化に「退廃」のレッ

テルを貼って全面否定するだけなく、そうしたゆがんだ価値観を日本でも広めたのです。そして日本のマスメディアは、ナチスのプロパガンダとしての文化事業を熱狂的に全国発信し、「ドイツ・ブーム」を巻き起こしていきました。

戦後の社会教育

　ところが敗戦後、GHQ（連合国軍総司令部）によって、ナチスに影響を受けた日本の文化政策は徹底的にリセットされます。GHQによる容赦ない検閲のもとで「文化政策」という言葉すらもタブーとなりました。戦前の文化政策は、国民の精神活動全般にかかわる総合的な政策でした。しかし、戦後の文化概念は、皮肉なことに「民主化」の名のもとに分断され、矮小化され、骨抜きにされました。

　いまや文化（政策）は、教育をも包摂する人間の精神活動の全体ではなく、GHQによって改革された教育（政策）の一部としてのみ、細々と生き残るしかなかった。もちろん、公共が扱う文化に関する事柄は、社会教育行政の一分野として処理され、社会教育法の枠組みで、公民館、図書館、博物館などの「社会教育施設」が整備されてきました。行政当局から教育委員会が独立し、自律的機関となったことで、民主主義を担保する分権的な統治の仕組みが確立した反面、文化・芸術の振興に関しては、縦割り行政の弊害も出てきました。

　このことは、社会教育施設と、文化ホール・劇場・音楽堂などの「文化施設」とを対比させるとはっきりします。現在でも多くの自治体では、美術館・博物館は教育委員会の管轄、文化ホールなどは文化振興課などの首長部局の管轄、というように縦割の文化行政になっています。

　しかも、公共文化施設の側は、2001年に文化芸術振興基本法が制定されるまでは、地方自治法の「公の施設」以上の根拠法がないまま建設、運営されてきました。社会教育施設には、司書や学芸員や社会教育主事のような専門職の配置が義務付けられていますね。しかし、劇場や音楽堂の運営には、そのような専門職の採用は任意のままでした。（残念ながら、アートマネジャーなどの専門職の配置については、2012年に「劇場、音楽堂等の活性化に関する法律」（通称・劇場法）が施行された現在でも義務づけられておりません）。

文化行政の時代

　公的な文化振興の面でも、敗戦後の後遺症は大きなものでした。文化統制政策への反動としての（二重の検閲後の）自由放任主義です。戦後日本の文化政策はGHQによって骨抜きにされ、文化については国や行政が関与しない自由放任状態が長く続きました。もちろん象徴天皇制は残りましたが、その空虚な中心に依存してきた国民性の弱みに、アメリカの物質文明と文化産業がしたたかに浸透していきました。主体性のない国の「対米従属」の構造は、戦後75年を経ても本質的には変わっていないようです。

　1968年になって、文部省（当時）内部部局の文化局と外局の文化財保護委員会とが統合され、文化庁が設置されました。1979年には大平正芳総理大臣が「文化の時代」及び「地方の時代」を提唱し、「ものの豊かさから心の豊かさへ」の時代が合言葉となります。しかし1980年の大平の急死もあり、国レベルでの文化政策に顕著な変化は生じませんでした。

　国よりも先に1970年代には、自治体文化行政が台頭しました。府県の首長部局に文化課や文化室を設置し、従来、教育委員会社会教育課で所管していた文化事業を、首長部局に移管していったのです。高度成長期を経て文化行政を推進したのは革新自治体でした。1980年ごろに成熟期を迎える自治体文化行政の使命について、政治学者の松下圭一は以下のように論じています。「文化行政の最終目的は、個性的な文化の根付いた地域社会をつくりだすことである」と。

　文化行政のゴールは「市民自治」にあります。その市民自治を育てるのが市民文化であり、市民文化を生みだす仕掛けが文化行政なのです。そのためには行政そのものが縦割りの官僚主義を自己革新し、柔軟で創造的な組織に変わらなければならない。これが松下が唱えた「行政の文化化」の意味です。

　それにしてもなぜ、松下は「文化政策」ではなく「自治体文化行政」を確立しようとしたのでしょうか。国家主導・統制型の戦前の文化政策への厳しい反省が、その前提としてありました。「すでに、東京のオリンピック、大阪の万国博、沖縄の海洋博、筑波の科学技術博という国主導の文化カンパニアが持ち回り方式で動いている。とすれば、やはり、文化行政も官治・集権行政になってし

まい、国レベルでの文化官僚の新登場ともなりかねない。とくに官僚機構による大衆統制技術、マスコミによる大衆操作技術の過熱をみている今日、これは、国民精神総動員の新しいファッションに堕することにもなる。言いなおせば、これは全体主義の『文化政策』となる。この文化政策は、ナチズムやスターリニズム等、現代独裁の強力な武器であったことを想起したい」。

このように松下は、戦後西ドイツと同じくらい厳しく過去の反省を行い、「文化政策」という言葉すら拒否しました。そして、自治体による「文化行政の三原則」として、①市民自治の原則、②基礎自治体主導の原則、③ 行政改革の原則、を挙げました。

市民自治と文化行政

さらに松下は、市民自治と文化行政との関係について、以下のような展望を示しました。「文化行政は、市民文化の成熟、さらには行政の文化水準の上昇に応じて不要になっていくことも理解されよう。市民文化の成熟は、自治体レベルから行政自体の文化水準をあげ、官治・集権型から自治・分権型へと行政体質を転換させていく。文化行政は、いわば過渡期の産物なのである。この過渡性のゆえに、現在、文化行政は自治体の戦略的急務となっている」。

市民文化の形成を通じた市民自治の確立によって、文化行政そのものが、やがて不要になる。この松下の展望は、現代風に言えば、アソシエーション型市民社会論を先取りしたものでした。それはNPO論につながる社会構想であると同時に、歴史的に見れば、すでに19世紀前半にデザインされていた、もうひとつの近代市民社会論の系譜にまで遡ることができます。のちに詳しく考えますが、「ゲノッセンシャフト」によるコモンズもしくはコミューンの再構築です。それは、ゲマインシャフト（地縁的共同体）からゲゼルシャフト（利益社会）へ、という産業社会の発展形態を超える、未来の社会構想でもありました。

文化ホールはまちをつくってきたのか？

松下らの自治体文化行政論は、たしかに一定の成果をあげてきました。公

民館、図書館、博物館といった社会教育施設ではなく、公共文化施設を拠点として市民主体のまちづくりをめざす自治体が増えてきました。「文化ホールがまちをつくる」が1980年代の合言葉となり、1990年代には3日に1館のペースで文化ホールがオープンしたのです。

　さて、「文化ホールがまちをつくる」という合言葉から40年以上が経ちました。では現在、文化ホールによるまちづくりはどの程度まで効果をあげてきたのでしょうか。たしかに市民文化団体にとっては、その活動と発表の場として、文化ホールはなくてはならないものです。

　また、1970年代から全国の自治体に、いわゆる「文化協会」が組織され、行政との協働がめざされました。三曲（箏曲、三味線、尺八）や日舞や華道のような伝統文化だけではありません。合唱や吹奏楽、演劇や洋舞など西洋芸術の団体も文化協会に加盟しています。これらの文化団体によって構成される市や県の文化協会は、市民文化祭や市民音楽祭や市民美術展に参加、あるいは「動員」され、「文化によるまちづくり」に不可欠の「市民」となってきました。

　しかし、その市民とは、いったい誰のことなのでしょうか。文化芸術を趣味とし、それを生きがいとしている市民の姿はすばらしい。彼らの日常の練習場やハレの舞台が身近にあることともすばらしい。しかしながら、市民文化団体や文化協会に参加している人は、市民のごく一部に過ぎないのが実情でしょう。そして、そのような市民の多くは、文化活動を自己実現の機会とすることで満足しています。生涯学習（社会教育）における自己実現と封建的師弟関係を温存した習い事文化との奇妙な混合が、戦後日本に特有の文化状況を生み出してきました。しかしそれは、芸術文化活動の社会的視野の狭さや批判的精神の貧しさと表裏一体でした。そのため、趣味・道楽を超えた「公共的な空間」を開く協同性にまでコミットする人は少ないのです。

　松下らが示した自治体文化行政の理念を思い出しましょう。地域の文化振興は、「市民自治による市民文化の形成」を基本として市民主体によって実現できること。そして文化の問題が、個人の受容や享受の問題（私事、趣味・道楽）を超えて、より「公共的な事柄」として認識されるようになることでした。その意味で「文化ホールがまちをつくる」という約束は、十分に果たされてこなかっ

たように思うのです。

　何よりも問題なのは、この40年余りの間に、ボリュームのある世代が高齢化したことでしょう。さらに若者の「文化ホール離れ」が目立ってきました。こうして文化ホールの維持そのものが難しくなってきた自治体も少なくありません。

文化行政からアートマネジメントへ

　他方、すでに1980年代から、文化行政の限界も明らかになってきました。市民社会を考えたときに民間の力、企業や住民の非営利組織とも連携しながら、もっと広い意味での文化政策を進めていかなくてはいけない。さらに大学なども含めて「産・官・学・民」の連携がめざされてきました。このような環境や仕組みの変化は、まずはアートマネジメントの実践の側から生まれてきました。そして、文化行政よりも広い「文化政策」という言葉が、この20年ぐらいの間に再び市民権を獲得するようになったのです。

　とはいえ、大半の若者たちは文化ホールに、あまり愛着をもっていないのではないでしょうか。地方都市で高校までを過ごした生徒は、音楽会や舞台鑑賞会などで何度かは地元のホールを訪れたことでしょう。しかし、大学進学や就職で大都市部に出て行った若者たちの大半は、引っ越した先の公共文化施設には縁のないまま、それとは別の楽しみを見つけているようです。

　他方では、出身地の衰退をどうにかして文化の力で再生したい、という健気な思いから、アートマネジメントを志す若者が増えてきたことも事実です。ただし、この場合の地域文化の再生は、文化施設を拠点とするという発想には、あまりこだわりがありません。「文化ホールがまちをつくる」を唱えた論客や、旧来の市民文化団体、文化協会とは明らかにセンスもライフスタイルも異なった世代です。地域特性を生かしたアートプロジェクトや、歴史的文化遺産のリノベーションといったオルタナティヴで柔軟な発想が、若い世代の特徴となっています。

　このようなオルタナティヴな発想をもった世代が、どのようにして自由な活動空間を生み出し、地域社会の中で「公共的な場と事柄」を形成していけるかが問われています。とりわけ若い世代の関心は、地域に密着した国際芸術祭

やアートプロジェクトに集まっています。屋外やオルタナティヴスペースでの現代アートのインスタレーション。そこにパフォーミングアーツを組み合わせることで、公共文化施設との新しい出合いや関係が生まれるのではないか。その意味でも、アートフェスティバルやアートプロジェクトに期待したいと思います。

　自治体文化行政の興隆から40年。現代の日本社会は、グローバル化と新自由主義の中で、市民文化の形成による市民自治の確立という理念を忘れ、経済成長戦略のもと「稼ぐ文化」へと動員されつつあります。そのような潮流にあらがって、いかにして異なる文化や価値を認めあう、多様で寛容な社会をつくることができるでしょうか。社会包摂や共生社会の意義をしっかりと理論的に認識し、社会実践へとつなげる試みにチャレンジしたいと思います。

◎参考文献

- 岩村正史（2005）『戦前日本人の対ドイツ意識』慶應義塾大学出版会
- 財団法人 国際文化振興会編（1939）『日独文化協定　協定全文、政府の声明、日独文化事業の近況、日独文化協定記念会記録』
- 清水雅大（2018）『文化の枢軸　戦前日本の文化外交とナチ・ドイツ』九州大学出版会
- 藤野一夫＋文化・芸術を生かしたまちづくり研究会編著（2020）『基礎自治体の文化政策　まちにアートが必要なわけ』水曜社

2
講義

文化・芸術と文化政策の対象

　講義1では、文化政策と国家（権力）との関係、国によって異なる文化政策のタイプ、文化政策と文化行政の相違とその変遷、アートマネジメントという新しい考え方の登場などについて概説してきました。大正時代にドイツから「文化政策」という言葉が入ってきたころは、まだ社会事業と文化事業の区別は明確ではなく、文化政策の枠組みで社会政策を行うこともありました。戦時体制に入ると、文化政策の対象は国民の精神的活動の一切を包括するものとなり、宗教・芸術・科学・道徳・教育などが「国防国家」のために「動員」されていきました。奇妙にも「文化国家」と「国防国家」が同一視されたのです。

　しかし戦後、GHQの徹底的な検閲（とくに歌舞伎などの伝統芸術への弾圧は厳しかった）によって、文化政策の領域は著しく切り詰められ、文化は社会教育の枠組みでのみ公的に支援されました。その反面、文化は「私的な事柄」であって、余裕のある人たちの趣味・道楽とみなされるようになりました。1970年代からの自治体文化行政の隆盛にもかかわらず、文化を贅沢品とみなす「世間」の傾向は現代でも変わっておりません。新型コロナ危機は、改めて日本社会の構造と社会心理を浮き彫りにしました。文化・芸術は「不要不急」と叫ばれ、関係者は同調圧力のもとで自粛を余儀なくされました。

　これからの文化政策は、このような日本社会の状況を変えることができるのでしょうか。この問題をじっくり考える前に、明らかにしておくべき課題があります。文化政策が扱う文化の対象とは、実際にどのようなものであり、また今後どのようなものであるべきでしょうか。そもそも文化と芸術はどのように重なり、また異なるのでしょうか。講義2では、こうしたややこしい問題について、歴史や理論を踏まえて考えてみましょう。

自然・人間・文化

　文化政策の対象としての文化とは何か、を問うことは、文化の概念をどこまで拡張するか、もしくは限定するかという問題と重なってきます。ざっくりしたイメージを描いてみましょう。わたしたちが生きている世界はどういう仕組みになっているのか、というマクロな視点が前提となります。

　わたしたち人間は、一定の集団の中で、ともに助け合って生きていくと同時に、常に自然とかかわって生きていかざるを得ない存在です。暮らしや生業の資源としての自然だけではありません。自然とかかわりながら里山のような文化的景観を形成し、そこを自分たちの共同体の共有地（コモンズ）として
郷土愛を育んできました。個人だけでなくコミュニティのアイデンティティが、自然とのかかわりの中で形成され、継承され、また更新されます。

　わたしたちは自然を、人間が生きていくために加工して利用すると同時に、自然の美しさに打たれて慰めや安らぎを見出します。崇高な自然を「聖域」として、あえて手を加えずに崇拝することもあります。深い森や巨大な山岳や大海原をイメージしてみましょう。そのような大自然は、人間にとって両義的な現れ方をします。日本は地震や津波や台風などの自然災害が多い国です。自然は大いなる恵みであると同時に、生存を脅かす恐怖でもあります。

　素っ裸で自然の中に投げ込まれたとしましょう。一本の葦のように、人間だれもが脆弱な存在である、という根本認識をもつでしょう。では、ひ弱な存在である人間は、自然の中でどうやって生き延びてきたのでしょうか。ここから、根源的で一番広い意味での「文化」が生まれてきました。

　衣食住のすべてが文化です。寒かったら着物を着る。お腹が減ったら食べ物をどこかから取ってくるか、自分でつくる。そして安全な住処をつくって集住します。恵みでもあり脅威でもある自然を敬うことから信仰の場や祭事が生まれ、その共同行為を通じてコミュニティが形成・維持されてきました。この衣食住と宗教・祭事といった営みの総体が、自然と人間がかかわる原点にある文化です。世界各地に行けなくとも、民俗学博物館や歴史博物館の展示を通して、人類の多様な文化とその歴史を知ることができます。

人為としての文化

　こうした人間と自然、文化と社会の関係を、少しだけ抽象的にまとめてみましょう。文化は「人為」です。人間によって加工されたものの多くは自然物を素材としています。一方、自然は自然物として、人為が加えられる対象に過ぎないのでしょうか。たしかに自然は、人為の所産以外のすべて、つまり人間によって生み出されたのではないものの総体です。

　けれども「人間は自然に抱かれて存在している」という観点からすると、自然は人間とその活動をも包含しています。つまり、人間も文化も自然の一部にすぎない、という認識が成り立ちます。しかし西洋の伝統では、文化は自然と対置されるのが普通です。文化とは「人間が生み出したもの」と「(主に言葉による)表現」の全体を包括しています。

　したがって、文化の概念は人為の一切を含むことになります。以下のような、あらゆる人間の表現活動です。歴史的、個人的、共同体的、実践的、美的・感性的、理論的、神話的、宗教的表現が文化である、と定義することができるでしょう。

　あえて分類すれば、衣食住と社会形成にかかわる活動(それは暮らしと生業を支える行為でもあるので「社会・経済活動」と言い換えてもよいでしょう)、言語や身体による美的・感性的表現活動(それはのちに「文学」や「芸術」と呼ばれることにもなります)、学術活動や宗教行為(ここにも芸術の萌芽があります)に分けることができます。とはいえ文化とは、そもそも相互に絡み合った人間の営みの総体なのです。

　それでは文化政策の対象は、自然には含まれない人為の総体なのでしょうか。もし文化政策が、それらを全部扱うとしたら大変なことになりますね。たとえば役所でやっている行政の仕事のすべてが文化政策の対象ということになってしまいます。

　たしかに、文化人類学的な観点から再び拡張された文化概念では、それぞれの民族やコミュニティの「文化多様性」が重視されます。個人だけでなく、集団や社会が、多様な仕方で表現しているもの一切の保護・促進が、文化政策の課題とされています。芸術や文学だけでなく、生活様式や共存の形式、

伝統や信念なども文化政策の対象となります。こうした文化多様性の概念が
はらむ諸問題については、講義13と14で考えてみましょう。

文化と芸術

　公共政策には公費、つまり税金が投入されますので、納税者が納得するよ
うな税金の再配分を行うための行政の仕組みと、民主主義的な政治決定が必
要となります。そこで、文化政策の対象をどうやって絞り込んでいくかが問題
となるのですが、それに先立って、文化と芸術の異同について、その歴史をた
どりながら理論的に考察をしておきましょう。

　「文化芸術」という言葉が普及しはじめたのは20年ほど前のことです。2001
年12月に「文化芸術振興基本法」が国の法律としてつくられたことが契機と
なりました。このとき、実は「芸術文化」か「文化芸術」か、という議論が結
構あったのです。「芸術文化」として芸術が頭にくると「芸術は難しい」という
イメージがある。あまりにも狭いアートワールドの話になってしまうため、もっ
と広い文化概念、例えば国技である相撲みたいな「身体文化」や、将棋といっ
た日常娯楽にかかわるものも文化概念に含めて振興の対象にしようという、さ
まざまな団体の働きかけもあって、最終的に「文化芸術振興基本法」になりま
した。

　別の背景もあります。文化財については、1950年に文化財保護法が施行さ
れておりましたが、芸術文化に関する基本法の制定は半世紀も遅れを取った
のです。これによって舞台芸術の振興のための根拠法ができたのですが、芸
術文化全般にかかわる基本法である限りは当然、文化財にも配慮しなければ
なりません。文化財を芸術文化の概念で包摂するには違和感がありました。

　もちろん、文化財保護法には「人間国宝」のイメージで広まった無形文化
財も含まれており、歌舞伎などの伝統芸術を上演する国立劇場を整備する根
拠にもなりました。しかし、寺社や天然記念物などの有形文化財に芸術概念
を適用するには無理があるでしょう。そのこともあって、文化（財）＋芸術とい
う含みをもたせて「文化芸術」に落ち着いたという事情もありました。ですから
「文化・芸術」としたほうがよかったかもしれませんね。

芸術の自律性

　さて文化ではなく、今度は芸術を中心に考えてみましょう。先に文化人類学的に（再）拡張された文化多様性に触れましたが、文化と呼ばれるものには、集団やコミュニティをベースに形成されたものが多い。それは伝統や民族や土地に根差した表現です。一方、芸術はそれだけで自律（autonomy）した世界である、という考え方があります。だからこそ、特定の場所（空間）や時代（時間）を超えた普遍的な価値をもつのだと主張されます。

　それでは、芸術が他の領域から自律している領域であるという場合、そこでイメージされている芸術以外の領域とはどのようなものでしょうか。さしあたり、文化政策の観点ではなく、哲学思想の歴史から考えてみましょう。ギリシャ哲学、とくにプラトンのイデア論では、「真・善・美」が究極の理念、もしくは価値として語られています。

　西洋近代は、この真・善・美を受け継いできました。これらの理念は、科学（学術）、道徳、芸術という3つの価値領域に分化し、それぞれに独立した価値をもつ分野として論じられ、究明されるようになりました。科学は真理を追求しますが、その成果を応用して労働と生活を変える道具にする専門化（専門家）が生まれます。わたしたちは簡単に「科学技術の進歩」などと言っていますが、本来は科学と技術は別物です。少なくとも「芸術・文化」と同じように「科学・技術」とすべきでしょう。

　芸術も科学も、それだけでは何かの解決に直接役に立つ道具ではありません。問題解決の手段や道具になるような事柄は、医学もふくめて「技術」の分野です。「デジタル革命」のように、生産向上と経済成長に寄与する技術革新は、現在の大学ではメジャーですが、工学も経営学も、「〜のための道具」であるという点では自律した学問領域には含まれません。

　近年、国際教養学部などリベラル・アーツを重視する大学が復活してきましたが、その起源をご存知でしょうか。ラテン語ではアルテス・リベラーレス、「自由の術」を意味します。奴隷身分ではない自由人が学ぶべき学術のことで、まずは言語にかかわる術として文法、修辞学、弁証法（論理学）の3学がありました。さらに数や比率や調和にかかわる数学、幾何学、天文学、音楽の4学

がありました。合わせて「自由7科」と呼びます。そしてこれら7科目を総合する「万学の女王」として哲学が君臨していました。医学も工学も経済学も、そこには含まれてはいなかったのです。

　とはいえ、技術や道具が広義の文化を構成する重要な要素であることは確かです。芸術の原語であるラテン語のアルス（ars）、英語のアート（art）、ドイツ語のクンスト（Kunst）なども、もともとは「技術」（ギリシャ語ではテクネー）を意味していました。プラトンの美のイデアの流れを汲みながら、技術よりも芸術の意味が表面化するのは18世紀後半からです。

　そもそも人間には、根源的なものをつきとめたい、という世界と自己の認識へのあくなき欲求があります。「いったい世界（宇宙）の仕組みはどうなっているのか」、「人間と自然（生命）の関係はどのようになっているのか」、あるいは「人間（自分）はどこから来て、（死後）どこへいくのだろうか」、「そもそも自分が存在するとか、世界が有るとはどういうことか」といった人間の認識欲求（とその認識の限界）にとって、芸術と科学は必要不可欠の価値の源泉です。このような根源的な問いは、がんらい「形而上学」という哲学の究極の課題でした。

　ちなみに、わたしが芸術や自然の中で美的なものに打たれたときに魂を震撼させられる問いは、このような形而上学の根本問題と同じです。ですから、芸術における美的・感性的な認識と、形而上学に発する科学的認識とは共通している、少なくとも表裏一体のものものであると考えています。

　わたしは一方で、「芸術が開く公共性」を文化政策のライトモティーフにしてきました。他方では、「美的経験とは世界認識である」という信念を深めてきました。そして、これらふたつのテーゼを接合し交響させることで、劣化した社会の仕組みを変え、世界を再構成したいという妄想を抱いています。その妄想をどこまで論理的に語れるかが、本書の挑戦です。

自律性の呪縛

　さて、善のイデアに基づく道徳は、善き行いのために内面的に自己を律するという意味で、自己立法を要請します。自分が立てた格率（法則）に自ら従うという意味での「自律」です。同時に、この道徳の領域そのものが、科学およ

び芸術の領域から自律してもいます。内面を律する道徳が外面化したものが法律です。

　社会における集団生活は、ある程度は慣習によって秩序づけられています。成文化されてはいないけれども、いわば社会（集団やコミュニティ）の掟として守られている「慣習法」があります。社会生活の秩序のために守るべきルールが成文化されると、それは「実定法」になりますね。憲法はその一番基本となる体系ですが、慣習法を重んじる英国には、成文化された憲法がありません。

　現代の憲法は、第一に、国民が国家権力を制限する権利ととらえられています。このような法理論もまた自律した領域を形成しています。法体系は社会のさまざまな現象や紛争を判定する基準ですから、普遍的かつ自律的でなければなりません。ですから国民は、ある政権の恣意性、つまり勝手気ままな行為を、憲法にもとづいて規制することができるのです。

　ところが、芸術表現をめぐって、法制度との矛盾や対立が生じることがある。なぜでしょうか。近代においては、科学、道徳・法、芸術が、それぞれに自律した領域を形成してきました。「道徳・法」としたのは、自分（たち）の行動を律する内面的な規範、つまり道徳が外面化されて、ある集団の中でルール化されたものが「法律」だからです。

　ほとんどの時代、多くの地域では、「道徳・法」の領域に宗教的な規範（戒律）が深く絡んでいます。けれども西洋近代だけは、世界史の中で特殊な発展をし、その特殊な歩みから「立憲民主制」という（現代の日本人から見ても）普遍的な価値が生まれ、世界各地に広がります。現代国家では、政治と宗教を切り離して、それぞれ自律した領域とする傾向が強まり、ここから法律と宗教との分離も必然となってきました。

　いずれにしても、その由来を遡ると、道徳と法は表裏一体の関係と考えられます。さて、芸術もまた、科学や道徳や法律から影響されない独自の法則をもっています。この意味で、まずは芸術の自律性をとらえる必要があります。

　しかしながら、それぞれ自律的に形成されてきた領域は、その専門分化にともなって高度化すると同時に抽象的になり、わたしたちが生きている具体的で現実的な世界から遊離してしまいがちです。そうすると、各領域が自律していること自体が、皮肉にも「生活世界」からの分離を助長してしまうのです。自

律性という概念そのものがフィクションではないのか、という疑いすら生じてきます。

　各学問分野のタコツボ化や「象牙の塔」が批判されることがあります。自律性ゆえに孤立し、相互のコミュニケーションによる総合的な判断ができなくなってしまうのです。芸術の自律性（表現の自由）が法律によって規制されたり、損なわれたりすることが起きる理由は、つぎのような「二重の疎外」から説明できます。

　大学での研究に見られるように、学問（科学）、道徳・法、芸術のそれぞれの専門家は、各領域の自律性にしたがって精緻で高度な知識文化を発展させてきました。ところが、そうした専門家による知識文化は、わたしたちが生きる生活世界の日常的な実践の中では、そう簡単には理解できません。いわゆる学術論文は、残念なことに、わたしたちの生活や思考や想像力を豊かにするための、市民の共有物にはなっていません。

　そればかりではありません。それぞれに自律して高度化した領域は、その緻密な専門性ゆえに、少し分野が異なるだけで、研究者どうしでさえ、もはや相互理解が不可能になるのです。生活世界から生じる諸問題の理解や解決に必要なことは、むしろ雑種的ですらある多様な知識や実践のストック、その意味での文化的資源の中から、その都度、最適な組み合わせを選択することのできる柔軟なセンスと総合的な判断力ではないでしょうか。

　わたしが美的経験と文化政策的構想力との融合に期待する理由は、ここにあります。それによって、人間本来のしなやかな感性と総合的な理性を取り戻すことができるのではないか、と考えるからです。このテーマは講義16で改めて論じましょう。パンデミックの時代に、なぜドイツの文化政策と政治家の発言に存在感があったかを解明する中で、「美感的判断力」の重要性を理解したいと思います。

自然と宗教からの芸術の自律

　ところで、わたしたちが一般に思い描く芸術の自律性、とくに文化政策における自律性は、科学、道徳・法からの、芸術の自律とは違っていますね。現在

の文化政策で重要なのは、むしろ政治権力や市場経済からの自律性です。さらに宗教からの自律、キリスト教道徳からの自律、あるいは小市民的モラルからの自律など、「〜からの自律」といった場合の含意は広範囲です。「〜によって左右されないこと」という意味だとわかりやすいでしょう。そしてその場合の自律は、ほとんど「自由」と同じ意味で使われています。

　それでは芸術の自律性は、「表現の自由」や「言論の自由」と同義なのでしょうか。この問題は講義15で改めて考えてみましょう。

　歴史を追って、少し理論的に考察してみます。芸術の自律性とは、今から200年ぐらい前に近代ヨーロッパで確立された考え方です。さきほど自然と文化の関係を考察しましたが、実はここには宗教の問題も絡まっています。さまざまな宗教にかかわる風習、風俗、祭りなどがあります。自然と宗教は深いかかわりがあるのです。

　そして芸術の起源も、宗教儀式と根本的につながっています。では西洋近代では、自然と宗教と芸術の深い関係は、いったいどのように切り離されていったのでしょうか。芸術がそれだけで自律している、ということは、まずは作品として自己完結している、という意味です。ですから、芸術が自然から切り離されている、という意味でとらえることもできます。他方では「芸術は自然を模倣する」という考え方があります。その場合には、自然が最高の美の世界を表出しています。自然美が芸術のモデルです。

　ちょっと脱線しますが、わたしは小学生のころから山登りに没頭し、中学生で冬の八ヶ岳に挑戦しました。ひんぱんな山通いは30歳ごろまでで終わってしまいましたが、いまでも通勤途中の車窓から見る大自然に日々心を奪われます。舞子の自宅から神戸大学への途中、JR塩谷から須磨の間に広がる大海原（写真1）。その水面と空と光が織りなす光景は、365日異なった表情を見せてくれます。その3分間の自然のドラマが、魂に命を吹きこんでくれます。

　最近は、播但線という電化されていない単線のローカル電車で兵庫県北部の豊岡に通うことが多くなりました。姫路から北上するのですが、寺前から生野の間の渓谷美は圧巻（写真2）。濃淡に彩られた樹林の山肌は、四季折々に生命のオーラを発してくれます。これほどまでに自然は、惜しげもなく素肌の美をさらけ出してくれるのだ！　とくにこの区間を走るとき、車窓からの光景に

写真1 車窓からの須磨と淡路島 写真2 播但線の車窓から

陶然となって、思わずわれを忘れてしまいます。わたしにとって自然美の根本経験は、芸術を享受し理解するうえでの原点なのです。

　整理しましょう。美学には2つの対象があります。1つは自然の美しさを解明する領域です。「自然美」の世界です。もう1つは、「芸術」と言われている人間が作った「作品」です。人工的に作ったものの美を分析する領域です。しかし、主に近代においては芸術作品の分析が中心になりました。額縁に入った絵画、舞台で上演される演劇やオペラや交響曲、そういった自己完結した作品を自律した芸術と考え、自然美から切り離して解明してきました。

　近代の芸術作品は、宗教からも切り離されました。約200年前の話です。それまで長らく宗教と芸術は類縁関係の時代が続きました。わたしたちが今日、これは芸術だとみなしているもの、例えば仏像もそうですし、音楽もそうですが、そのほとんどは宗教的な儀式から始まったものです。やっと200年ぐらい前に創られた作品が、宗教から切り離されて、あるいは自然とも切り離されて「自律した芸術」とみなされるようになった。これが、芸術における自律性の一つの側面です。

2つの権力からの自律

　けれども、もっと重要な側面があります。たとえば200年前の社会を考えると、その芸術を支えていた人は誰だったでしょうか。芸術家を庇護したり、芸術作品を買い上げたりしていたのは誰だったでしょうか。一般の市民の中にもお金

持ちがいて、例えばオランダなどは一番早く、17世紀からフランドルの絵画などが取り引きされていました。

　イギリスとオランダで一番早く資本主義が生まれ、近代の市民社会が成立しました。交易などでお金をもうけた人が絵画を買ったり、画家を支援したりしていました。しかし、ざっくり言って、1789年に起こったフランス革命（バスティーユ襲撃）ぐらいまでは、2つの巨大な権力が芸術家のパトロンでした。

　1つは、宗教に由来するもので、主にキリスト教の教会です。教会が芸術のパトロンでした。カトリックでは絵画や彫刻といった視覚芸術、プロテスタントであれば宗教音楽が非常に重要です。カンタータやモテットといった礼拝音楽を、教会のお抱えの音楽家に創らせました。バッハも毎週の礼拝のために宗教音楽を創り、教会の音楽監督（カントア）として生計を立てていました。

　もう1つは世俗権力、王侯貴族たちです。どこの宮廷にも美術コレクションや劇場がありました。そこでは専属の役者や音楽家たちが雇用されていました。今から200年前までは2つの権力、1つは宮廷、貴族、もう1つは教会、僧侶階級、この2つの権力が芸術の支え手でした。フランス革命のころから、芸術は作品の中で自己完結しており、芸術家は自分たちの世界を表現するのだ、という考え方が生まれてきました。つまり、教会の儀式や宮廷の娯楽のために作品を創るのではない、という考え方が出てきたのはやっと200年前の話です。

　講義15で詳しく論じますが、哲学者でいうとカントがそれをはっきり理論化しました。ドイツの詩人シラーはカントの理論を、コミュニケーション教育論の観点から発展させました。19世紀後半になると、「芸術のための芸術（l'art pour l'art）」という考え方が出てきて、ボードレールやゴーティエなどが、芸術は社会から切り離されていることが重要なのだ、と言うようになりました。

　このように芸術の自律には、宮廷や教会の権力からの自律という歴史があります。さらに現在で重要なのは、政治からの自律、国家からの自律です。国家権力によって干渉されないことが、芸術の自律にとって非常に重要な要素となっています。というのも、講義1で述べたように、近代市民社会の発展によって、ひとたび宮廷権力や教会権力から自律した芸術は、その後の国民国家形成や帝国主義化に巻き込まれていったからです。

　国家の庇護の下に置かれた芸術の運命は不幸の歴史でした。国家にはい

ろいろな統治形態があります。共産主義や資本主義、そして軍事独裁もあります。国家イデオロギーにふさわしい芸術や芸術家は支援し振興する。けれども、国家を批判するようなものは排除する。そのように政治によって芸術家が抑圧され、投獄され、命を落とすこともたくさん起きました。現在でもまだ世界中で同じことが繰り返されています。したがって、芸術は国家権力から自律すべきだという考え方が、現代の民主主義的な文化政策の根幹にあるのです。

文化産業と芸術の自律

では、文化・芸術のことは経済に任せておいたらいいのでしょうか。経済と文化の関係はどのようなものでしょうか。ベルリンの壁が崩壊し、東西ドイツの統一から30年、グローバル化の中で市場経済がとてつもなく大きくなりました。暴走する資本主義とともに「商品としての芸術」が脚光を浴びてきました。

日本のゲーム市場は1.5兆円に達しています。たとえば「ポケモンGO」が数年前にブレークしましたね。みなさんがスマホでポケモン探しをやると、それだけで数千億円規模のマーケットが生まれるのです。これを「文化産業」と言います。文化は産業化され、市場経済と結びついてこそ価値を生み出す、という価値観が広がってきました。映像やゲームなど、2018年度の日本のコンテンツ産業の市場規模は10.8兆円に上ります。

ポケモンは日本のコンテンツ産業にとっての福音だと思いますが、なぜ多くの人たちがまちの中に出て行ってポケモンを探そうとするのでしょうか。よくよく考えてみると、これは神話や伝説と同じではないでしょうか。

かつて人間は自然の中で、いわば裸一貫で生活していました。そのときに現実社会の裏にある非現実なもの、不可解なものと頻繁に出合っていたはずです。妖精物語や妖怪伝説は世界中にあります。自然界の不思議な現象をどのように説明し、納得するのか。創話や伝承の行為から、神話や宗教や民話が生まれて、その一部が現代でも残っています。

その後、近代において科学が発達して、自然の神秘や宗教の秘密がどんどん解明されていきました。これを「脱魔術化」と言います。魔術的な世界から人間は啓蒙されて大人へと脱皮する。理性の力ですべての不可思議な現象を

クリアに説明でき、納得できるようになる。これが、近代の科学的な世界だと思われているわけです。そうすると近代人は、自然の神秘とか宗教の不思議などを全然信じなくなってしまいます。

しかし、わたしたちは、本当に科学・技術の世界の中だけで生きていけるのでしょうか。世の中には超常現象、不可解なものがたくさんあります。自分の外側にある世界や自然だけが不可思議なのでしょうか。いや違います。人間の心は非常に不思議で、全部クリアに説明されても、わかったつもりになっているだけで、実はわからないことだらけです。人間はわからない、不条理な不可思議な存在です。人間ほど不気味なものはありません。わたしも自分で自分のことがまだ全然わかっていません。

そこにポケモンのようなものが出てくると、ふだん抑圧されていた欲求が、ぱっと解放されてワクワクドキドキできるのです。これが文化産業の戦略です。日常的に抑圧されている人間の感覚的欲望を刹那的に満足させ続けること。このような心理を利用して大きな市場価値が生まれます。

しかし、ここには大きな問題があります。ポケモン以外の文化はどうなっていくのでしょうか。どんどん駆逐されていきます。1日のうちの何時間もそればかりやっていますので、スマホとポケモンはよく売れるでしょう。しかし、文化・芸術はじつに多様です。あるいは自分自身の時間を充実させるやり方、つまりライフスタイルも多様です。いろいろな新しい発見や出合い、さまざまな気づきがあり、新しい価値観がそこから生まれるでしょう。

ところが、特定のゲームに熱中するうちに、それ以外の多様な文化や芸術、他者との出会いのチャンスが、どんどん自分の視野から遠のいてしまう。画一的な価値観に支配されるような生き方になってしまうのではないでしょうか。（ただし現状での議論はもっと複雑です。ゲーム中毒を批判する立場と、ゲームを息苦しい社会の中での、ほとんど唯一の心のオアシスとして肯定する立場が並存しているからです）。

このような文化産業の誘惑にあらがって、もう一度、芸術がもっている力を取り戻す必要があるのではないか。つまり、芸術は市場経済から切り離された自律したものとして存続すべきではないか、という考え方があります。しかし、そのときに直面するのは、では誰が芸術を支援し、担ってくれるのかという問

題です。なかなか自分で稼ぎだすことのできない先端アートや伝統芸術は、誰が支えてくれるのでしょうか。これが実は文化政策にとって大きな課題になっています。

人づくり、社会づくり、まちづくり

文化政策の対象分野では、3つのことに注目しなければならない、と思っています。まず、芸術の自律に対して「他律」という考え方が強まってきました。芸術は、芸術以外の目的のために必要だ、という西洋近代以前の考え方に戻ってきた傾向があります。これを「道具主義」（instrumentalism）と呼ぶこともあります。芸術は芸術以外の何か他のものに役に立つから価値がある、というのが道具主義の考え方です。

その一つは、「文化・芸術によるまちづくり」に関するものです。たしかにアートはコミュニティ再生に役に立ってきています。アートフェスティバルやアートプロジェクトが全国各地で花盛りです。新しいお祭りとしてのアートプロジェクトが、まちづくりにとって非常に有効だという認識が広がってきています。

さらに、「社会包摂」や「共生社会」を実現するための道具としての文化・芸術に大きな関心が集まっています。グローバル経済の進展によって格差が広がるなかで、さまざまな社会問題が出てきました。社会の間の亀裂、溝が深まってきました。そういった新しい社会問題を創造的に解決しようという傾向です。「創造性」という言葉も、よく考えないと怪しいので、あまり使いたくないのですが、一般的にはクリエイティブな発想に注目が集まっています。社会のさまざまな問題をクリエイティブに解決するために、アートや美的センスが必要だと言われています。

アートを道具として使いましょう、という考え方は「社会づくり」にも活かされています。「まちづくり」もその一部ですが、都市政策、都市戦略における文化・芸術の役割が強調されるようになってきました。都市の魅力をどんどんアピールしようという都市戦略、自治体行政のトレンドとなっている「シティプロモーション」も、まちづくりの一つの側面です。これも文化・芸術を道具として利用するという考え方です。

大都市の文化政策を見ると、「社会のための文化・芸術」ということと、「都市のための文化・芸術」が二本柱になっているものが多くみられます。その中で軽視されているか、抜けているものがあります。それは、「人づくりとしての文化・芸術」ということです。

　人づくりということになると、これも何か道具として芸術を利用しているように思われるかもしれません。しかし、近代において、なぜ芸術・文化が政治や経済から自律する必要があるのか、あるいは宮廷や教会の権力から自律しなければならないかをはっきり唱えた当時の思想家や芸術家たちは、人づくりのメディアとしての芸術・文化に注目しました。

　難しい言葉ですが「人格陶冶」（Bildung 人格形成、教養形成）のために芸術・文化は欠くことができないものだ、という確信があった。だからこそ、芸術は他の領域から自律すべきだという考えが徐々に認められ、広がっていきました。ですから、人づくりと、芸術・文化の自律性というのは表裏一体の関係にあるととらえることができます。

　とはいえ、ここが日本では一番理解されていないところでもあります。生涯学習、社会教育の分野ではある程度合意されていることなのに、生涯学習系から切り離された文化政策では、ここが非常に弱いのです。本当は生涯学習の発展形としてバトンタッチされて新たな文化政策がスタートすれば、人づくりの本質が軽視されることはなかったでしょう。ところが、いつの間にか社会教育系の文化振興と、首長部局の文化振興が違うトラックを走っていて、お互いに連携できていないのです。

　日本の本当に不思議なところは、美術館、博物館は教育委員会の管轄、けれどもコンサートホールや劇場などは首長部局の文化振興課になっている自治体が多い。両者がつながっていないことが当たり前になっているわけですが、これは本当におかしな話です。講義1で述べたように、戦後日本の文化政策の特殊なねじれから、そうなってしまった。しかし、芸術の自律性と人づくりは表裏一体で直結しているのです。

　なお、文化芸術基本法の改正にともなって、2018年10月から博物館と芸術教育行政が文部科学省から文化庁に移管されました。これによって自治体の中でも、博物館行政等を教育委員会から首長部局の文化振興課などに移

管する動きが出てきました。芸術教育の面でも、学校教育と文化施設との連携がしやすくなることが期待されます。

文化政策は何をめざすのか

　講義4で述べるように、現代の自治体文化政策の課題はコミュニティ再生にあります。しかし、それだけではありません。グローバルな都市間競争を意識せざるをえない大規模自治体の場合、文化政策は都市政策とも深く関連します。文化政策の根幹は、ひとえに「人づくり」にありますが、「人づくり」と「まちづくり」つまりコミュニティ政策は重なる部分が多いのです。とくに基礎自治体では、市民自身の文化活動を支援する文化振興施策が中心となってきました。

　しかし、グローバル化の進展とともに、文化政策の範囲も拡張してきました。福祉や教育のみならず、観光や文化・創造産業との連携が求められ、近年では「稼ぐ文化」というキャッチフレーズまで登場しています。けれども、文化政策領域の安易な拡張は、文化概念そのものの歪みや自己矛盾をもたらすことになるでしょう。

　もとより文化政策は公共政策の一分野ですが、それは芸術・文化の振興のみにとどまるのではありません。しかし、日本の文化政策は思想的基盤が脆弱なために、アングロサクソン系の功利主義かつ道具主義に引きずられやすいのが泣き所です。

　一方、ドイツの文化政策関係者は、その目的をボン基本法（ドイツ憲法）の中心理念である「人格の自由な発展」を可能にする仕組みとして認識しています。現代のドイツ文化政策の核心は「文化的民主主義」の形成にあります。いわゆる高級文化の啓蒙をめざす「文化の民主化」ではありません。「文化教育」（kulturelle Bildung）を通しての、エリート主義に陥ることのない教養・人格形成をめざしているのです。

　このような文化的民主主義の立場から、難民を歓迎する文化や相互承認の文化のための施策が促進されています。文化教育と社会包摂は別々のイシューではなく表裏一体です。グローバル化する社会の先端的課題の発見と、その

解決への道は、教養概念の現代化を通して拓かれる。その意味で「文化教育の再生」こそがドイツ文化政策の現代的課題なのです。

それでは日本の文化政策は、あくまで「芸術の自律性」を重視すべきなのでしょうか。それともさまざまな社会問題に対処しうる「芸術の道具主義」、つまり文化・芸術を活用した創造的解決を優先すべきなのでしょうか。わたしは以下のように考えてきました。

ドイツの理論と実践が明証しているように、地域主権に根ざした自治体文化政策は、「人格の自由な発展」を通してこそ、はじめて「地域創生」をも実現できるのです。わたしは「創生」の意味を、創り生み出すという人間活動の能動性としてとらえています。「創生」は、自分の生き方（ライフスタイル）を創り生み出します。地域創生とは、地域コミュニティとかかわりながら自分の内面を耕し、自己実現を通じて地域の文化資源を耕し、その宝を磨いてゆく相互的な能動性なのです。

したがって、文化政策の使命も相互的な作用を促すことにある。一方で、市民が自らのライフスタイルを自己決定できる文化・芸術環境を整備すること。他方で、文化・芸術によって地域社会の課題とかかわりながら、自分自身の個性を追求する活動そのものがコミュニティを再生し、地域固有の文化・芸術を豊かに育んでゆく。このような相互作用によって「文化的コモンズ」が形成されると考えています。

端的に言って、文化政策の目的は「文化的自己決定能力の涵養」にある、というのがわたしの考えです。その場合の「文化的」とは多義的です。文化についての自己決定能力とは、まずは地域・コミュニティの住民・市民が、文化の事柄を決める主体となるという意味です。町会や村落ごとに個性豊かな祭りや伝統芸能が継承されてきたことが、その典型です。

と同時に、文化・芸術とその活動を通じて、文化・芸術以外の事柄に関しても、地域住民や市民の自己決定能力が涵養されることを、文化政策は意図しています。これこそが、現代市民社会における文化的民主主義の意義です。現代ドイツの文化政策は、社会の仕組みを変える社会構造政策と表裏一体の関係にあります。

じつのところ、このような文化的自己決定能力は、すでに日本においても地

写真3　北上川にかかる鯉のぼり　　　　　　写真4　陸前高田の防潮堤と奇跡の1本松

域社会を形成するさまざまな相互扶助組織によって涵養され、集合的に獲得
されてきました。もちろん、農村型コミュニティにおける相互扶助の精神は、
地縁血縁的な結びつきを強いる側面があります。一種の同調圧力によって地
域アイデンティティが維持されてきました。それは、必ずしもリベラルで民主主
義的な意思決定とは言えないものです。

　けれども、地域コミュニティを形成する組織は、日々の、また緊急時の相互
扶助にとって必要不可欠です。また、日常的な相互扶助の活動とともに、有形、
無形のさまざまな文化資源を生み出してきました。

　1年を通じて、家族や住民の誕生と婚礼、死と病、豊作と災害があります。
コミュニティをひとつに結びつける祭りは、大きな命のつながりに目を開かせ
てくれます。祭りは日常的な利害打算を超えて、コミュニティの全体と未来へ
の眼差しを開きます。東日本大震災の後、伝統的な祭りが復活した地域から、
まずは高台移転などの合意がいち早くできたと言われています。この事実から
も、まちづくりやコミュニティ形成の中心にあるのは都市計画ではなく、祭りや
芸能といった「文化的コモンズ」であることがわかるでしょう。

　伝統的なゲマインシャフト（地縁・血縁的共同体）においては、文化的自己決
定能力を涵養する主体と機会があったと思われます。しかし、現代日本社会
の根本問題は、そのような場所と時間が、あらゆる分野の近代化、産業化とと
もに衰退してきたことです。貨幣経済が津々浦々にまで浸透した利益社会、す
なわちコミュニティのゲゼルシャフト化によって「文化的コモンズ」の解体が著
しく進みました。

だからこそ「文化的コモンズ」の再生が文化政策の課題となるのです。しかしその再構築は、文化的民主主義の精神において行われる必要があります。講義12では、「ゲノッセンシャフト」という概念を紹介しますが、ゲマインシャフトからゲゼルシャフトへの近現代的展開において損なわれた文化的コモンズを再生する仕掛けこそが「ゲノッセンシャフト」であると、わたしは考えています。

宮沢賢治の芸術論から

　なぜ芸術が必要なのでしょうか。いったい文化政策は何をめざしているのでしょうか。わたしが自分の乏しい経験を通じて感じ考え、幾多の思想に触発されて思索してきたことを述べてみました。ある時、宮沢賢治の『農民芸術概論綱要』（1926）と出合い、衝撃を受けました。30歳の農民詩人は、およそ100年も前に、自分よりも遥かにスケールの大きな、そして深淵な芸術論を構想していたからです。「農民芸術の興隆」という小見出しに続いて「何故われらの芸術がいま起こらねばならなのか」について、賢治はこう記しています。

　　　曾つてわれらの師父たちは乏しいながら可成楽しく生きていた
　　　そこには芸術も宗教もあった
　　　いまわれらにはただ労働が　生存があるばかりである
　　　宗教は疲れて近代科学に置換され然も科学は冷たく暗い
　　　芸術はいまわれわれを離れ然もわびしく堕落した
　　　いま宗教家芸術家とは真善若しくは美を独占し販（ひさぐ）るものである
　　　われらに購ふべき力もなく　又さるものを必要とせぬ
　　　いまやわれらは新たに正しき道を行き　われらの美をば創らねばならなぬ
　　　芸術をもてあの灰色の労働を燃せ
　　　ここにはわれら不断の潔く楽しい創造がある
　　　都人よ　来たってわれらに交れ　世界よ　他意なきわれらを容れよ

　さて、講義3以下では、しばらく文化政策にとって必要な法制度について論じることになります。砂漠の中の一本道のように味気ない風景が続くことでしょ

う。しかし、その道筋は、賢治がめざしたような人類の新たなオアシスに通じているのです。

◎参考文献
・藤野／フォークト／秋野編（2018）『地域主権の国 ドイツの文化政策』美学出版
・藤野一夫編（2011）『公共文化施設の公共性　運営・連携・哲学』水曜社
・宮沢賢治「農民芸術概論要綱」（1995）『宮沢賢治全集10』ちくま文庫

3 講義 国の文化政策と 法整備の課題

　講義3では文化政策の骨組みとなる法整備について考えましょう。21世紀の始まりは、日本の文化政策史における転換点ともなりました。芸術文化振興の基本となる「文化芸術振興基本法」が一気呵成に成立したからです。国のレベルで芸術文化振興のための包括的な法律が制定されるまでに、たしかに終戦から半世紀以上かかりました。しかしそれは、広く国民的な議論が行われた末の立法とは言えませんでした。

　文化芸術振興基本法の施行から20年が経ちました。その間、日本の文化政策と芸術文化環境はどのように変化してきたのでしょうか。2001年の基本法の制定と2017年の基本法改正をめぐって、多角的かつ根本的に検討しておきたいと思います。芸術文化を育み広げるための環境づくり、また芸術文化の振興による地域社会づくりにとって、今後どのような法整備の課題があるのでしょうか。こうした問題について「文化権」の生成をめぐる日独比較をふまえて検討し、そこから日本の創造的文化環境の将来設計にとって何が必要かを探ってみたいと思います。

文化芸術振興基本法成立までの経緯

　まず基本法成立に至る経緯を、文化政策の変遷と絡めて概観しておきましょう。この法律は2001年11月30日に参議院で可決成立しましたが、その直接的な出発点は、2000年2月の音楽議員連盟による「芸術文化基本法創設に向けて」の発表に遡ります。2001年5月には芸団協（日本芸能実演家団体協議会）が、研究者の協力を得て「芸術文化基本法の制定および関連する法律の整備を」というアピールを発表。同月に公明党が「文化芸術立国・日本をめ

ざして」を出し、6月には公明党の法案が上程されました。

　後述するように、すでに政府側も文化庁が1998年に「文化振興マスタープラン――文化立国の実現に向けて」を発表し、国の文化政策の新たな段階に入っていました。こうした追い風を背景に、公明党は「芸術に造詣が深い」とされる当時の小泉純一郎首相のもとでの立法化に先手を打ったのです。

　10月に入り民主党案が公表され、月末に非公開の自民党案を公明・保守両党案と調整した与党案が示されました。11月7日に音議連を中心に各党案を足し算した法案が出され、11月16日に国会上程、22日に衆議院で可決の運びとなりました。この間、文化政策研究者の側からは、拙速な成立を避けるようにとのアピールが出されましたが、国民的な議論にまで高まることなく超スピード成立したのです。

　ところで、日本における文化基本法もしくは文化振興法への関心は、すでに1980年ごろから兆していました。まず国際的な動向を見ると、ユネスコは同年に「芸術家の地位に関する勧告」を出し、さらに82年には第2回世界文化政策会議の開催によって、文化政策の推進対象として以下の7項目を重点的に規定しました。 1) 文化的アイデンティティの尊重、2) 文化政策における民主主義と参加の重要性の確認、3) 文化的発展を社会的発展の目的それ自体としてとらえる新しい価値観の提起、4) 文化と教育の相互関係の強調、5) 文化と科学技術、6) 文化とコミュニケーション、7) 文化と平和の関係、です。

　これらの7項目については講義13で詳しく扱います。現代の文化政策にとって不可欠のグローバルスタンダードですが、日本の文化政策の守備範囲は非常に限定されたものでした。とくに「文化政策における民主主義と参加の重要性の確認」という点は、以下に見るように、国のレベルでも自治体文化政策においても等閑視されてきました。もとより国内においても、文化庁の「文化行政長期総合計画懇談会」のまとめ (1977) や、大平内閣時代の「文化の時代」の研究グループの報告 (1980) において、文化振興法の必要性が説かれていましたが、それらは「物の豊かさから心の豊かさへ」といった社会・経済発展の観点からの抽象的な提言にとどまっていました。

　さらに1984年には芸団協が、ユネスコの「芸術家の地位に関する勧告」をうけるかたちで「芸能文化基本法」を提案し、以後「芸術文化基本法の制定

および関連する法律の整備」（2001）の提言に至るまで、一貫して法整備の課題と取り組んできました。ここでは実演芸術家の権利をどう保障するかが、法整備の大きな課題となってきたわけです。この点では文化芸術振興基本法の成立は、日本の文化政策にとって大きな前進と言ってよいでしょう。芸術家の地位の向上を後押しする法律というだけではありません。高齢者・障害者・青少年の文化芸術活動の充実など、画期的な条文がいくつか盛り込まれていることも注目されてよいでしょう。

国家政策としての文化政策の推進

　文化芸術振興基本法は、音楽議員連盟を中心とした「議員立法」によって成立しました。また、実演芸術家の権利と地位の向上をめざす芸団協の強力な後押しが、そこにはありました。ですから文化芸術振興基本法は、日本では珍しい議員立法とされています。国会における法案の成立数を比較すると、官僚が作成し政府が提出する法案が圧倒的に多いのです。とはいえ、音楽議員連盟基本法特別検討委員会には文化庁からの出席者が含まれていました。つまり、法案策定プロセスで政府側が関与していたことは事実です。ここで、文化庁が推進してきた文化政策の流れを振り返っておきましょう。

　講義1で述べたように、1966年に文部省内に設置された文化局が、その2年後に文化財保護委員会と統合され文化庁が発足しました。しかし、その施策の中心は文化財の保護にあり、芸術・文化の振興が重要な政策課題とされるのは1980年代後半になってからです。すでに地方自治体においては70年代後半から「行政の文化化」や「地方の時代」が唱えられ、とくに80年代後半のバブル景気を背景に、地域社会の文化的アイデンティティの確立をめざして文化事業が拡大し、文化施設の建設が加速していました。

　また経済のソフト化や企業の社会貢献が叫ばれ、1990年には政府と民間企業の共同出資による「芸術文化振興基金」、および「企業メセナ協議会」が発足。さらに阪神・淡路大震災を契機としたNPO活動の進展は、市民主体の芸術・文化のあり方を問いかけ直しました。

　こうした、従来の国や地方自治体を主体とした「文化行政」概念では包括

できない芸術・文化振興の拡大と多様化に対応して、1990年代から「文化政策」という用語が再び市民権を得てきました。1989年に文化庁に「文化政策推進会議」が設置されたことは、「文化行政」から「文化政策」への転換を象徴する出来事でした。こうした背景については、ひとまず以下の3点を挙げることができるでしょう。

1) 文化の領域への民間部門の参画が進み、芸術文化団体・行政・民間企業など三者間のパートナーシップによる新たな支援システムの構築が必要になってきたこと。
2) 文化の振興が「まちづくり」や「むらおこし」の中核に位置付けられ、文化政策が地域の総合政策の理念的中心を担うものと認識されてきたこと。
3) 国際文化交流の推進が「顔の見える日本」をアピールする対外文化政策として要請されるようになってきたこと。

　これらの3点に加え、後述するように、わたしは市民主体の文化政策のあり方を模索していますが、ここでは文化庁主導による文化政策の推進に絞って見ていきましょう。

　文化政策推進会議の発足を促した直接の契機は、「我が国における国際文化交流に関する施策の在り方及びその強化方策について検討する必要」からでした。その背景となったのは、1988年から97年までを「世界文化的発展のための10年」と定めた国連の決定です。国連とユネスコが中心となり、各加盟国には国内委員会を設けてさまざまな文化政策を推進することが求められました。その主要な目的は「開発に文化的側面を織り込むこと、文化的独自性の肯定及び高揚、文化活動に参加する機会の拡大及び国際的な文化協力の推進」でした。

　このような国際的動向をうけて、しかも外務省系の対外文化政策とは別個に、文化政策推進会議が文化庁長官の私的諮問機関として設置されました。そのさいに、文化政策の役割と方向について文化庁がもっていた基本認識は、以下のようなものでした。

1) 文化活動は、国民が心の豊かさを求めて創造性を発揮し、個性を伸長し、自己実現を図ろうとするための自発的自主的な営みであり、その主体が国民自身にあることは言うまでもない。（下線筆者以下同）

2) 文化政策の役割は、このような国民の自発的自主的な文化活動を支援するとともに、国民が文化を享受しうるための諸条件を整えることを念頭に置きながら、個人や民間団体等の活動として限りがあるところを補い不均衡を是正することによって、全体として文化の振興が図られるように施策を講じていくことにある。

3) その具体的な方向としては、概ね、①文化基盤の幅広い整備、②芸術活動の奨励援助、③国民が文化活動に参加し文化を享受できる機会の拡充、④文化財の保存と活用、⑤文化の国際交流の推進をあげることができる。

　文化政策推進会議は47名の委員によって発足し、1989年8月から年2回程度の頻度で開催され、第19回目の98年3月に「文化振興マスタープラン―文化立国の実現に向けて―」を提言しました。この間に、提言「『文化発信社会』の基盤の構築に向けた文化振興のための当面の重点方策について」（1994）では、「第二国立劇場（仮称）の整備と現代舞台芸術の振興」が盛り込まれ、さらに報告「新しい文化立国をめざして―文化振興のための当面の重点施策について―」（1995）では、「文化発信社会」を発展させた国家政策として「文化立国」論が登場します。その前文からの一節を引用しましょう。

　「我々日本人が日本文化に誇りをもち、文化を重視した国づくりと文化を通じた国際貢献によって、世界から尊敬される国及び国民となることが求められる時代になって来た。その意味で文化の振興は今後の我が国にとって最重点の課題の一つである。今や、新しい文化立国をめざして今世紀中に文化基盤を抜本的に整備することが緊急の課題となっている」。

　この文化立国論にもとづいて、以下の6点が重点施策として提言されました。　1) 芸術創造活動の活性化　2) 伝統文化の継承・発展　3) 地域文化・生活文化の振興　4) 文化を支える人材の養成・確保　5) 文化による国際貢献と文化発信　6) 文化発信のための基盤整備。

これら6項目の重点施策は、そのまま「文化振興マスタープラン」の第3章「文化立国の実現のための施策の体系」に採り入れられ、文化庁の予算配分にも大きく反映されてきました。ちなみに「新しい文化立国をめざして」が提言された1995年度の文化庁予算は668億円で、国の一般会計予算に占める比率は0.09％でした。同報告中にはフランスの文化庁予算が国家予算に占める割合0.95％との比較が掲げられ、「一国がよって立つべき基盤を文化に求める時、このように、諸外国に比べて必ずしも十分とは言いがたい文化予算については、とくに格段の充実を図る必要がある」と強調されています。その結果、2002年度の文化庁予算は985億円に拡大し、とくに施設費と人件費を除いた一般経費では、1995年の323億円から688億円へと倍増しました。

国による舞台芸術助成の拡大とその背景

　新国立劇場の落成と歩調を合わせるかのように、新しい文化立国をめざす文化振興の重点施策として、1996年から「アーツプラン21」が創設され、これにより大幅な予算の拡大が実現しました。その支柱は「我が国の芸術水準向上の牽引力となることが期待される芸術団体の自主公演を、年間を通じて総合的に支援」するもので、原則として3年間継続されます。従来の公演単位の支援とは異なり、芸術団体が中期的な公演計画を立てやすくなった点で、「アーツプラン21」は画期的な助成方式となりました。

　しかし、その採択プロセスおよび事業成果にたいする評価システムが不透明であること、支援の対象団体が有力なオーケストラやオペラ団体に限定されがちなこと、公演地域が首都圏や大都市圏に集中してしまうこと、トップの引き上げをめざす重点配分施策が必ずしも観客層の拡大や鑑賞機会の拡充に結びつかないことなど、国家主導型文化振興政策の弊害も多々指摘されてきました。その理由には少し説明が必要です。

　新国立劇場がオープンしたのは1997年のことです。伝統芸能のための「国立劇場」が皇居に近い三宅坂に開場したのが1966年ですから、それから31年が経過しました。オペラ、バレエのための第二国立劇場建設のための調査費がついたのが1971年。1976年には基本構想が承認されました。その後も

政治がらみ、業界がらみの紆余曲折があり、新国立劇場の名のもとで渋谷区初台に落成するまで、さらに20年を要しました。

　それ以上に異様なのは新国立劇場の運営形態です。オペラとバレエと現代演劇を定期的に上演するナショナルシアターですが、専属のオーケストラも劇団もありません。専属歌手もいません。バレエ団と合唱団は設置されていますが、非正規雇用です。このような不完全な形となったことの背景はとても複雑です。

　もとより、日本のオペラとバレエは民間の団体によって運営されてきました。新国立劇場オペラ部門の芸術監督は、それらの団体のトップが務めてきました。第1期の3年間は東京二期会の代表、第2期の3年間は藤原歌劇団の代表が新国立劇場のディレクターになったのです。また、東京には既存のオーケストラが数多くありますので、さらに競合する国立の交響楽団を創設することは民業圧迫になってしまいます。そこで公演のさいには、在京のオーケストラがローテーションでピットに入って演奏しています。いずれも折衷案による民業圧迫の緩和策ですが、いかにも日本的なやり方ですね。

　しかし、それだけでは不十分でした。文化庁は、民間の芸術団体に従来とは桁違いの助成金を出すことで、新国立劇場と既存のオペラ団やバレエ団が共存できるように配慮したのです。アーツプランの創設が新国立劇場の落成に合わせて行われ、文化庁予算が急増した背景には、このような日本の舞台芸術業界の特殊事情がありました。

文化行政の総合的推進？

　1998年に発表された「文化振興マスタープラン」の策定過程における文化政策の転換には、文化振興による国家アイデンティティの確立という側面が色濃く反映していました。マスタープランの文面では、文化ナショナリズムの露骨な宣揚は抑えられていました。その第1章「今なぜ文化立国か」では、1）質の高い生活の実現と文化　2）教育と文化　3）経済と文化　4）情報化と文化　5）国際化と文化　6）地域と文化　といった幅広い観点から、文化立国の実現が「まさに国をあげて取り組むべき喫緊の課題である」と穏当に述べら

れていました。

　ナショナル・アイデンティティの形成装置としての文化については、「国際化と文化」のなかで国際交流的観点から、やんわりと触れられているだけでした。「文化は、一国の国民共通の拠りどころとして重要な意義を持ち、個性ある文化や歴史はその国の〈顔〉であり、国際的な文化交流は、対外的な自己主張であるとともに、相互理解の促進や友好親善の増進に大きく寄与するもの」という理解です。

　これにたいし、第2章「文化立国の実現に向けての取り組み」において重視されているのは、「文化行政の総合的推進のための取り組み」でした。その当面の取り組みとしてあげられているのは以下の5点です。

1）文化政策の企画調整機能を強化する観点から、文化庁の組織の在り方を検討する。
2）他省庁における文化に関連する施策を踏まえつつ、関係省庁との連絡協議の場を拡充する。
3）文化政策に関する有識者を交えた文化庁及び地方公共団体の関係者の意見交換の場を設ける。
4）各地域における企業メセナ等に関する連絡協議の場を組織化するなど、社会に内在する多様な資源のより一層の導入を図る。
5）「教育改革プログラム」の一環として、「地域こども文化プラン」を推進していくため、学校や地域社会の連携協力を呼びかけていく。

　このように「文化振興マスタープラン」では、経済・教育・情報化・国際化・分権化などの情勢変化に対応した幅広い視野から「文化振興総合計画」が検討されました。こうした文化行政の総合的推進については研究者の間でも解釈が分かれました。文化庁が自らの役割を「文化政策を指導的に行っていく立場というよりは、むしろ文化領域における様々な活動のコーディネーター（調整・仲介役）としてとらえている」と見なし、世界的な流れから言っても「賢明な選択である」と評価する研究者がいました。

　他方、こうした省庁間の調整システムにおいては、「むしろ文化庁が主導す

ることによる、事実上の文化政策の一元化を図ることが現実的である」と論じる研究者もおりました。いずれにしても、国をあげての文化立国の実現のために、文化庁の「政策庁」としての役割が強化されたことは事実です。そして文化芸術振興基本法が施行され、文化審議会の答申に基づいて文化振興の「基本方針」が策定される中で、最も注目されたのは以下の点でした。今後の文化庁の機能があくまでもコーディネーターにとどまるのか、それともヘッドクオーターとしての権限を拡大し、日本の文化政策を総合的に統括する方向へ進むのか、という岐路に立ったのです。

文化芸術振興基本法の問題点

　文化芸術振興基本法の構造を以下のように解釈してみましょう。「文化基本法ないし文化振興法を求める背景には、これにより基本的人権としての文化権の確立を図りたいとする理念論と、芸術文化への支援の根拠を得たいという実利面との2つがある」(根木昭)と。つまり文化権の確立が「基本法」の精神に対応し、芸術文化支援の根拠を示すものが「振興法」に相当します。してみると「振興基本法」という奇妙な名称は、理念面と実利面を兼備した万能法ということになるわけですが、果たしてその内実はどうだったのでしょうか。文化芸術振興基本法の問題点は多岐にわたりますが、ここでは基本理念に絞って3点だけを指摘しましょう。

　第1の問題点は、第2条の3に記載されている「文化権」の規定が不十分でした。文化の権利を人々の生まれながらの権利である「自然権」の観点からのみとらえていますが、21世紀の人権理解としては不完全なものです。後述するように、近代市民社会が生み出した諸問題を解決するために、人類は「社会権」をも獲得してきたのですから、福祉や環境への権利と同様の立場から「文化権」をとらえなければなりません。行政や社会が、文化・芸術活動の環境整備や享受へのアクセス権を、コスト面も含めて保障する社会権の確立が求められています。

　けれども、文化・芸術の分野では社会権だけでは問題があります。講義1で述べたように、公権力による文化ならびに思想信条のコントロールの問題が

あるからです。露骨な検閲や弾圧だけでなく「黙殺」、つまり権力にとって不都合な芸術を振興・助成の対象から外すことも「文化政策」の常套手段でした。これからの文化政策は不幸な歴史に学ぶところからスタートしなければなりません。社会権の獲得にあわせ、自由権を守る運動が必要になります。つまり、自由権と社会権の高い水準での両立をめざさねばならないのです。

第2の問題点は、文化政策の主体が不明確なことです。ナチスをはじめ全体主義体制は、国家のプロパガンダに文化・芸術を利用してきました。その意味で、ある年代以上の人たちには、文化政策イコール文化統制政策というイメージがいまだに根強いのです。「文化行政」を超えて今日ふたたび「文化政策」という概念の使用に合意が成立するのは、公権力が文化・芸術をコントロールするのではなく、国民・市民が文化政策の主体であると明記される場合だけです。

国法である限り、国の責務として施策が行われることは当然ですが、同時に国と対等なパートナーとして国民・市民が参画できる仕組みについても言及されなければなりません。国家政策や芸術家政策から、住民本位・市民主体の公共政策へと転換する必要があります。そのためには公的助成と事業評価のシステムをどう確立するかがポイントとなるでしょう。公権力から一定の距離を置いた「アームズ・レングスの原則」に基づく第三者機関（アーツカウンシルなど）の設置を早急に検討する必要がありますが、この動きは、やっとここ数年活発になってきました。

第3の問題点は、地方自治体との関係です。第4条には、「地方自治体は（基本法の）基本理念にのっとり、文化芸術の振興に関し、国との連携を図りつつ自主的かつ主体的に、その地域の特性に応じた施策を策定し、及び実施する責務を有する」と書かれています。しかしなぜ一方で「国との連携」や「国の施策の勘案」（第35条）を要求しながら、他方で「自主的かつ主体的」に文化施策を実施する責務を有すると規定しているのか、その意図がよくわかりません。地方は国に準ずるべきだが、財政面も含め責任は地方で取りなさい、というのが本音ではないでしょうか。

従来、文化政策の分野では、国法による規制がなかったために、かえって地方が主体的・個性的な文化行政を推進できてきた経緯がありました。文化

芸術振興基本法には、こうした自治体文化政策の先進性や独自性を評価し促進する視点が欠如していました。また地域のNPOや企業メセナの活動にたいする評価もおざなりでした。こうした課題が、2017年の基本法改正によってどこまで改善されたかは、追って検討してみましょう。

文化権を考える

ここで、文化権と文化（振興）の「主体」について改めて考えておきましょう。じつは2001年10月22日に民主党から出された「芸術文化基本法案」の基本理念には、「何人も、自由に多様な芸術文化を創造し、及び享受する権利を有するものとする」という、明確な文化権の規定があったのです。しかも「何人も〜する権利を有する」という基本権の規定は、日本国民であるか否かを超えて（在日外国人にも）普遍的に妥当するのです。ところが文化芸術振興基本法では、文化権の規定は以下のように巧妙にはぐらかされています。

「文化芸術の振興に当たっては、文化芸術を創造し、享受することが人々の生まれながらの権利であることにかんがみ、国民がその居住する地域にかかわらず等しく、文化芸術を鑑賞し、これに参加し、又はこれを創造することができるような環境の整備が図られなければならない」。

そもそも基本法とは、「特定の行政領域における国の行政上の基本的理念、政策、方針を明らかにするために制定された法律」（『平凡社世界大百科事典』）です。したがって、もし「文化芸術基本法」の基本的理念を明示するのであれば、「何人も〜する権利を有する」というかたちで基本的人権としての文化権を規定しなければなりません。ところが、「振興基本法」という曖昧な法形態を採用することで、「文化芸術の振興にあたって」の基本理念をさえ明示すればよいこととなり、文化権の規定に関しては「生まれながらの権利」といった自然権的取り扱いで、お茶を濁すことができたものと思われます。

また振興基本法の目的には、「文化活動に関する活動を行う者の自主的な活動の促進を旨として、文化芸術の振興に関する施策の総合的な推進を図り」とあります。国民一般というよりも「文化芸術活動を行う者」が施策の対象とされています（これは法解釈上、在日外国人への適用を排除できないという逆説を

も含んでいるでしょう）。

　もし文化権が国民の基本的権利であると規定した場合には、国民全体の文化的環境の質的向上が文化政策の国家目標となり、その実現のためのコストは計り知れないものとなります。つまり、文化権を自由権と社会権の双方に立脚させて規定した場合、国の責務は、生存権、教育権、労働権などの基本権と同程度に著しく増大します。ですから、ここで「文化芸術活動を行う者の自主性」が強調されているのは、自由権の保障や国民主体というより、むしろ社会権的側面への深入りを避けるための方便のように聞こえないでしょうか。

基本法改正による改善と限界

　2001年に文化芸術振興基本法が成立する前後、多くの研究者が危惧感を表明しました。国家主導型の文化政策がもたらした国内外の不幸な歴史に学んできたからです。しかし、文化芸術振興基本法が成立して20年が経過した現在、そうした危惧は、ほぼ杞憂に終わりました。基本法ができたにもかかわらず、そもそも国の文化予算はほとんど増えなかったのですから、少なくとも助成金の多寡によって芸術文化活動をコントロールすることはできませんでした。変化といえば、文化振興条例や基本計画を策定する自治体が増えた程度です。基本法以前は13の自治体に文化振興条例がありましたが、現在では160前後にまで増えています。この点については講義5で詳しく扱いましょう。

　この間に忘れてならないのは、2012年に施行された「劇場、音楽堂等の活性化に関する法律」（通称・劇場法）です。文化芸術振興基本法が「一般法」であるとすれば、劇場法は文化芸術のうちの実演芸術の振興を規定した「特別法」に位置づけられます。文化財保護法や社会教育法による社会教育施設、とくに美術館、博物館の設置が、1950年頃には法的根拠を持っていたことから考えると、劇場・音楽堂の根拠法は60年以上も遅れたことになります。

　しかも、学芸員制度のような専門職の雇用については劇場法では義務化されていません。けれども、劇場・音楽堂における専門人材の不足は深刻です。指定管理者制度の導入により固有職員の採用が大幅に控えられるようになり、専門的知識やスキルの継承も困難な状況にあるからです。ただし劇場法の前

文には、以下のように重要なことが書かれています。

> 劇場、音楽堂等は、文化芸術を継承し、創造し、及び発信する場であり、人々が集い、人々に感動と希望をもたらし、人々の創造性を育み、<u>人々が共に生きる絆を形成するための地域の文化拠点</u>である。また、劇場、音楽堂等は、個人の年齢若しくは性別又は個人を取り巻く社会的状況等にかかわりなく、全ての国民が、潤いと誇りを感じることのできる心豊かな生活を実現するための場として機能しなくてはならない。その意味で、劇場、音楽堂等は、<u>常に活力ある社会を構築</u>するための大きな役割を担っている。
>
> さらに現代社会においては、劇場、音楽堂等は、人々の共感と参加を得ることにより「<u>新しい広場</u>」として、地域コミュニティの創造と再生を通じて、地域の発展を支える機能も期待されている。また、劇場、音楽堂等は、国際化が進む中では、国際文化交流の円滑化を図り、国際社会の発展に寄与する「<u>世界への窓</u>」にもなることが望まれる。
>
> このように、劇場、音楽堂等は、国民の生活においていわば<u>公共財</u>ともいうべき存在である。

「新しい広場」、「世界への窓」、「公共財」といったキーワードに注目しましょう。劇場法では、劇場・音楽堂が地域社会や市民社会、さらには国際社会における「公共圏」を生み出す仕掛けであると述べられています。また、劇場、音楽堂は、常に活力ある社会を構築する大きな役割を担っているとされていますが、その場合の活力とは、ことさら経済力や産業振興を意味しているわけではありません。むしろ、指定管理者制度の濫用に釘を刺すかのように、以下のような一文も加えられています。

「文化芸術の特質を踏まえ、国及び地方公共団体が劇場、音楽堂等に関する施策を講ずるに当たっては、短期的な経済効率性を一律に求めるのではなく、長期的かつ継続的に行うよう配慮する必要がある」。

活力ある社会の構築ということで、おもに意図しているのは劇場・音楽堂が「まちづくりの拠点となる」という点です。わたしが好む用語で置き換えれば、

「文化的コモンズ」を紡ぎ出す文化拠点として、劇場、音楽堂を活性化する必要がある、ということになります。

とはいえ、劇場法が成立した2012年度以降、やはり文化庁の予算は、いささかも増えることはありませんでした。それまで芸術団体に配分されていた助成金の一部が、劇場・音楽堂の創造・発信事業の助成金に付け替えられただけでした。つまり限られたパイの奪い合いが生じ、実演家の側の団体や協会と、公共文化施設側の協会との、いわば利権争いを引き起こしてしまいました。劇場法の影響は業界内のコップの中の嵐のようなもので、市民社会の形成や一般市民の文化権の向上にとっては無風状態のままです。

国の文化政策をめぐっては、大きな環境の変化が生じました。東京オリンピック・パラリンピックの開催が決定したのは、劇場法以後の2013年です。オリ・パラはスポーツの祭典と文化の祭典の両輪で決定されるため、開催決定以降、オリ・パラの「文化プログラム」をどのようにして実現するかが懸案となりました。ロンドン・オリンピックでは、数十万回に上る文化プログラムが成功の鍵となったと伝えられたため、日本側のプレッシャーはますます強まりました。

ロンドンオリンピックの文化プログラムのサクセスストーリーは「レガシー」という英語のまま日本に上陸し、どこの自治体も「レガシー」を口にするようになりました。同時に、英国の「アーツカウンシル」という芸術文化の支援制度こそが、日本も見習うべき手本であるかのように、日本中の文化行政がマインドコントロールされていきました。

さて、内外からのプレッシャーを受けて、文化芸術振興基本法の改正案の検討が始まりました。文化庁単独での予算が伸び悩む中で、2020年の文化プログラムの実現は困難であるという認識が、国会議員の間にも広まったものと思われます。2016年1月から1年半にわたり、超党派の文化芸術振興議員連盟によって7回の勉強会と総会が開催されました。その後の国会における経緯は迅速でした。2017年5月30日に衆議院本会議で、6月16日に参議院本会議で、ともに全会一致で可決・成立しました。2001年の文化芸術振興基本法と同じく、議員立法によって文化芸術基本法が全会一致で成立したのです。今回の改正において、まず注目したいのは第二条（基本理念）の第3項です。

第二条（基本理念）

3　文化芸術に関する施策の推進に当たっては、文化芸術を創造し、享受することが人々の生まれながらの権利であることに鑑み、<u>国民がその年齢、障害の有無、経済的な状況又は居住する地域にかかわらず等しく</u>、文化芸術を鑑賞し、これに参加し、又はこれを創造することができるような環境の整備が図られなければならない。

　下線は改正で加筆された箇所です。ただし、相変わらず「国民」が主語であり、また文化政策の対象が日本「国民」に限られるような規定には、国際環境の変化に対応できていない日本政府の限界も感じられます。というのも、「文化芸術推進基本計画」（2018.3）の「目標3 心豊かで多様性のある社会」の中では、「文化芸術による社会包摂の意義」について以下のように述べられているからです。

　　　文化芸術基本法では、「文化芸術を創造し、享受することが人々の生まれながらの権利である」とともに、「国民がその年齢、障害の有無、経済的な状況又は居住する地域にかかわらず等しく」文化芸術の機会を享受することが基本理念としてうたわれている。また、文化芸術は、人々が文化芸術の場に参加する機会を通じて、多様な価値観を尊重し、他者との相互理解が進むという社会包摂の機能を有している。

　　　こうしたことから、<u>子供から高齢者まで、障害者や在留外国人などが生涯を通じて</u>、居住する地域にかかわらず等しく文化芸術活動に触れられる機会を享受できる環境を整えることが望まれている。

　基本法における文化権の範囲は、「国民がその年齢、障害の有無、経済的な状況又は居住する地域にかかわらず等しく」という文言に反映されています。他方、2016年の文化審議会答申では、「居住する地域、年齢、性別、国籍、言葉、障害の有無、経済状況等にかかわらず」と、その文化権の範囲が規定されていました。ジェンダーや障害の観点だけでなく、国籍や言葉の視点から

も、共生社会を実現するための文化政策の目標が明記されていたのです。

　このように当初は、国民国家論の枠組みを超える先進的な文化政策の方針が立てられていたにもかかわらず、なぜ改正基本法では、国籍や言葉の問題にフォーカスして国の文化政策をアップデートできなかったのでしょうか。この点については今後、自治体文化政策のレベルにおいて、他分野との連携を図りつつ、基本法レベルでの難点を克服するほかないでしょう。

　基本法を改正した外的要因、つまり社会的・国際的環境の変化について、もう少しだけ考えておきましょう。1つは、制定から16年が経過して、少子高齢化であるとか、グローバル化の進展など、社会の動向が著しく変化していき、その中でインバウンド、観光、まちづくり、国際交流、福祉、教育、産業等の関連分野の連携を視野に入れ、総合的な文化政策の展開が一層求められてきました。これはアベノミクスの流れとも深く関係しています。

　もう一つの外的要因は、くり返しになりますが、2020年の東京オリンピック・パラリンピックです。これに向けて、文化芸術の新たな価値を世界へ発信するビッグチャンスが生まれました。ロンドンオリンピックで成功した「レガシー」を日本でもめざす必要がありました。しかし、それを実現するには文化庁だけではとてもできない。そこで各省庁の協力を求めたという事情がありました。

　法改正の趣旨は3つあります（図1）。1つ目は、文化財の保護や芸術文化の振興など、これまでの文化政策をさらに充実しつつ、観光やまちづくり、国際交流、福祉、教育、産業等の関連分野における施策を基本法の範囲に取り込

図1「文化芸術振興基本法」改正の趣旨

①文化財の保護や芸術文化の振興など、これまでの文化政策をさらに充実しつつ、観光やまちづくり、国際交流、福祉、教育、産業等の関連分野における施策を基本法の範囲に取り込む。
②文化芸術により生み出される様々な価値、例えば公共的・社会的・経済的価値などを文化芸術の継承、発展及び創造に活用・循環させること。
③文化芸術の振興以外の各分野の行政目的に基づく施策であっても、文化に関連する各分野の施策は文化芸術に関する施策となることから、「振興」を削り「文化芸術基本法」とする。

むことです。2つ目は、文化芸術で生み出されるさまざまな価値、たとえば公共的、社会的、経済的価値などを、文化芸術の継承、発展および創造に活用、循環させること。バリュー・チェーンというものです。

　3つ目は、文化芸術の振興以外の各分野の行政目的に基づく施策であって

図2　文化芸術基本法の名称変更の考え方

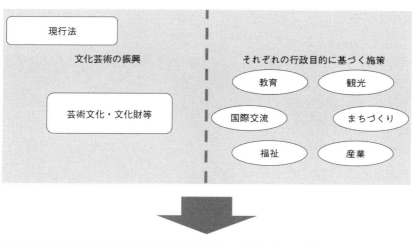

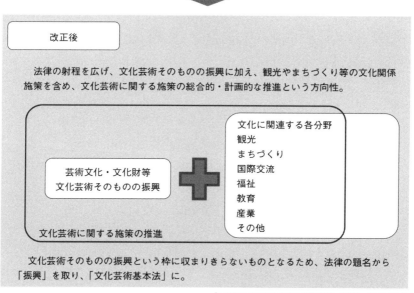

『文化芸術基本法の成立と文化政策』水曜社、2018年より

も、文化に関連する各分野の施策は文化芸術に関する施策となることから、「振興」を取って「文化芸術基本法」としています（図2）。「振興」を取った意味はそれだけではないと思いますが、一応この3点から改正したと思われます。これは文化政策を総合政策として拡張する方向性です。

　もう1つ、基本法改正の直後に「障害者による文化芸術活動の推進に関する法律」ができました。このことも重要です。ただよく見ていくと、基本理念のイでは、「障害者による芸術上価値が高い作品等の創造に対する支援を強化すること」とあります。それではいったい、誰がどうやって、価値が高いと評価するのでしょうか。他にもいくつか奇妙な部分がありますが、こういう法律ができたこと自体は、評価されてよいと思います。

　けれども、障がい者といっても、かなり限定されたものになっています。本来なら、もっと大きな枠組みで「共生社会」として考えなければいけないのに、共生の中で障がい者にだけターゲットを絞ったがゆえに、たとえば外国人の問題が逆に漏れてしまっている。予算措置のうえでも、その点が軽視されています。法律ができたがゆえに、逆に排除される分野が出てきてしまった。こういう点にも留意しておく必要があります。

新設された項目の可能性と課題

　最後に、文化芸術基本法において新しくつくられた2つの条文を紹介します。

　8（新設）　文化芸術に関する施策の推進に当たっては、乳幼児、児童、生徒等に対する文化芸術に関する教育の重要性に鑑み、学校等、文化芸術活動を行う団体（以下「文化芸術団体」という。）、家庭及び地域における活動の相互の連携が図られるよう配慮されなければならない。

　10（新設）　文化芸術に関する施策の推進に当たっては、文化芸術により生み出される様々な価値を文化芸術の継承、発展及び創造に活用することが重要であることに鑑み、文化芸術の固有の意義と価値を尊重しつつ、観光、まちづくり、国際交流、福祉、教育、産業その他の各関連分野に

おける施策との有機的な連携が図られるよう配慮されなければならない。

　新設された8の条項については、2018年10月から博物館と芸術教育行政が文部科学省から文化庁に移管される契機となりました。文化庁内に新たに学校教育室が設置され、学校における芸術教育の充実がめざされています。これによって自治体においても、博物館行政等を教育委員会から首長部局の文化振興課などに移管する動きが出てきています。芸術教育の面でも、学校教育と文化施設との連携がしやすくなることが期待されます。さらに「地域文化倶楽部」の創設の動きとの連動も視野に入れておくべきでしょう。

　地域文化倶楽部とは、「子供が地域の人々とともに、生涯を通じて文化活動に参加し、親しむための環境」を指しています。2021年3月に出された『地域文化倶楽部（仮称）の創設に向けた調査研究 報告書』（三菱総研）によれば、地域文化倶楽部とは「主に、学校の文化部活動や子供の文化活動が地域移行され、さらに生涯を通じて文化に参加し、親しむことができる状態を指すが、もともと地域で行われてきた文化活動等も地域文化倶楽部となり得る」とされています。今後の具体化に注目したいと思います。

　そのさいにドイツの芸術教育、とくに「文化教育」（kulturelle Bildung）が、学校と文化施設と地域の緊密な連携によって展開されてきた経緯と仕組みを参考にすればよいのに、と思ってしまいます（「文化教育の再生」『地域主権の国ドイツの文化政策』）。

　さて、新設条項10の前半と後半の関係は正直、とても理解しにくいですね。芸術文化の本来的な価値と、その外側にある（非本来的な？）価値を、かなり無理やり結び付けようとしている感じがします。同じ時期に、内閣府と文化庁が連携して「文化経済戦略」をつくっています。これはアベノミクスの一環なのですが、文化経済戦略と表裏一体の関係で基本理念の10がつくられたものと思われます。

　実際に、基本法改正以降に作られた条例は、まだそれほど数が多いわけではないのですが、2020年4月に施行された福岡県文化芸術振興条例では、改正基本法の条文が如実に反映しています。たとえば、基本理念の8では、「文化芸術の振興に関する施策の推進に当たっては、文化芸術により生み出され

る様々な価値を文化芸術の継承、発展及び創造に活用することが重要であることに鑑み、文化芸術の固有の意義と価値を尊重しつつ、まちづくり、国際交流、福祉、教育、産業、観光その他の関連分野における施策との有機的な連携が図られるよう配慮されなければならない」とあります。国の基本法とまったく同じです。ただ、観光の位置が変わっています。基本法では、観光が最初に来ていましたが、福岡県は最後です。

　福岡県文化芸術振興条例の第三節の第22条から28条にかけて、障がいのある人の文化芸術活動の推進について、非常に詳しく書いてあります。別の法律をつくってもいいと思うくらい充実したものです。

　第四節も、明らかに改正基本法の影響だと思いますが、文化芸術を活用した地域づくりの魅力の発信について、しっかりと書かれています。29条で「県は、文化芸術の活用による地域の活性化を図るため、文化芸術を活用したまちづくり並びに産業及び観光の振興に資する取組みを推進するものとする」とあります。

　30条は国際交流ですが、「県は、県民とアジアその他の地域の人々との相互理解の促進及び友好提携を締結している地域その他の地域との関係の発展を図るため、文化芸術を通じた国際的な交流に資する取組みを推進するものとする」とあります。いずれにせよ、芸術文化の道具主義化の傾向がはっきりと条例レベルに反映してきていることがわかります。

　たしかに改正基本法の中で、地方文化芸術推進基本計画の策定が地方自治体の「努力義務」とされていますが、このように、観光、まちづくり、国際交流、福祉、教育など、多様な分野との連携において、国とほぼ同じ条文が書き込まれるようになってきたことを、わたしたちはどのように評価し、考察すればよいでしょうか。続く講義の中で改めて振り返ってみたいと思います。

◎参考文献
・文化庁監修（1999）『新しい文化立国の創造をめざして 文化庁30年史』ぎょうせい
・河村／伊藤編（2018）『文化芸術基本法の成立と文化政策』水曜社
・藤野／フォークト／秋野編（2018）『地域主権の国 ドイツの文化政策』美学出版
・藤野一夫（2002）「日本の文化政策と法整備の課題」『国際文化学研究』第18号、神戸大学
・三菱総研（2021）『地域文化倶楽部（仮称）の創設に向けた調査研究 報告書』

4 講義 自治体文化政策と コミュニティ創生

自治体文化政策の法整備

　これまで文化政策の歴史や理念について、まずは思想的な話をしてきました。また講義3では、国レベルでの文化政策と法整備について考察しました。講義4では自治体文化政策の仕事の基本となる法整備とその目的について考えましょう。文化政策を法制度的に整備するさいのモデルケースは、文化振興条例→基本計画→アクションプラン（実施計画）という流れです。いわば理念的普遍性から個別的具体性へと進んでいきます。

　もとより公共政策とは、「公共の福祉を増進させるために立案される施策」と定義することができます。この定義を援用すれば、文化政策の課題とは、文化・芸術の分野において公共の福祉を増進することにあります。まず条例は、自治体文化政策の原則と基本理念を明らかにするものです。そこには普遍性と固有性の両面が不可欠です。人類にとって普遍的な立場から人格形成をめざす理念と、各自治体に固有の地域特性の顕在化や地域課題の文化的解決といった目標との両側面が、いわば相補的に掲げられています。

　このように文化振興条例は、自治体文化政策の「憲法」と呼んでもよいでしょう。これに対して基本計画は、条例の理念に基づいて、その展開方針と重点施策を、およそ10年のスパンでデザインするものです。さらに、アクションプランは、文化芸術振興の各種事業を、年次進行を踏まえて実施していくための具体的かつ個別的な計画です。通常、基本計画の見直しが5年目をめどに行われることから、アクションプランのスパンは3年から5年のサイクルで計画されます。

　ちなみに、わたしの研究室では、関西圏の自治体文化政策の策定作業をさ

まざまな側面から支援してきました。なかでも最初に手掛けた明石市との共同研究は、足掛け5年に及ぶ包括的なプロジェクトでした。上記のモデルケースの実現に、その理念面から実践面までかかわった経験は、わたしにとっても貴重な学びとなりました。具体例として紹介しましょう。

　明石市では2006年に文化芸術部を設置し、2007年8月より、（仮称）明石市文化芸術振興条例の制定に向けて検討が始まりました。正式名称「明石文化芸術創生条例」の制定に2年。条例で定められた常設の第三者機関である文化芸術創生会議が発足し、その作業部会が「明石文化芸術創生基本計画」の立案に取り組んで2年。2011年3月の基本計画の成立によって、明石市の文化政策の全体像が明らかとなりました。これに基づき2011年度から年度ごとの詳細なアクションプランが立てられ、その評価・検証が文化芸術創生会議によって実行されてきました。

　一連の策定作業において重視したことは、文化・芸術によるコミュニティ創生、そして新しい市民社会のための仕掛けづくりです。本条例のオリジナリティは、その名称そのものがすでに語っています。「明石文化芸術創生条例」。あえて「市」を外して端的に「明石」としたのは、（漁民、農民もふくめ）町衆が支えてきた明石の市民文化の心意気を反映した粋なはからいです。そして「振興」などという紋切り型を捨てて「創生」としたことにも、市民主体の文化芸術創生への気概が感じられるでしょう。

　講義2で述べたように、そもそも「創生」とは、創り生み出すという人間活動の能動性を意味し、「振興」という言葉に付きまとう「上から目線」とは一線を画しています。また「創生」には、自分の生き方（ライフスタイル）を創り生み出すという意味も込められています。こうした二重の意味をふまえ、本条例がめざすものは、市民が自らのライフスタイルを自己決定できる文化芸術環境を整備し、また文化芸術によって地域社会の課題とかかわりながら自分の個性を追求する活動そのものが、明石の文化芸術をさらに豊かに創生してゆくという相互循環です。

　ここには、文化的なコミュニケーション行為こそが、新しい市民社会を紡ぎ出す源泉となるべきである、という文化政策的なモラルが反映しています。そして、文化芸術活動を媒体とした市民的公共圏の形成と、人間的形成（人格

陶冶）との相互作用の焦点として、子どもの「文化教育」（アートリテラシー）を策定委員会の総意において重点化したことは、文化政策の公共性の根拠付けという面からも、適切な判断であったと確信しています。

　当時としては画期的だったことがあります。条例の中で「NPOを支えるNPO」を想定して「中間支援組織」を定義し、基本計画においては「つなぐ」をキーワードに「コーディネート機能を持つ中間支援組織の設置」を明記したことです。その仕掛けとして、さまざまな可能性を模索しましたが、最終的に誕生したのは「公益財団法人」でした。公益法人改革を追い風とした意想外の展開です。そこで講義4では、「自治体文化政策とコミュニティ創生」の問題を、社会理論や公共哲学をふまえた理念面と、筆者の経験をふまえた実践例から考察してみましょう。

いまわたしたちはどこにいるのか

　「文化的コモンズ」の形成をめざすにしても、いまわたしたちはどこにいるのかを確認する必要があるでしょう。日本社会の現在を文明史の中に位置づけ、文化・芸術とコミュニティの関係を歴史哲学的に構想（デザイン）することが大切でしょう。そのさいに、「公—共—私」をめぐる以下の構造変化に注目したいと思います（図1）。

　世界史のレベルで考察するならば、右肩上がりの近代化のプロセスは、戦後の高度成長期に始まったのではないことがわかります。18世紀後半のイギリスの産業革命以来、すでに200年以上を経過してきました。その最終段階が、冷戦構造の崩壊を引き金としたグローバル経済の支配体制です。しかし情報化社会と金融資本主義の急速な拡大は、21世紀に入ると9.11同時多発テロやリーマンショックを契機に新たな構造変化をもたらし、市場経済を超える領域での新しい価値観が形成されつつあります。

　日本の場合には一足早く、バブル経済の崩壊と阪神・淡路大震災によって、1990年代には「定常型社会」への模索が始まっていました。成熟した市民社会のあり方を「新しい公共」という合言葉で追求するNPOなどの市民公益活動です。このような動きと連動して、文化・芸術によって新しいコミュニティを

図1 「公─共─私」をめぐる構造変化

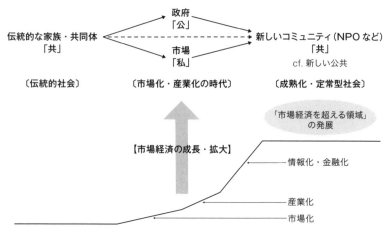

広井良典『コミュニティを問いなおす─つながり・都市・日本社会の未来』ちくま新書、2009年、p.157より作成

創生しようとするさまざまなプロジェクトが、この20年ほどの間に全国各地で誕生してきています。

　広井良典は『コミュニティを問いなおす』(ちくま新書) の中で、この新しいコミュニティを「共」と呼んでいます。近代国民国家の形成は、伝統的な地縁血縁としての共同体を解体し、政府・行政による公共セクターと、民間企業による市場経済セクターという2つの主幹システムを駆動させてきました。

　しかし、近年の定常型社会への構造転換は、伝統的な「共」とも、政府主導の「公共」とも異なる新しい「共」を生み出しつつあります。「共」としてのコミュニティの再生は、もはや国家レベルでもグローバルなレベルでもなく、ローカルなレベルにおいて復権してきています。ローカルコミュニティが21世紀の市民社会形成の舞台となることでしょう。公共哲学の見地からも、自治体文化政策がコミュニティ再生の中核となるに違いありません。

コミュニティとは何か

　広井良典によれば、コミュニティとは「人間が、それに対して何らかの帰属

意識をもち、かつその構成メンバーの間に一定の連帯ないし相互扶助（支え合い）の意識が働いているような集団」と定義されます。そのコミュニティは、次の3点から区別することができます。

1)「生産のコミュニティ」と「生活のコミュニティ」
2)「農村型コミュニティ」と「都市型コミュニティ」
3)「空間（地域）コミュニティ」と「時間（テーマ）コミュニティ」

　自治体文化政策の観点からもっとも重要な事柄は、3)の「空間（地域）コミュニティ」と「時間（テーマ）コミュニティ」です。両者の関係をいかに構築するかが文化政策の主要課題です。しかし、この課題は2)の「農村型コミュニティ」と「都市型コミュニティ」の関係の再構築とも深くつながっています。1)の生産と生活の関係も、たしかに文化政策と無関係ではありません。けれども、従来の行政では経済・産業系の部局、および健康福祉系の部局が管轄してきました。ここでは社会学的な観点からコミュニティの関係を考えておりますので、2)と3)に焦点を当てて考えてみましょう。

　結論から言えば、「都市型コミュニティ」と「農村型コミュニティ」という2つのつながりの原理は相互に補完的で、最終的には、その両者のバランスをどう取るかが重要となります。つまり「都市型コミュニティ」は、その「開放性」という点では長所をもっていますが、その結びつきは規範的なルールであって、それ自体においては情緒的な基盤を欠いているのです。

　もとより人間は情緒的な要素を必要とする存在です。人間は、感情によるつながり、つまり「農村型コミュニティ」に特徴的な共同体的な一体感を求めています。とはいえ、こうした情緒的なアイデンティティは、状況によってはコミュニティの外部（他者）に対して閉鎖的・排他的ともなる。人間のコミュニティは、そもそも重層的な社会における「中間集団」です。中間集団とは、個人と国家の間にあるさまざまな集団を指します。中間集団が重層的な構造をもっているというのは、内部的な関係性（農村型コミュニティ）と、外部的な関係性（都市型コミュニティ）の両方が絡み合って、その集団が形成されているからです。

　農村型コミュニティと都市型コミュニティは、その性格から図2のように区別

図2 コミュニティの形成原理の２つのタイプ

	(A) 農村型コミュニティ	(B) 都市型コミュニティ
特質	"同心円を広げてつながる"	"独立した個人としてつながる"
内容	「共同体的な一体意識」	「個人をベースとする公共意識」
性格	情緒的（＆非言語的）	規範的（＆言語的）
関連事項	文化	文明
	「共同性」	「公共性」
	母性原理	父性原理
ソーシャル・キャピタル	結合型（bonding） （集団の内部における同質的な結びつき）	橋渡し型（bridging） （異なる集団間の異質な人の結びつき）

広井良典『コミュニティを問いなおす―つながり・都市・日本社会の未来』ちくま新書、2009年、p.16より作成

されますが、現実には両者は相互補完的なのです。

　ここでの「農村型コミュニティ」とは、実際の農村の内部に存在する共同体という意味では、必ずしもありません。農村社会の中で形成されてきた特質や性格が刻印されたコミュニティの類型と考えてください。日本の政治、行政、企業においても、たとえば「根回し」や「談合」といった形で、それは見られますね。

　農村型コミュニティは、言語による明示を避ける傾向が強く、情緒的レベルでの一体感による同質的な結びつきを特徴とします。「あうんの呼吸」や「以心伝心」が尊重される反面、異質のものを排除する閉鎖性という点では、無言の圧力となって現代の日本社会をも覆っています。「KY」（空気が読めない）という表現は象徴的です。世間の同調圧力が、わたしたちの社会の息苦しさの原因でしょう。

　これにたいして「都市型コミュニティ」は、自律した個人の連帯からなる新しい市民社会の原理によって形成されると考えられます。異なる集団の間での異質な個人の結びつきを尊重し、言語化された規範（ルール）を不可欠とするコミュニティです。集合住宅の例でイメージしてみましょう。農村型コミュニティは、向う三軒両隣といった長屋の付き合いに特徴的な情緒的関係（人情）で成り立っています。一方、都市型コミュニティでは、マンションの管理組合の規約に見られるように、情緒的つながりを排除した形式的かつ合理的な関係性（ルール）が前提とされていますね。

ローカルコミュニティにおける2つの社会

　以上の関係性は、ローカルコミュニティにおける2つの社会のあり方として区別されます。(a) 物事の対応や解決が、主として「個々の場面での関係や調整」によってなされるような社会。これは「農村型コミュニティのつながり」ですが、日本特有の「世間」の構造でもあります。 (b) 物事の対応や解決が、主として「普遍的なルールないし原理・原則」によってなされるような社会。これは「都市型コミュニティの関係性」と言ってよいでしょう。

　すでに述べたように、農村型コミュニティと都市型コミュニティは相互補完的です。ドイツの社会学者テンニエスの概念を用いるなら、前者を「ゲマインシャフト」、後者を「ゲゼルシャフト」と見なすことができます。けれども、前者から後者への構造転換を「進歩」ととらえるような近代主義的社会観は、もはや時代遅れでしょう。あくまでも (a) と (b) の適切なバランスが重要なのです。

　(a)の「農村型コミュニティのつながり」の要素を欠いた(b)の「都市型コミュニティの関係性」だけの社会には、たしかに形式的な「自由」は存在しますが、それは「セキュリティでがんじがらめにされた自由」にすぎず、硬直した人間関係に陥るでしょう。反対に、(b)の存在しない社会では、人はごく限られた範囲で感情や「空気」によってつながるしかなく、地域コミュニティが崩壊した現代では、わたしたちはカイシャや家族を超えた何らかの関係性をもはや見出せないでしょう。しかも、世間の閉鎖性は、同調圧力となって個人の自由を真綿で締め付けてきます。

社会構想の2つの様式——他者の両義性

　現代日本におけるコミュニティ創生の可能性を、広井良典の理解をもとに考察してきました。ここでの2つのコミュニティの関係性を、社会学者の見田宗介の理論（『社会学入門』岩波新書）に即して、さらに根本的にとらえなおしてみましょう。それは「関係の積極的な実質を創出する課題」と「関係の消極的な形式を設定する課題」との関係をどう考えるか、という観点からのとらえ直しです。少し抽象的ですが、じっくり考えていきます。

1) 関係の積極的な実質を創出する課題

　この課題を文化政策の文脈に落とし込むと、それは「社会権的文化権」の問題につながります。歓びと感動に満ちた生のあり方、人と人との関係のあり方を追求し、これらを現実社会において実現することをめざすからです。ここでは自分にとっての「他者」が重要な意味をもちます。「他者」とは、人間にとって生きるということの意味の感覚をもたらし、あらゆる歓びと感動の源泉となるからです。

　反対に、自分にとって一切の「他者」が存在しなくなったと仮定しましょう。孤独に存在する自己を想像するならば、そのような永遠の生というものは死に等しいでしょう。すなわち、わたしたちは「他者」とともに存在することによって、美しく歓びに充ちた関係を生み出すことができる。ユートピアを多彩に構想することができるのです。このような「他者」との関係性を、見田宗介は「関係のユートピア」と呼んでいます。

2) 関係の消極的な形式を設定する課題

　この課題を文化政策の観点からとらえなおすと、それは「自由権的文化権」をいかに保障するかという課題と共通してきます。最初に述べたように、公共政策が、「公共の福祉を増進させるために立案される施策」であるならば、文化の分野において公共の福祉を増進することが文化政策の課題でした。

　ところで、文化政策の法的根拠を日本国憲法第13条の「幸福追求権」に求める考え方があります。その場合、公共の福祉と個人の（幸福追求のための）自由とが矛盾する場面が出てくることがあります。幸福追求権とは、「すべての国民は、個人として尊重される。生命、自由及び幸福追求に対する国民の権利については、公共の福祉に反しない限り、立法その他の国政の上で、最大の尊重を必要とする」というものです。

　ここで、「芸術の自由」を保障する「自由権的文化権」と、文化芸術振興の根拠となる「社会権的文化権」とが、相互に矛盾する場面が生じてきます。幸福追求権に文化権の根拠を求める場合、その芸術文化は、あくまで「公共の福祉に反しない限り」での対象に制約されてしまうからです。つまり、社会全体の共同の幸福と調和する限りにおいて、芸術文化の追求、もっと広い意味

では表現の自由が権利として認められることになります。しかし、これだけをもって、はたして「芸術の自由」を保障したことになるのでしょうか。

　問題は、ここでの「公共の福祉」をどのように解釈するかです。もしそこに国家や政府といった公権力側の公共性の論理が介入してくるとすると、この概念そのものが第13条の包括的基本権を規制してしまう自己矛盾を抱えることになります。というのも「公共の福祉」の概念は、一定の時代や特定の政権のイデオロギーによって制約されてしまうディレンマを回避できないからです。

　しかし、とりわけ次世代の価値観を先取りする先端的芸術の表現では、（そうした限りでの）公共の福祉と相容れない要素こそが大切です。人類の歴史において普遍的な価値をもつようになった芸術作品が、それが生まれた時代にどのように見なされていたかを考えてみてください。同時代の人たちには理解できずに認められなかったものがほとんどです。

　そのため、時代の先をゆく芸術家の生活は、おおむね惨めなものでした。それどころか、反社会的であるとか不道徳であると判断され、数多くの芸術家が迫害されてきました。ですから、こうした場合も含めて「芸術の自由」が保障されなければ、自由権的文化権の確立もありえないということになります。

　そこで、現代のドイツの憲法では「一元的内在制約説」の立場から、この相互矛盾を解消しようとしています。その場合の公共の福祉は「人権相互の矛盾を調整するために認められる実質的公平の原理」と規定されています。たとえば、憲法上保障される表現の自由は、同じく憲法上、幸福追求権の一種として保障されるべきプライバシーを保護する権利（個人情報保護）と衝突することがあります。このような事態が生じる場合に、両者の調整を図るための概念が「公共の福祉」なのです。公共の福祉とは、必ずしも「社会全体の利益」を意味するものではないとする原則が「一元的内在制約説」です。

〈関係のユートピア〉と〈関係のルール〉の関係性

　ドイツ憲法に見られるこの考え方は、見田宗介の社会理論では「関係のルール」と呼ばれています。人間が相互に他者として生きるということは、現実には幸福を生み出すだけではありません。そこからはさまざまな不幸や抑圧もま

た生まれてきます。そこで人間は、そうした不幸や抑圧を最小限のものに食い止めるルールを明確化しようとします。つまり1)の「関係の積極的な実質」を創出しようと情熱を傾けるユートピアたちが、それを望まない人たちにまで強いられ、抑圧に転化することを警戒し、予防するルールのシステムを設計する課題が、「関係のユートピア」に対する「関係のルール」なのです。

1)の「関係の積極的な実質を創出する課題」、すなわち「関係のユートピア」と、2)の「関係の消極的な形式を設定する課題」、すなわち「関係のルール」とは、他者との関係性という点で、その適用範囲が異なっていなければなりません。「関係のユートピア」が創造的に、また健全に働くのは、一定の範囲に限定される場合です。

たしかに、同じ価値観をもった人々が結集すれば、強固な結束のもとに偉大な事業が成し遂げられるでしょう。けれども、そのテリトリーが巨大化すると、それを望まない人々、つまり異なった価値観をもった人々を強制的に従わせ、あるいは排除しようとする力が強まります。権力支配の構造です。

これにたいし「関係のルール」のほうは、「関係のユートピア」が抑圧的な権力とならないように監視し、制限する、一定の形式を設定する働きです。関係性としては消極的ですが、それだけに汎用性があります。一般に憲法とは、国民が国家権力を制限するルールを決めたものととらえられています。軍事独裁にしろ、イデオロギーによる独裁にしろ、権力者の恣意に歯止めをかける仕組みが憲法です。

しかしながら、両者のテリトリーの混同から、つまり「関係のユートピア」がその分をわきまえないことから、世界史上の多くの悲劇が生まれてきました。20世紀の左右の全体主義、ナチズムとスターリニズムはその典型です。

本来、トータル（全体に適用可能）ではありえないものの美しい夢（ユートピア）を、トータルでありうるもの、トータルであるべきものと思い込むこと。この混同と倒錯が権力者によって生じるとき、美しき魂のユートピアは、悪魔の手先としてのイデオロギーに変質します。一つの世界観が、本来、多様性と複数性においてある人間と社会を支配することから、歴史上数多くの不幸が生まれてきたのです。

このような歴史の悲劇を繰り返さないために、わたしたちはどうしたらよい

のでしょうか。文化政策の根本問題がここにあります。コミュニティの創生を
めざす自治体文化政策においても、「他者との関係性」をいかに構想するかが
問われてきます。まずは1)の関係の積極的な実質を創出する課題、つまり「関
係のユートピア」にはどのようなものがあるかを想定してみましょう。

　図3に掲げる「モデル0」は、もっともシンプルな社会関係の構造ですが、そ
の限りにおいても多様なパターンが想定されます。家族関係、友人関係、恋
人関係、趣味のサークル関係、共助組織、協同組合……などをイメージして
みましょう。「新しい公共」という観点からはNPOの活動も含まれますが、中
間支援的な性格をもつNPOの場合は、むしろ2)の「関係のルール」の橋渡
し役を務めていると考えられます。

　たとえば、文化系の同好会に代表される「テーマコミュニティ」は、リアルな
関係だけでなく、ネット上のバーチャルな関係によっても形成されるため、現
在では空間の共有を前提としなくなっています。しかし、チャットによるコミュ
ニケーションですら時間の共有は不可欠です。その意味で「テーマコミュニ
ティ」を「時間コミュニティ」と呼ぶこともできるでしょう。いずれにしても「関
係のユートピア」たちは、事実上そのテリトリーが限定されており、国家や世
界全体を覆いうるイデオロギーとは峻別されなければなりません。

　このようなコミュニティの創生は、あくまでも市民主体の自発的創造性にゆ
だねられています。行政の権力的介入はいうまでもなくタブーです。とはいえ、
いかなるコミュニティも外部との交流と刺激を欠くならば、組織としての制度
疲労を避けることはできません。コミュニティといった社会構造も、自然の有
機体と同じく新陳代謝を必要とします。そこで、無数の「関係のユートピア」
たちの、相互の関係を構想することが、「関係のルール」の課題となります。
これは〈関係のユートピア・間・関係のルール〉と呼ばれます。

　図3の「モデル0」には、6つの楕円の内部に、実線で結ばれた「関係のユー
トピア」のバリエーションが例示されています。そして6つの楕円相互の関係
は点線で結ばれていて、これが「関係のルール」を構成するものです。点線
で結ばれた「関係のルール」が欠如した場合、後述するように「共同体の集
列体」という社会構造が支配的となるでしょう。これはマルクスが「物象化し
た世界」と呼んだ、人間疎外の社会構造です。近年深刻化している「無縁社

図3 モデル0

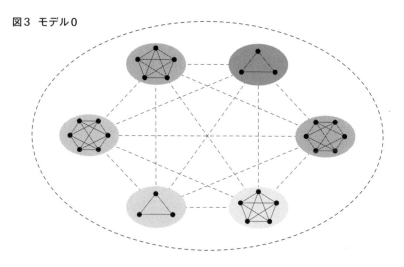

見田宗介『社会学入門―人間と社会の未来』岩波新書、2006年、p.178より作成

会」も、究極的には「共同体の集列体」に起因しています。

　卑近な例ですが、バーゲン売場に群がる人の塊を思い浮かべてみましょう。そこでは、人間としての主体性や創造性から疎外され、物欲に駆られた野獣たちが、血相を変えて商品（＝物神）に隷属しています。人間と人間の生きた関係が、物と物の死んだ関係として固着している状態です。

交響するコミューン・の・自由な連合

　見田宗介は、真木悠介のペンネームで1977年に刊行した『気流の鳴る音』（現・ちくま学芸文庫）のサブタイトルとして「交響するコミューン」という概念を用いていました。当時の日本では、「公共性」という概念は官公庁の側に占有されていたため、市民派や社会派の研究者は、公共性の概念をポジティブな意味で使うことに慎重でした。

　とはいえ、コミュニズムの翻訳語である「共産主義」の使用についても幾重もの留保が必要でした。新左翼のさまざまなユートピアたちが、セクト間抗争の消耗戦を経て、ある者はドロップアウトし、ある者は体制側に転向していく

時代だったからです。そのような時代を背景として、見田は「コミューン主義」という微妙な切り口によって、新しい共同体への道筋を示そうとしました。

　従来の「コミューン」（ラテン語起源では「コミュニティ」と同根）は、「連帯」や「結合」や「友愛」を、個々人の「自由」よりも優先する傾向が強かったのですが、新しいコミューンは、他者の他者性を重視する点で従来のコミューンとは異なります。見田は、異質な諸個人が自由に交響する圏域を、シンフォニーからの連想で「交響圏」と呼び、ここから「交響するコミューン」という共同体の理想像を提示しています。

　交響曲の比喩が説得力をもつのはどうしてでしょうか。以下は、わたしの仮説です。シンフォニーという楽曲形式は、ソナタ形式を駆使した多声音楽（ポリフォニー）です。同一性を強調するモノフォニーやユニゾンとは異なり、主題を重層的に相対化する関係性に基づいた楽曲形式です。伝統的な共同体が集団内部の同質的な結びつきによって成り立っているとすれば、「交響するコミューン」は、異質な主題間の葛藤と対話を通して展開する「主題労作」とソナタ形式をモデルに構成されます。そのさいに重要なのは、熱狂的な唱和ではなく、微細な差異への感性や他者の異質性の尊重でしょう。

　個人的な感想かもしれませんが、通常は４声から立体的に構成される西洋の和声音楽に親しんできたわたしの耳には、複数の男性がハモることなくユニゾンで歌い通すJ-ポップを聞くと気分が悪くなります。いかにも日本的なムラ社会特有のベッタリとした感性と慣性が現代にも染みついているように思われ、違和感をもちます。世間の同調圧力を感じ、窒息しそうになります。もとより音楽における共感を否定するものでは全くありません。けれども大衆的な共感よりも、孤独でもいいから違和感を大切にしたいとすら思うのです。

　このように考えると、コミュニティの創生にとって、なぜ同一性を強調する「文化」だけでなく、先端的芸術もまた必要なのか納得できるでしょう。微細な差異と異質性を受容しうる感性の練磨が、21世紀の市民社会の要件なのです。個々人が、自在に選択し、脱退し、移動し、創出できるルールが必要なのです。そのようなコミューンたちによって織り成される「関係のユートピア」は、その自由を、市民社会のルールのシステムによって保証されます。

　別の方向から言えば、市民社会にとって必要最小限のルールは「関係のユー

トピア」たちの自由を保証する「関係のルール」として構築されるべきでしょう。このように〈関係のユートピア・間・関係のルール〉は、〈交響するコミューン・の・自由な連合〉（Liberal Association of Symphonic Communes）として表現されるのです。

ところで、政治学者の松下圭一は『シビル・ミニマムと都市政策』（岩波書店）において、現代の公共文化政策の理論的基礎づけを試みていました。〈交響するコミューン・の・自由な連合〉という見田宗介の社会理論は、松下の「シビル・ミニマム」の原理と通底していたことがわかります。松下は、カント哲学の基本となる「必要の王国」と「自由の王国」という区分を踏まえて、以下のように述べています。

「政治によるシビル・ミニマムすなわち市民的生活基準の保障は、生活の〈必要の王国〉の保障である。それを〈市民福祉〉の保障といいかえてもよい。この〈必要の王国〉の保障は、ミニマムを志向すべきであるかぎり、シビル・マキシムは不要である。ミニマム以上は個人の自由な選択にゆだねられるべきであるし、ことに価値の多元化をみた今日、市民的コンセンサスを獲得できるミニマムの保障という政策的禁欲こそが必要となる。むしろこの〈必要の王国〉がミニマムとして位置づけられるのは、このミニマムとしての市民福祉を保障することによって〈自由の王国〉における人間性の全面開花、とくに政治的自由についいで精神的自由を含む〈市民的自由〉の基盤を拡充するためにほかならない」。

自治体文化政策による
〈交響するコミューン〉の創生

図4をご覧下さい。自由な社会への道とは、〈共同体・の・集列体〉としての社会の構造を、〈交響体・の・連合体〉としての重層構造に変化させていくことを意味します。再び広井良典の表現を借りれば、コミュニティは本来的に外部に開かれたものであり、そうした内と外との動的な相互作用が、コミュニティそして人間の創造性の源泉になるでしょう。

他方、〈共同体・の・集列体〉とは、それぞれのコミュニティが閉鎖的となり、外部との関係がよそよそしいものとなる場合です。たとえネット上のテーマコ

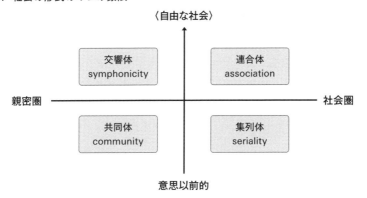

図4 社会の形式の4つの象限

〈自由な社会〉

| 交響体
symphonicity | 連合体
association |

親密圏 ──────────── 社会圏

| 共同体
community | 集列体
seriality |

意思以前的

見田宗介『社会学入門―人間と社会の未来』岩波新書、2006年、p.18および p.187より作成

ミュニティが増大しても、それらが個々に集列体をなして、相互に誰でもよい他者（赤の他人）として並存するのであれば、「無縁社会」の進行を食い止めることはできないでしょう。若者の自殺や犯罪、老人の孤独死を食い止める予防的な生活保障にはつながらないのです。

　〈交響体・の・連合体〉という社会デザインこそが、自治体文化政策の重要課題なのです。〈共同体・の・集列体〉としての社会の構造を、〈交響体・の・連合体〉という重層構造に変化させいくための仕掛けが求められています。文化政策による〈交響するコミューン〉の創生は、21世紀の定常型社会の中心テーマとなっています。

明石における実践事例

　このような歴史哲学的かつ社会理論的文脈からとらえ直すと、明石文化芸術創生基本計画の焦点を「つながる」というキーワードに収斂させたことの意味が明確になります。ですから、以下に掲げる各項目が芸術文化施策として過不足なく実現されるならば、〈交響するコミューン〉の創生による自由な社会への道も開かれものと期待されるのです。

コーディネート機能をもつ中間支援組織の設置

1) サポート機能：情報提供や人材仲介によって市民の文化芸術活動を間接的に支援

2) プラットフォーム機能：文化芸術に関する多彩な分野や幅広い年齢層の市民が出会い語らい、情報を得ることのできる交流の拠点

3) 広報機能：市内の文化芸術情報の集約・発信

4) アーカイブ機能：文化資源や資料のデータ蓄積、人材バンク機能

5) 人材育成機能：アートマネジメント講座など、文化芸術の担い手やつなぎ手の育成

　以上のようなミッションを実現するための組織・機構として、明石ではさまざまなオプションを検討しました。行政（文化芸術部）の直営、市内の既存のNPO法人への委託、上記のミッションを掲げたNPO法人の新設、指定管理者制度によって運営されている文化施設の事業者への委託などのオプションです。そして最終的に決定したのは、文化振興財団を新設し、そこに中間支援的機能を担わせることでした。

　具体的には、1年先に公益財団法人化された「明石コミュニティ創造協会」を、文化芸術部門を担う「公益財団法人明石文化芸術創生財団」と、コミュニティ部門を担う「一般財団法人明石コミュニティ創造協会」の2つの財団に分割し、文化芸術創生基本計画に定める中間支援組織の機能を前者が担うこととなったのです。こうして公益財団法人明石文化芸術創生財団は、2012年4月1日に発足しました。条例の中で「中間支援組織」を定義し、基本計画において「コーディネート機能をもつ中間支援組織の設置」を明記してきましたが、それが中間支援組織に特化した公益財団法人として誕生したのです。

　〈共同体・の・集列体〉としての既存の社会構造を、〈交響体・の・連合体〉としてのコミューンの重層構造に変化させるための機能が、公益財団法人新設のミッションとなった明石の展開経路は、全国的にも画期的な事例といえるでしょう。というのも、ほとんどの文化振興財団は、公共ホールなどの施設の管理運営を目的に設立されてきたからです。この点については講義8で詳細に論じることとしましょう。

◎**参考文献**

・広井良典（2009）『コミュニティを問いなおす』ちくま新書
・藤野一夫（2013）「コミュニティ創生と公益法人改革」（小林真理編）『行政改革と文化創造のイニシアティヴ』美学出版
・真木悠介（1977）『気流の鳴る音』筑摩書房（改ちくま学芸文庫）
・松下圭一（1973）「シビル・ミニマムと都市政策」『現代都市政策Ⅴ シビル・ミニマム』岩波書店
・見田宗介（2006）『社会学入門―人間と社会の未来』岩波新書

講義 5 文化振興条例と 基本計画の状況と理念

講義4では自治体文化政策の法整備について、現代日本の歴史的位相と社会理論を踏まえて考えました。それでは全国の自治体の法整備の状況はどのようになっているのでしょうか。これまでかかわってきた、あるいは現在かかわっている文化振興条例と文化振興基本計画等を書き出し、分類してみました。講義5では、わたしの経験の範囲で改めて気がついた特徴や課題をもとに、なぜ基礎自治体において文化・芸術分野の法整備が必要かについて考察したいと思います。

自治体における法整備の4タイプ

長年暮らしてきた神戸市は、政令指定都市にもかかわらず文化振興条例がありません。ただ、震災から10年目の年に、文化憲章をつくろうという気運があり、「文化創生都市宣言」を策定しました。それにもとづいて「文化創生都市プログラム」という基本施策を策定しました。

それから10数年が経ち、このプログラムや宣言そのものが有名無実化し、外部環境も変わってきました。そこで2019年に、文化芸術推進基本計画にあたる新たなビジョンを策定することになりました。ただ、コロナの影響で公表が2021年にずれ込み、ほとんど周知されないままの状態です。しかも神戸市には文化振興に関する審議会がありません。150万都市ですから、さまざまな部署で多彩な文化振興を実施しており、大きな文化振興財団もあるのですが、市全体のコントロールができていません。全体像が見えない。そういった状況が大都市でもあり得るのです。

講義4で取り上げた明石市で、最近わたしが知らないうちに大変なことが

起きていました。基本計画は何度か改めてきましたが、条例が平成31年（2019年）に改正されました。それまでの8年間、審議会にあたる文化創生会議が比較的活発に開催されてきました。ところが審議会が突然、理由も知らされずに廃止されたのです。

市政の混乱があり、どさくさ紛れの状況で条例を改正したようなのですが、その意図は不明です。条例の最後の第10条に、審議会を設置しますと書いてあるのですが、そこが条例改正の時に、すっぱり削除されていました。残念な事例ですが、条例と基本計画と審議会の3点セットが揃った自治体でも、こういう事態が起こり得ることを、まず知っておく必要があるでしょう。

図1を用いて整理してみましょう。タイプaは、条例、基本計画、審議会の3点セットが揃っている自治体です。タイプbは条例と計画はあるが、審議会のない自治体。タイプcは計画と審議会はあるが、条例はつくっていない自治体。タイプdは計画だけ策定したが、審議会がない自治体です。わたしがかかわった限りでは、この4タイプがあることが明らかとなりました。

以下は、あくまで私的な評価です。上から目線のようで恐縮なのですが、大阪府の豊中市に関していうと、条例と基本計画と審議会の3点セットで機能しており、二重丸をつけたいところです。文化振興財団はありませんが、市立文化芸術センターの指定管理についても審議会でチェックしており、民間企業による運営としては一定水準の公共性を確保しています。豊中市は、

図1　これまでかかわってきた（いる）文化条例、基本計画等（2022年8月現在）

- 神戸市（条例なし、文化創生都市宣言、同プログラム、ビジョン、審議会なし）、明石市（条例改正、基本計画、審議会廃止 H31.3）、芦屋市（条例改正、基本計画、審議会）、豊中市（条例改正、基本計画、審議会）、大阪府市（条例、基本計画、審議会）、豊岡市（条例なし、基本計画、審議会なし）、吹田市（条例、基本計画、審議会）、東大阪市（条例、基本計画、審議会）、丹波市（条例なし、基本計画、審議会なし）、八尾市（条例、基本計画、審議会）、堺市（条例、基本計画、審議会）、京丹後市（条例、基本計画検討中、審議会）
- タイプa（3点セット）：条例＋計画＋審議会、タイプb：条例＋計画、タイプc：計画＋審議会、タイプd：計画のみ

2015年大阪府内では初めて「文化芸術創造都市」として文化庁長官表彰されました。

　大阪府と大阪市にはともに条例があります。とくに府の条例はなかなか立派なものです。府と市合同の審議会もあります。しかし2つの条例の間で、文化・芸術という概念で扱う範囲が異なるため、基本計画の策定で足並みが揃わないケースが出てきました。また、補完性の原則にしたがって、広域自治体と基礎自治体との役割分担をもっと明確にすべきだと考えています。2021年春に府は第5次、市は第3次の基本計画が完成しました。

　ただし10年ほど前に大阪府・市の政権が変わってから、文化予算が10分の1くらいに削除されてしまった。文化振興財団や府立のオーケストラも解散して久しい状況です。アーツカウンシルが頑張っていますが、大阪府市のアーティストたちの活動環境には厳しいものがあります。

　兵庫県北部にある豊岡市は、最先端の文化政策に取り組んでいるまちで、2016年に文化芸術創造都市に選ばれています。条例はありませんが、基本計画は3年ほど前に取りまとめをさせていただきました。しかし審議会を設置することはできませんでした。基本計画の進行管理が疎かになっており、心残りがあるところです。大阪府の吹田市は条例と基本計画と審議会があり、2021年度に、基本計画を先端的なものに改めました。2020年にメイシアター（吹田市文化会館）の改修が終わりましたので、市民主体の文化振興の再活性化が期待されます。メイシアターは市民参加型の公共ホール運営で有名となり、「吹田方式」とまで呼ばれてきたからです。

　東大阪市も二重丸を付けたいところで、条例と基本計画があり、多様性に富んだメンバーによる審議会も機能しています。とくに共生社会をめざす文化政策としては最先端の基本計画を策定しました。2020年に最新鋭の東大阪市文化創造館がオープンしました。建設・設置の経緯から、PFI東大阪文化創造館株式会社が運営していますが、市の条例の精神と基本計画の方針を実現する中核施設として期待されます。

　兵庫県の内陸部にある丹波市は条例がありません。基本計画の策定にはコンサルが入っておらず、当方のゼミ生たちが総出で参加し、2年をかけて丁寧に策定しました。学生たちにとっては貴重な学びの場となりました。2020年2

月に市長に答申しましたが、残念ながら審議会は設置できませんでした。

　大阪府の八尾市は、プリズムホール（八尾市文化会館）で有名ですが、すでに基本計画をもっています。2021年度に条例を改正し、2022年度に新しい基本計画を発表しました。条例の中で、推進体制として審議会のみならず推進会議の設置を明記。審議会と推進会議の二本立てを謳った条例は、日本で初めてでしょう。

文化振興条例の構造

　図2をご覧ください。文化振興条例は、どういう仕組みになっているか、その構造を理解しておきましょう。まず目的ですが、これはなるべく個性的なほうがいい。1つの例として「ひととまちがキラリと輝く市民文化交流都市」という案を書きました。埼玉県の富士見市で条例をつくりたいということになり、最初にシンポジウムが開かれました。その時に講演させていただいたのですが、この市にはキラリふじみ（富士見市民文化会館）という立派なホールがありますので、「ひととまちがキラリとかがやく」を目的として入れてみたわけです。

　次に基本理念ですが、「市民の自主性と創造性を尊重する」ことが大前提です。さらに3つの重要なポイントとして「人づくり」、「まちづくり」、「未来づくり」がある。これらが基本理念として掲げられることが多いのです。

図2　文化振興条例とはどんなものか。条例の構造

- ●目的：（例）ひととまちがキラリとかがやく市民文化交流都市
- ●文化振興における原則（基本理念）：（例）市民の自主性と創造性の尊重、人づくり・まちづくり・未来づくり
- ●行政の責務・役割：施策の総合的かつ計画的な推進
- ●市民、団体等の責務・役割（任意）広域自治体は概ね無し
  文化芸術基本法では「国は…国民の関心及び理解を深めるよう努めなければらない」
- ●基本施策：（例）子どもの頃から文化活動に親しめる環境…
- ●基本（推進）計画の策定（任意）
- ●審議会等の設置（任意）

その次に、行政の責務がきます。これは基礎自治体、もしくは都道府県の責務を意味します。その役割と、施策の総合的かつ計画的な推進がうたわれます。ここまでの事項は、いかなる条例でも必要不可欠ですが、市民や団体等の役割については、実は任意なのです。

以前は市民団体等の責務と役割をあげておりましたが、条例は行政が策定するものですから、市民や団体に対して「責務」というのはちょっと強すぎるな、と感じるようになってきました。大切なのは市民の文化権をどう保障するかですから、行政の側が、責務といった一定の強制力をもつ概念を市民や団体に割り振るのは適切ではないと思います。

実際に見てみると、都道府県の条例の場合には、県民、事業者、団体の責務という言葉はほとんど出てきません。基本法では「国は文化芸術に対する国民の関心および理解を深めるよう努めなければならない」とあります。国の責務は書いてあるけれども、国民はこうしなさいとは書いていないのです。そう考えると、国とか権力をもつ側がつくる条例が市民や国民に対して「こうしなさい」というのは干渉しすぎではないかと思います。

基本施策については多種多彩です。たとえば、子どもの頃から文化芸術に親しめる環境を云々、ということがよく出てきます。つぎの基本計画や推進計画の策定に関しては、実は任意なのです。審議会についても任意です。それでは、それぞれの自治体はどう自主的に考えるのか。この点がポイントとなります。

文化振興条例の位置づけ

自治体の政策の全体像の中で、文化振興条例はどのように位置づけられるのでしょうか。図3をご覧ください。まず公共政策とは、公共の福祉を増進させるために立案される施策でしたね。また行政計画の最上位には総合計画があります。そのなかで、文化について多少なりとも触れている箇所があるはずです。また2021年の時点で、自治基本条例が制定されている自治体が397あります。これは1,700あまりの自治体の中で23％、全体の5分の1ほどです。自治基本条例や市民参画条例と連携させて文化振興条例を策定することが

望ましいのですが、縦割り行政の壁などもあり、自治体の政策全体の中で文化振興条例を位置づける視点は希薄です。そこで、講義4の復習もかねて、自治体文化政策全体における文化振興条例の位置づけに限定して整理しましょう。

　文化の分野で公共の福祉を増進することを目的とするのが文化政策でした。文化に関する条例には2つの側面があります。まず自治体の文化政策の理念が掲げられます。どこにいても、どんな世代の人も、どういう経済的な状況の人も、文化・芸術を享受できなければならないという「文化権」にかんする理念です。これは人類にとって普遍的な立場から必要不可欠な権利です。人格形成にとって不可欠であり、世界共通の人権にかかわる側面です。これらの法哲学的な意味については、講義11で深掘りしましょう。

　普遍的な人権としての文化権は、その共通性ゆえにどこも同じような文言になってしまいますね。ですから、地域特性を見極めて、地域の固有性を条例の中に盛り込んでいくことが、もう一つの側面になります。さらに近年では、文化・芸術による地域課題の解決などが盛り込まれるようになってきました。

　たとえば、社会包摂や共生社会をめざす、といった理念です。とくに基本法が改正された後は文化政策のテリトリーが拡張してきました。文化・芸術のための政策というより、文化・芸術を用いてさまざまな社会・経済問題を解決するという方向です。いわゆる「文化の道具主義化」の傾向が強まってきており、

図3　自治体文化政策の全体像の中での文化振興条例の位置づけ

> ・ 公共政策とは「公共の福祉を増進させるために立案される施策」、最上位には総合計画、自治基本条例（391自治体23%）
>
> 　➡文化の分野において公共の福祉を増進することが文化政策の課題
>
> ・ 条例（自治体文化政策の理念＝普遍的な立場からの人格形成と地域の固有性の確立、さらに地域課題の解決をめざす→基本法改正後は拡張した文化政策、文化の道具主義化）
>
> 　➡**基本計画**（10年、展開方針、重点施策）
>
> 　➡**アクションプラン**（3～5年、各事業の年次進行型実施計画）

これには賛否両論があるところです。

　あるべき姿としては、条例ができた後に基本計画を策定します。効力の期間を10年に設定しているところや5年のところもありますが、おおむね10年に設定し、5年たったら振り返って見直すというところが多い。基本計画の中には展開方針とか、重点施策などが書かれています。

　その次のアクションプランですが、作っているところと作っていないところがあります。審議会がすごく熱心で、年4～5回開くところでは、アクションプランまでの進行管理ができますので、3年から5年のスパンで計画します。1年目はここまで、2年目はここまでと、年次計画を作って、事業単位で、それが本当に実現しているかの評価を丁寧にやっている自治体もあります。

全国の文化振興条例と基本計画の制定状況

　図4をご覧ください。全国の状況はどうなっているでしょうか。平成13年（2001年）に文化芸術振興基本法が成立してから7～8年経った段階で、わたしも参加している研究グループで一斉調査を行いました。半分くらいの自治体から回答があったのですが、14％ほどの自治体から、文化振興条例を制定していると回答がありました。おそらくこの時点で全国では70ほどの自治体が条例を作っていたと思われます。もうすこし細かく見ていくと、都道府県レベルでは47.5％、政令市では23％、市で19％、町や村で5％ですから、大きな自治体、大都市圏になるほど、条例を策定していることがわかります。

　文化芸術振興基本法ができるまでは、11ないし12の自治体が独自に文化振興条例を作っていました。これらについては、条文をすべて見て分析したことがありますが、都道府県が北海道、東京都、富山県、熊本県の4例。政令市はまだゼロでした。中核市は秋田市だけで、市町村が7例ぐらいでした。

　2020年の調査では、162の自治体が条例を策定しています。経年変化を見ていくと、平成13年（2001年）の基本法ができてから、平成21年（2009年）までに6倍に増え、2001年から2020年までの20年間で13.5倍に増えています。国が法律を策定したことが、文化振興条例策定の要因になっていることがわかります。

もう一度平成21年（2009年）の中間段階に戻ります（図5）。約7割の自治体が、一般財源の圧縮と同時に文化予算をも圧縮していることがわかりました。後でグラフを見ていただきますが、平成21年（2009年）は国全体の予算がどん底になっていました。しかし、その中でも、文化振興条例のある自治体では、文化予算を増やしていっているところが7.4％ありました。

　一方、条例のない自治体で文化予算を増やしていっている自治体は2.7％

図4　全国の文化振興条例の制定状況2009年

（2009年4月、1782市町村、47都道府県、回答数889、回収率48.6％、科研（代表：小林真理）「行政構造改革が戦後日本の芸術文化政策の成果に与えた影響に関する研究」より）

- 回答中14.1％の自治体が制定済み（全体で70程度？）
- 都道府県47.5％、政令指定都市23.1％、市18.9％、町村5.1％
  ➡広域自治体や大都市圏ほど条例を制定している
- 2001（H13）文化芸術基本法以前は12自治体？：都道府県4（北海道、東京、富山、熊本）政令市0、中核市1（秋田市）、市町村7？（苫小牧市、様似町、矢吹町、江戸川区、下市町？、太宰府市）
- 2020（R2）：162自治体　2001～2009で6倍、2001～2020で13.5倍

図5　文化振興条例と文化予算の関係2009年

- 約7割の自治体が一般財源の圧縮と同様に文化予算を圧縮
- 条例の有る自治体のうち文化予算を増やしているのは7.4％
- 条例の無い自治体で文化予算を増やしているのは2.7％
- 条例の無い自治体の3.4％は一般財源の中でとくに文化予算を圧縮（どん底期2007/2008）

➡**条例が文化予算の維持・拡大に一定の影響を与えている**

- 1998年の行政改革以降に新設された外郭団体は殆ど無い
- 都道府県、市町村を合わせた全体の38％の自治体が文化振興財団等をもつが、小規模自治体や地方は少ない
- 統合・廃止・縮小を検討している自治体は10％前後

しかありませんでした。条例のない自治体の3.4％はとくに文化予算を削減していました。つまり文化振興条例があることで、一定程度、文化予算の削減に対して歯止めになっていたことを突き止めることができました。条例があることによって、文化予算の維持拡大に一定の影響を与えていたことが、この10年前の調査でわかったのです。

つぎに文化振興財団について見てみましょう。平成10年（1998年）の行財政改革以降、外郭団体が減っていく一方で、都道府県や市町村を合わせた自治体全体の38％が文化振興財団等をもっていました。しかしながら、小規模の市町村や地方の自治体は、財団をもっていないところが多かった。さらに、統合、廃止、縮小を検討している自治体は、この時点で10％という調査結果を得ました。

さらに図6をご覧ください。先駆的な条例の特徴として、昭和58年（1983年）の東京都以降の例をあげてみましょう。当時の条例は、その成立順に少しずつ内容が充実していく様子がわかります。いろんな権利が拡大し、非常に個性的で、まちによって条例に対する考え方がそれぞれ違い、ひとつひとつ読んでいくと、まちの顔が浮かんでくるような条例でした。

ところが平成13年（2001年）に国の基本法ができてから、国の法律に追従する傾向がはっきりしてきました。前例踏襲主義で、例えば「文化芸術とは何か」という議論すらなく、国が言う基本法に従う、安請け合い的な傾向が強くなってきました。没個性化、金太郎飴的な傾向が強まっていきました。これだったら、市民と行政が熱い議論する必要はないですね。コンサルタントに丸投げすれば条例はできてしまうのです。こんなことでいいのかと疑問を感じ始めたのが、基本法制定以降です。数は増えているが、中身はどうなのかという問題です。

図7に移ります。基本法制定のあと、いろいろな機会に提案してきたことは、平成29年（2017年）の改正基本法で、かなり改善されたと思っています。最初の基本法は不十分なところが多かったので、国の法律では不十分なところを自治体の条例で補う補完関係が重要だと考えていました。

そこでのポイントは4点ぐらいになりますが、1番目は自由権です。公権力から表現や言論の自由をしっかり守っていくことです。もう1つは社会権的文化

図6 先駆的な条例とその特徴

- 1983：東京都文化振興条例：「行政の文化内容への不介入」の原則→自由権的文化権の保障
- 1983：秋田市文化振興条例：「市民は自らが文化の担い手であることを自覚する」➡市民主体の施策
- 1994：北海道文化振興条例：道民は豊かな文化的環境の享受とともに、その実現のために主体的に行動する責務→行政と市民の双方向的文化権
- 1997：大宰府市文化振興条例：市民と行政の協働➡自治体文化政策の先駆的個性の積み重ね
- 2001：「文化芸術振興基本法」以降、国法追従、前例踏襲主義による没個性化の傾向、金太郎飴化（コンサル丸投げ？）

図7 文化振興条例による文化芸術振興基本法の課題の克服

①自由権（公権力からの自由）と社会権（文化権実現への条件整備）の双方に立脚した市民本位の文化権の確立
②条例の運用・評価にかかわる常設の第三者機関の設置。アームズ・レングス（行政は助成しても口出ししない）の原則によるアーツカウンシル的機関
③文化振興基金の創設や寄付金優遇税制など、持続的・安定的な財源確保のためのシステムづくりを明記し、社会権的文化権を担保
④市民活動の「中間支援組織」や地域文化のコーディネーター機能の設置

権です。文化を享受し参加するための権利を実現するための条件整備に対しては、予算や人、場所をつける、この自由権と社会権の双方に立脚した市民本位の文化権を確立することを条例にしっかり書いてほしいとお願いしてきました。

　2番目は条例の評価、運用にかかわる常設の第三者機関の重要性です。イギリスでは「アーツカウンシル」と言われています。日本でもアーツカウンシルがいくつかでき始めています。行政はお金を出しても口は出さないというアームズ・レングスの原則にもとづく、いわゆるアーツカウンシル的な第三者機関の設置を条例に盛り込むことを主張しました。

3番目は、お金をどうやって確保するかということです。今、ふるさと納税やクラウド・ファンディングなど、いろんな仕組みが出てきています。文化振興基金の創設や寄付金の優遇税制など、持続的安定的な財政確保のためのシステムづくりを明記して欲しい。そしてそれによって自由権や社会権的文化権を担保するようにしてほしい。4番目は市民活動の中間支援組織であるとか、地域文化のコーディネーターなどの機能を設置するように明記してほしい。こういった4点の方向から、国の法律の弱点を補うような条例を策定できれば、条例の意味があるのではないかと主張してきました。そして講義3で述べたように、平成29年（2017年）に基本法が改正され、かなりの改善がみられました。

文化振興条例と基本計画の現在

　文化振興条例と基本計画の制定状況について最新の情報を整理しておきましょう。図8をご覧ください。都道府県では、47のうち、4分の3、75％にあたる35が条例を制定しています。わたしの地元である兵庫県は、まだ条例を策定していません。また、基本計画は38の都道府県がつくっていますので、80％です。北海道は条例を非常に早くにつくっていますが、基本計画はまだ

図8 現在の文化振興条例と計画等の制定状況2020年

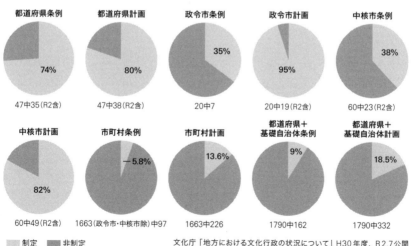

都道府県条例	都道府県計画	政令市条例	政令市計画	中核市条例
74%	80%	35%	95%	38%
47中35(R2含)	47中38(R2含)	20中7	20中19(R2含)	60中23(R2含)

中核市計画	市町村条例	市町村計画	都道府県＋基礎自治体条例	都道府県＋基礎自治体計画
82%	－5.8%	13.6%	9%	18.5%
60中49(R2含)	1663(政令市・中核市除)中97	1663中226	1790中162	1790中332

■制定　■非制定

文化庁「地方における文化行政の状況について」H30年度、R2.7公開

ありません。

　政令市で見ますと、政令市20のうち7市が条例を策定していますので35％です。文化芸術創造都市として文化庁長官表彰を受けた神戸市と横浜市には、条例がありません。政令市の計画は95％で、唯一ないのが広島市です。神戸市は、令和2年（2020年）にやっとできました。

　中核市は60ありますが、条例は23市にありますので38％です。政令市より中核市のほうが多く策定しています。中核市の計画は82％ですから、かなり多いです。政令市と中核市を除く全国の市町村は1,663あり、そのうち条例は97の自治体がつくっていますので、5.8％になります。まだまだ少ないですね。計画のほうは13.6％あります。

　トータルで見ると、都道府県と基礎自治体を合わせて1,790のうち、条例は162ありますから9％で、まだ1割になっていません。計画は18.5％ですので、ちょうど、条例1に対して計画2の割合です。計画はあるけれど条例はないというケースが多いのです。

政令市の分析

　20市ある政令市中で、住民ひとり当たりの文化歳出にはどれくらいの格差があるでしょうか。2019年の統計を分析すると、一般会計の0.5％ぐらいが文化歳出の中間値となっています。横浜市や神戸市は、文化芸術創造都市としてのブランド力がありますが、0.4％と平均値以下です。上のほうでは、さいたま市、京都市、岡山市が1.2％です。堺市は一般会計の2％を超えていて突出しているのですが、これは建設費が入っているためです。フェニーチェ堺という立派なオペラハウスを造りました。また堺市は、文化振興財団とは別に、新しいタイプのアーツカウンシルを創設し、文化審議会との有機的連携の仕組みを試みています。今後、堺方式に注目したいと思います。

　同じ政令市でも、これだけ文化予算に差があります。条例のある7つの政令市は、ひとり当たりの年間の文化歳出は4,000円ぐらいです。さいたま、京都、岡山、堺は5,000円以上になっています。これらは、すべて文化振興条例がある市です。

つぎに、条例のない残り13の政令市は平均が2,300円です。20の政令市のうち、19は基本計画をもっています。これを標準装備だとすると、条例の有無によって2倍もの文化予算の格差が出てきていることには、計算してみて驚きました。政令市に限ることではありませんが、条例制定の隠れた意図があります。これまでさまざまな自治体にかかわって感じるのは、平成の大合併によって、新たな市全体のアイデンティティが必要になってきた。そのアイデンティティを醸成するツールとして文化・芸術に注目が集まったのではないか、ということです。

　もちろん、各地域には伝統文化があります。それは大切にしなければならない。そればかりではなく、合併した市全体の新しい文化的なアイデンティティを醸成するには、むしろ新しい文化・芸術のほうが都合がよいことがあります。たとえば、現代美術のアートプロジェクトや演劇祭などをやる自治体が出てきました。大合併後の市の新しいアイデンティティを文化・芸術を通して醸成したい、という意図から条例をつくった自治体では、芸術祭をツールにすること

図9 文化関係経費の内訳

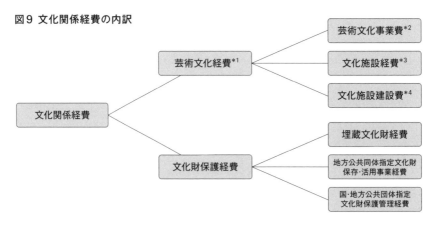

*1「芸術文化」とは、芸術（美術、音楽、演劇、舞踊、文学等）、芸能（講談、落語、浪曲、漫談、漫才、歌唱等）、生活文化（華道、書道等）及び国民娯楽（囲碁、将棋等）等を言う。
*2「芸献化事業費」には、芸術文化関連事業、芸術文化団体等に対する補助に係る経費を計上している。
*3「文化施設経費」には、文化施設（文化会館、美術館等）の管理運営に係る経費（人件費を除く）を計上している。修繕費、光熱水費、文化施設の管理運営を委託している場合の委託費を含む。なお、図書館及び公民館は社会教育施設に該当するので、文化施設には含めない。
*4「文化施設建設費」には、土地購入費、建設費等（準備費、調査費、設計料等を含む）を計上している。

文化庁「地方における文化行政の状況について」H30年度 芸術文化＋文化財＝文化芸術

が多いのです。そのため急激に文化予算が増えたことが考えられます。

　なお、国は文化芸術（振興）基本法と言いながら、芸術文化経費と、文化財経費を分けています。そして、芸術文化経費の中に、事業経費と施設経費と建設経費が入っています。

図10 文化関係経費全体（芸術文化経費＋文化財保護経費）

〈都道府県・市区町村別集計額の推移〉

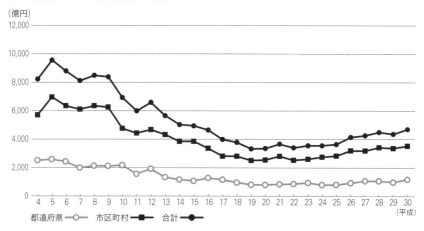

図11 芸術文化経費と文化財保護経費

〈経費別集計額の推移〉

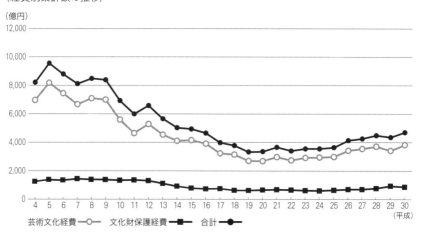

図12 自治体種別文化関係費

〈都道府県・市区町村別集計額の推移〉

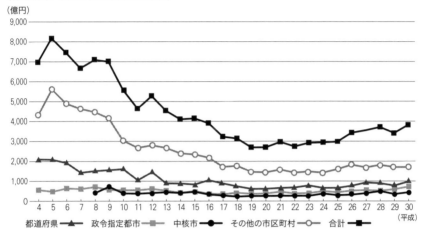

（億円）

凡例：都道府県 ◆— 政令指定都市 —■— 中核市 —●— その他の市区町村 —○— 合計 —■—

（平成）

　地方自治体の文化関係経費の推移については、図10〜12をご覧ください。平成4年（1992年）から平成30年（2018年）までの文化関係経費（以下、文化予算）のグラフを見ると、右肩下がりの傾向がはっきりしています。平成19年（2007年）から平成20年（2008年）あたりで底を打っています。そして、ここ数年は少し上昇傾向にあります。これをどう見るかが重要です。

　建設経費では、1990年代前半バブルのころに計画された公立文化施設がどんどんオープンしましたので、6,000億円ほどの施設建設費がありました。日本の文化予算には施設建設費が入っているので、ハコモノをつくったときは伸びますが、ハコモノをつくるのをやめると4分の1ほどに減ってしまいました。とりわけ建設費は20分の1に激減しています。平成5年（1993年）が文化予算のピークで9,540億円ありました。平成19年、20年には2,700億円まで下落しています。平成5年を100とすると、平成19年は28まで下がったことになります。平成13年（2001年）に文化芸術振興基本法が制定されたにもかかわらず、文化予算は年平均で10％マイナスとなり、改善されなかった。基本法の影響は文化予算上では影響がなかったのです。

　平成26年（2014年）から、やっと回復傾向になっています。平成30年（2018年）はトータルで3,825億円です。このうち、芸術文化事業費が724億円で、

これも増えています。文化施設の経費、ランニングコストも2,403億円と増えています。施設建設費も、6,098億円にまで増加しています。この増え方をどう分析するかは、むずかしいところです。いずれにせよ、これは第2次安倍政権になってから増えているもので、政府による何らかの補助金があったと予測

図13　自治体の文化関連予算の推移と特徴

- H5（1993）がピークで9540億円
- H19（2007）／H20がどん底で2700億円、100（H5）→28.3（H19）
- H13（2001）に基本法制定後も年平均10％のマイナスは改善なし
- 激減の主因は施設建設費、H5の5876億円からH19の287億円に
- H26から回復傾向、H30は3825億円（芸術文化事業費724億円、文化施設経費2403億円、施設建設費698億円）
- 100（H19）→142　H20以降、条例・計画が全国拡大した影響か？
- 自治体規模の偏差は見られないが、政令市の伸びは2000年代以降に指定されたさいの合併によるものと思われる。合併特例債？
- 文化庁予算はH15（2003）の1000億円突破以降横這、H30に34億円微増、H29の改正基本法の影響か？

図14　文化庁予算の推移

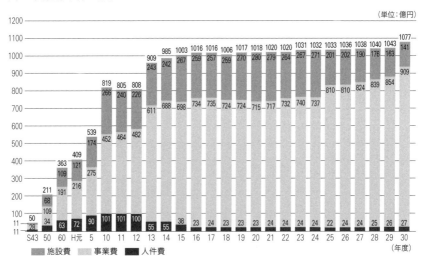

（単位：億円）

施設費　事業費　人件費

（年度）

されます。平成19（2007）年の文化予算を100とした場合、平成30（2018）年には、1.5倍ぐらいの142に増えています。これが、条例や計画が全国で拡大した影響なのか、それともアベノミクスのような経済対策によるものなのかは、しっかり分析しなくてはいけないと思っています。

　自治体規模間での偏差は見られないけれど、平成12年（2000年）以降に政令市に指定された自治体の伸びが大きい。これは合併によるもので、合併債が活用されている可能性があります。

　図14の文化庁予算については、平成15年（2003年）に1,000億円を突破してからずっと横ばいでしたが、平成30年（2018年）に微増しています。これが平成29（2017）年の基本法改正の影響かどうか、はっきりとはわかりません。オリンピック・パラリンピックに向けて少し色がついたぐらいですが、2020年度も少し伸びています。

文化振興条例と基本計画はなぜ必要なのか

　なぜ、文化振興条例と基本計画は必要なのでしょうか。一番重要なポイントです。わたしの恩師でもある中川幾郎先生（帝塚山大学名誉教授）のご説明は非常に示唆に富むものです。まず、地方自治体の事務として法定受託事務と自治事務の2つがあります（図15）。法定受託事務は、本来国が果たすべき役割にかかわる事務で、必ず法律や政令により事務処理が義務づけられており、絶対やらなくてはいけないものです。たとえば、国政選挙、旅券の交付、国の指定統計、国道の管理、生活保護などです。

　つぎに、自治事務は、2つに分かれます。地方自治体に関する事務ですが、一方は法定自治事務です。政令により自治事務が義務づけられているもので、介護保健サービスとか、国民健康保険、児童福祉、老人福祉、障がい者福祉サービスなどです。他方、法定外自治事務は、義務ではないのです。法令・政令にもとづかずに任意で行うもので、各種助成金、乳幼児医療費補助、子育て支援、移住促進などがあります。

　実は、公共施設（文化ホール、図書館、生涯学習施設、スポーツセンター）の管理なども、法定外自治事務なのですね。たとえば図書館法がありますが、ど

この自治体も図書館の設置は義務かというと、そうではありません。図書館がなくとも罰則規定はありません。

それでは、法定外自治事務は軽視してもよいのでしょうか。自治体文化政策と、その対象施設、組織等というのは、法定外のために、たしかに自由度が高く、裁量の余地がたくさんあります。けれども、その時の首長や議会の会派構成によって方針が変わることがあります。条例と基本計画は、自治体文化政策の自主性や主体性が、首長や議会の恣意に左右されないための安全装置なのです。首長もしくは議会の勝手気ままに翻弄されないように、条例と基本計画は必要だということです。

具体的には、特定の人の批判、主張、思いつきで行われたり、廃止したりすることを食い止めるために、法定外自治事務の担保としての条例が必要です。その条例にもとづく行動方針、あるいは目標、工程表が不可欠となります。基本計画をつくり、条例の改正や趣旨がどれだけ実現しているか審議し、PDCAサイクルでの政策評価をする機関として審議会が必要となる。そうでないと行政内部の評価、議会だけでの議論という政治プロセス、行政プロセスだけで物事が決まってしまう。そのように中川先生は論じられています。

ただし、わたしの経験では、現実には条例そのものが首長の恣意で変更され、骨抜きにされることがあります。これは、近年における民主主義の腐敗と、自

図15 地方自治体の事務の分類

①**法定受託事務**：国が本来果たすべき役割に係る事務。必ず法律・政令により事務処理が義務付けられる。国政選挙、旅券の交付、国の指定統計、国道の管理、戸籍事務、生活保護など
②**自治事務**：地方公共団体の処理する事務のうち、①の法定受託事務を除いたもの
ⓐ**法定自治事務**：政令により事務処理が義務付けられるもの。
　　介護保険サービス、国民健康保険の給付、児童福祉・老人福祉・障害者福祉サービス
ⓑ**法定外自治事務**：法律・政令に基づかずに任意で行うもの。
　　各種助成金等（乳幼児医療費補助等）の交付、公共施設（文化ホール、図書館、生涯学習センター、スポーツセンター等）の管理

参考文献：中川幾郎「これからの自治体文化政策」（NPO政策研究所）

治の縮小、萎縮、忖度が全国各地に浸透している、たいへん由々しき問題だと思っています。

中川先生は、文化振興条例のことを「安全装置」と述べられていますが、もっと根幹にかかわることは、市民社会の中で「文化的民主主義」をどうやってつくっていくかです。その実践の場として文化施策は必要だと、わたしは考えています。住民と専門家と行政が入って、参画と協働で条例と計画をつくり、運用していく、可視的で民主的なプロセスが大切だと中川先生も述べられていますが、安全装置という以上に、このようなプロセスこそが重要だと思います。

文化振興条例や基本計画の策定プロセスそのものが、文化的な民主主義を形成する実践の場だということです。ドイツの哲学者のユルゲン・ハーバーマスは市民社会における「対話的理性」を重視しています。さまざまな立場や意見をもった市民たちの対話の中で、本来あるべき道筋が見えてくるのであって、元々正しい答えがあるわけではない。だから、コンサルタント会社に丸投げして条例や計画をつくるのは、ほとんど無意味だということになります（ただし、コンサルと行政と審議会がうまく協働するケースもあります）。

さらにカントにならえば、法定外自治事務は、自治体の主体性と個性が発揮される「自由の王国」なのです。「義務の王国」ではありません。自治体の本質、自治権の中心は、法定外自治事務をいかに自分たちのものとして実現していくかにかかっている。ここに自治権の核心があります。わたしはドイツの文化政策を研究してきましたが、ドイツの自治権は、まさに文化を通じて地域主権を確立するところに核心があります。

つまり、国からの縛りのない法定外自治事務は、市民自治、もしくは市民と行政の共治の領域です。共治はガバナンスと呼ばれています。ガバナンスが共につくられ、人々と地域を活性化する。法定外自治事務とは、義務ではなく任意であるがゆえに、人間的自由の王国です。喜びと幸福の領域であり、まさに文化政策の独壇場だと思います。そういう意味で、条例や基本計画を策定する場合はそのプロセスがとても重要になってくるのです。

文化政策の目的は、「文化的自己決定能力」を涵養することにあります。そして、その場合の「文化的」とは両義的、つまり2つの意味がある。1つは、文化・芸術について中身を自己決定することです。どういう建物をつくるか、どういう

文化事業をやるか決めるのは、地域コミュニティの市民であり、地域の市民が主体となって決めていくという意味での「文化的自己決定能力」です。それと同時に、文化・芸術と、その活動を通して、文化・芸術以外の事柄に関しても、地域住民や自己決定能力が涵養されることを意図しています。

　たとえば、文化について議論するとか条例について議論することで、対話的な理性が育まれていく。そういった理性とか判断力を、文化・芸術以外の領域にも適用することで、この地域、このまちをもっとすばらしいものにしていこうという集合的な主体性が形成されるでしょう。これが住民自治の精神です。現代市民社会の民主主義的な基盤につながっていくポイントではないかと思います。まさにカルチュラル・デモクラシーです。

　高尚な文化を民主的に普及させるという啓蒙主義的な意味ではありません。そうではなく、文化を通じて民主主義をつくりあげていく。そして人間性を回復していく、という意味です。ですから、自治体が計画やビジョンを策定していく場合、国の理不尽な図式や定義を忖度する必要はありません。それぞれの地域の実情に即した文化芸術の推進のために、自治体はしっかりと主体性をもって独自の文化政策を策定すべきなのです。さらに、うまく観光も取り込んで地域経済を循環させ、社会を活性化するなかで、地域住民が豊かに、幸福に暮らせる、そういったまちづくりが重要になってくると思います。

観光振興に関する条例

　最後に、観光と文化芸術の関係について見ておきましょう。新型コロナ禍で、2020年の春からインバウンド観光客が激減してしまいましたが、本当ならば2020年のオリンピックイヤーには4,000万人を達成しているはずでした。図16に示したように、観光に関する条例を調べてみましたが、都道府県レベルでは70%が策定しています。ところが、政令市はたったの5%で、市町村に至っては1.9％しかありません。平成18年（2006年）に、国は観光立国推進基本法をつくりました。それ以降、急速に都道府県で関連条例がつくられていきました。市町村では24の観光振興に関する条例が策定されています。

　また、2020（令和2）年5月に「文化観光推進法」という法律ができました。

図16 観光振興に関する条例

- 都道府県：47中33＝70%
- 政令市：20中1（福岡市）＝5%
- 市町村：1723中33＝1.9%
- H18（2006）観光立国推進基本法、以後28都道府県24市町村で施行
- H2.5 **文化観光推進法**：文化の振興を観光の振興と地域の活性化につなげ、これによる経済効果が文化の振興に再投資される好循環を創出することが目的。このために文化施設が、これまで連携が進んでこなかった地域の観光関係事業者等と連携することによって、来訪者が学びを深められるよう、歴史的・文化的背景やストーリー性を考慮した文化資源の魅力の解説・紹介を行う。（美術館・博物館の管轄が文化庁に）

「文化の振興を観光の振興と地域の活性化につなげ、これによる経済効果が文化の振興に再投資される好循環を創出することを目的とする」法律です。「このためには、文化施設が、これまで連携が進んでこなかった地域の観光関係事業者等と連携することによって、来訪者が学びを深められるよう、歴史的・文化的背景やストーリー性を考慮した文化資源の魅力の解説・紹介を行う」と書かれています。

　2018年に文部科学省設置法が改正され、美術館、博物館の管轄が文科省から文化庁に移ったので、各地の文化財も活用しやすくなりました。これに関しては、美術館サイドやアート・ワールドの界隈では、かなり物議を醸しています。けれども、今後の地方創生の目玉としては、アートと観光はもう切り離せないと、わたしでさえ考えるようになってきました。アートと観光を結びつけて、さまざまな価値や効果を生み出しているプロジェクトなどの実践事例はあるのですが、その制度化や研究は、まだまったく進んでいません。

　アートと観光を一体化するような、たとえば「芸術文化観光推進条例」のようなものを策定できれば、日本の自治体の間で先駆けになるでしょう。ただ、その時に、「稼ぐ文化」だけを目的とする道具主義的な文化政策では短絡的すぎます。そうではなく、文化による自律した地域社会づくりのために、観光を活用するぐらいのしたたかさが必要ではないかと思います。

6 講義 アートマネジメントが めざすもの

　これまで文化政策の法・制度的側面に焦点を当てて考えてきました。文化・芸術にかんする政策ですから、法的な根拠にもとづいて、しっかりとした基本計画を立てることが大切です。そうしないと予算措置もままなりません。建築で言えば、こうあってほしいという理念やヴィジョンの実現に向けて設計図をつくり、基礎工事にあたる部分まで終えたところです。けれども、まだ建物そのものは形になっていません。文化政策が策定されたとしても、それを実践する主体がいなければ机上の空論に終わります。ペーパー行政と揶揄されるもので、わたしにも苦い経験が数多くあります。推進体制が不可欠なのです。

　そこで講義6では、一般に文化・芸術と社会をつなぐ技法とされるアートマネジメントについて、従来とは少し視点を変えて考えてみたいと思います。そもそも文化政策とアートマネジメントの関係はどのようなものでしょうか。理論と実践、つまり基礎と応用の関係なのか、それとも車の両輪、つまり表裏一体の関係なのでしょうか。文化政策の立案の中心は学識経験者と呼ばれる専門家と役人ですが、アートマネジメントの現場の意見や社会の側の声は、いったいどこまで反映できているのでしょうか。日本の文化政策は、市民社会に民主主義を根づかせてゆく仕掛けとして機能しているのでしょうか。

　さきに建築の例を出しましたが、文化・芸術の分野では、設計図どおりに事柄を実現することは必ずしも最善の結果にはなりません。そこには人間の想像力と創造力が深く関与しています。アートマネジメントのプロセスには常に「無意識的なものの意識化」がつきまとうからです。そこで、文化政策の計画性によっては管理することのできない何らかの過剰や変容に対応できるフレキシビリティが、アートマネジメントには必要です。

　芸術の力は人間の生命力そのものです。文化政策がその鮮烈なパワーを抑

圧したり、ゆがめたりしないように、アートマネジャーには人間の根源的な欲求に耳を傾け、市民社会の合意形成を踏まえて賢く立ち回る度量が求められます。その意味で、アートマネジメントには既存の文化政策の限界を超えてゆくポテンシャルがある。そのように考えています。

生きる証としての「芸術の力」

世界の主要な歌劇場から引く手あまたの日本人指揮者がいます。1960年東京生まれの大野和士さんです。2008年の秋からフランス国立リヨン歌劇場を拠点に活躍し、2018年からは新国立劇場の芸術監督を務めています。では、大野さんがリヨンを選んだ理由は何だったのでしょうか。

ここの劇場が、新しい聴衆を育てる教育プログラムに最も力を入れていたからです。歌劇場と聞くと何やら敷居が高そうに感じますが、クラシックに縁がなかった若者たちに、ヒップホップやアフリカ音楽を交えながら、オペラの魅力を伝えるさまざまな取り組みをしているのです。

大野さんは、帰国するたびに、大きな演奏会の合間をぬって全国の病院や福祉施設を回り、軽妙なおしゃべりつきの無料コンサートを多数開いてきました。片手間ではなく、彼のライフワークです。劇場やホールの外に出向いて芸術を届ける活動を「アウトリーチ」と呼びますが、世界的な音楽家の大野さんを、このような活動に駆り立ててきた原点は何だったのでしょうか。

それは、旧ユーゴスラビア紛争の1990年代前半、ザグレブ・フィルの音楽監督をしていた頃の体験にまで遡ります。空襲警報が鳴り、灯火管制が敷かれた非常事態のさなか、演奏会は一度も中止されることはなく、暗闇の中を、純粋に音楽を求める人たちが集まってきました。

「困難な状況に陥ったときこそ人は人であることを証明しようとする。そんな時こそ芸術が必要なんだと強く感じたんです」（朝日新聞　大阪本社、2008年9月25日）。

人間が生きる証としての「芸術の力」。1995年の阪神・淡路大震災の折にも、芸術は少なからぬ人々の心の支えとなりました。一例をあげましょう。2020年8月に86歳で亡くなられた劇作家の山崎正和さんは、当時「ひょうご舞台芸

術」の芸術監督として『ゲットー』という新作をプロデュースしていました。ナチスに街ぐるみ虐殺されるユダヤ人が自分たちの劇場を守る、という重苦しい物語。その公演の準備中に阪神・淡路大震災が起きたのです。

　劇中には「墓場に劇場は必要か」というセリフがありました。震災下の惨状に呼応する問いかけでした。芝居など不謹慎との空気が漂うなか、山崎さんは企業を回って寄付を集め、5か月後に公演。終演後に一通の感想文が届きました。家族を失ったその被災者は、しばらく感情の麻痺状態に沈んでいました。綺麗なものも面白おかしいものも、そらぞらしくて心に届かなかった。ところが、『ゲットー』という、この悲痛きわまりない舞台に触れて、にわかに感覚が蘇るのを覚えた、というのです。

　このように芸術は、衣食住足りて初めて手が届くような贅沢品でも飾り物でもありません。また、その場限りの楽しみとして消費される「娯楽」でもありません。もちろん、芸術には「癒し」や「慰め」という大切な働きがあります。しかし、それ以上の意味が迫ってくる瞬間もあるのです。

　日常生活では到達しがたい「美的認識」を得たことで、自分と世界との関係が根本的に変化することがある。芸術の中では、今まで知らなかった自分と出会うことができます。また、現在のゆがんだ社会や世界は、本来どのような姿へと生まれ変わるべきなのか、といった理想像が一挙にイメージできる瞬間にも遭遇するでしょう。

　芸術を通して得られた根本的な認識は、最初は個人的な体験にとどまっているかもしれません。しかし、本物の芸術体験の中で魂が響きあう深さは、表現する芸術家の側にも、鑑賞する観客の側にも共通しているはずです。その共感（共通感覚）においては、主体と客体の区別は消え去り、誰もが芸術家として新しい世界の創造に参加しています。たとえ表現の技術に長けていなくとも、あなたは芸術を生み出す主体なのです。

　ですから、「鑑賞」という行為は、けっして受動的なものではありません。美的経験の中で自分の感性が研ぎ澄まされ、イマジネーションの翼が生き生きと広がったとき、それはもう立派な「創造」行為なのです。創造と鑑賞（受容）が想像力の同じ根っ子でつながっていることに気がついたならば、あなたは次にどうするでしょうか。

美との、芸術との出合いから得られた根本経験を、自分だけの胸のうちに秘めておきたいと思うでしょうか。いや、むしろ、一人でも多くの人と「分かち合いたい」と願うのではないでしょうか。創造的な世界認識を、世界中の人に「伝えたい」と思うかもしれません。大野和士さんや山崎正和さんのような芸術家と同じく、もしあなたが、このような「伝達衝動」を心の底から覚え、その欲求を実現したいと切望するならば、それこそが「アートマネジメント」の始まりなのです。

アートマネジメントの使命

　アートマネジメントの根本にあるものは、「美的・感性的コミュニケーション」へのやむにやまれぬ欲求です。そうではない実利的な目的でアートマネジメントに携わっている方が、現実には多数おられるかもしれません。また「アートマネジメントとは何か」という問いであれば、カリスマ的アートマネジャーが、その実務経験から的確に答えてくれるでしょう。しかし、「アートマネジメントは何をめざしているのか」という問いに対しては、少なくともわたしは、自分の根本経験から語るほかないのです。

　そうは言っても、「アート」を「マネジメントする」という言葉に違和感を覚える人は少なくないでしょう。かつてはわたしも同じでした。芸術の純粋性を汚す冒涜行為のように感じていた頃が長くありました。そこで、これも自分の経験から、固定観念を少しずつ解きほぐしていきたいと思います。

　「マネジメント」というと、まずは営利企業の経営のことを思い浮かべますが、基本的には、組織や事業を継続的に計画し運営していくための考え方、そのための実践の技法を意味します。ですから、NPOのように非営利の事業を行っている組織についても、その継続性をめざす限りでは、マネジメントという考え方が必要です。

　反対に、一回限りのイベントやリサイタルのために、苦労して貯めたお金をパッと使い切ってしまう、いわば打ち上げ花火型の企画は、本来マネジメントとは無縁です。日本の多くの劇団公演やコンサートは、このような非継続的なタイプに属します。

アートマネジメントの分野でも、商業演劇や音楽プロモーターの場合には、営利企業としてのマネジメントが不可欠です。企業としての利潤を追求するために芸術や芸能を事業化するわけですから、効率の悪い公演や成果の見込めないイベントは容赦なく切り捨てられます。ここでの成果とは、なるべく多くの観客が集まり、その利益が最大となることです。たとえ実力があっても、知名度が低くてお客の集まらないアーティストの催しは取り上げられません。

　これは芸能界もクラシック音楽の世界も構造的にはまったく同じです。テレビやCDやインターネットなどの各種メディアを巧妙にミックスして、一人の国民的スター、あるいは国際的スターを人為的につくりあげ、そのスターが稼いでくれる利益で、バックにいる何人ものスタッフも生活していくという仕組みです。

　しかし、アートの分野でのマネジメントを営利企業にだけ任せておくならば、芸術的発展の面でも、芸術と社会との関係においても、大きなひずみや矛盾を生み出し続けてしまうでしょう。そこで営利の追求とは別の方向から、アートマネジメントの意義と課題を考えなければなりません。日本では、伊藤裕夫さんが広めた考え方ですが、アートマネジメントの役割には、大きく分けて3つがあります。

①芸術を観客に紹介する
②芸術家の活動を保証しその創造を可能にする
③芸術によって社会（コミュニティ）のもつ潜在能力の向上を支援する
というものです。

　3番目の観点は、ホールや美術館を中心とした従来の芸術運営の枠組みでは比較的馴染みの薄い発想でしたが、これからますます重要となってくる役割です。その点に焦点を当てて「アートマネジメントの公共性」について考えてみたいと思います。

アートマネジメントの公共性

　人間には誰しも、3つの根本的欲求が潜んでいるはずです。真実を知りたい、正しい行動を取りたい、美しいものを享受し、自らも美的な表現をしてみたい、といった根源的な願望です。これらは真・善・美を求める気持ちであり、人間

が人間であるための尊厳に根本的にかかわるものです。

　しかし、こうした3つの欲求は、個々バラバラに追求されると思わぬ落とし穴が待っています。真理の追究は、科学技術万能主義に見られるように、それだけで独走し孤立しがちですが、このような人類の思い上がりが招いた悲劇は枚挙に暇がありません。また正義や道徳も、他者とのコミュニケーションを欠くと独善的、教条的になってしまいます。

　そこで芸術を媒介としたダイアローグが求められてくるのです。芸術をメディア（媒体）とした美的なコミュニケーション、美的な対話こそが、真・善・美という人間にとっての根本的な欲求を、個人的レベルの自己満足にとどまらず、（場合によっては地球規模での）市民的「連帯」という観点から充足してくれるでしょう。ここにアートマネジメントの主要な今日的課題があります。

　ところで「市民」とは誰なのでしょうか。簡単に答えを出せる問いではありませんが、ここでは仮に、プライベートな利害関心を超えて「公の事柄」にかかわろうとする意思をもっている人たち、と規定しておきましょう。

　自分の周りで起きている問題、つまり地域社会の身近な課題にも、また世界規模での重要な課題にも関心をもっている人たち。その解決のために他の人とともに考え、自分たちにできることから行動する人が、ここでの市民です。市民社会は、このように自発的に考え行動する市民によって創られる社会と言ってよいでしょう。

　とはいえ、現在の日本社会で、市民としての自覚をもつことは容易でありませんね。市民としての自律を阻むさまざまな障害があるからです。教育のあり方が一番問題かもしれません。まずここでは「消費文化」の問題に注目したいと思います。

　日本では、芸術も含めて、あらゆる文化が消費の対象になっています。文化（ドイツ語ではKultur）とは元来「耕すこと」という言葉に由来しています。他者とのコミュニケーションを通じて、自分の内面を耕し、豊かにする行為が文化です。文化とは、真の「社交性」の中での人格形成そのものです。

　その場合に重要なのは、他者とのコミュニケーションを成り立たせる何らかのメディア（間をつなぐもの）の役割です。近代においては文学や芸術が、人格形成のコミュニケーション・メディアとして大きな意味をもってきました。文

学や芸術作品の中で描かれているものは何でしょうか。一方では、理想的な生活が描かれ、他方では、現実の悲惨さが映し出されています。

　文学や芸術の中身について、みんなで語り合うことから、しだいに新しい生き方や社会のあり方についての提案（デザイン）が出されるようになってきたのです。西洋近代においては、芸術文化を議論することから「市民的公共圏」が生まれきました。ここから、民主主義と自由を求めて、社会を変える力が育ってきたのです。

　文学や芸術は、たしかに直接社会に役立つ道具ではありません。しかし、いつの時代においても、長期的に構想される社会変革やイノヴェーションの源となってきました。ここには、効率優先の経済的合理性とは異なる、人文的価値の存在根拠があります。

　ところが人類の歴史を振り返ると、芸術文化を濫用、いや悪用するケースも少なくありませんでした。コミュニケーション・メディアとしての文化は、常に市民の自律を促し、市民社会をつくるメディアとして機能してきたわけではありません。文化は、国家の支配力を強めるプロパガンダ、つまり国家宣伝の手段となることもあります。ナチス・ドイツの宣伝大臣ゲッベルスは、その点で天才的でした。

　また、文化は産業と手を結んで、人々の感覚的な欲求を安易に満足させるメディアともなります。人間を衝動の奴隷にし、思考力を奪うタイプの文化消費です。これは一般に「文化産業」と呼ばれて、主にドイツの社会哲学によって鋭く批判されてきました。その古典的な例は、ディズニーをはじめとするハリウッド映画ですが、現在では、アニメやコンピューターゲームのほうが世界的に普及しているかもしれません。

　消費社会では、文化は商品としてお金で買われ、極端な言い方をすれば使い捨てにされます。他者とのコミュニケーションを通じて、自分の内面を耕し豊かにするメディアではありません。文化は、市場経済に巻き込まれると大きくゆがんでしまいます。文化の価値は、経済に従属しても国家に従属しても深く損なわれてしまうのです。そこで、芸術文化を、市場原理からも、また国家や行政の管理からも干渉されない領域に解き放つ必要が出てきます。じつは、ここにこそアートマネジメントの本質的な意義があると考えられるのです。

アートと社会をつなぐ

　一般に、アートマネジメントとは「アートと社会の橋渡し」と呼ばれています。ここで大切なことは、社会の側がアートに対して求めているニーズを発掘することです。ニーズとは、社会に欠けていてはならないもの、人間にとって不可欠な欲求です。消費をいたずらに煽り立てて、不必要なものまで買わせてしまうデマンドとは違います。このニーズという概念が、アートと社会をつなぐキーポイントです。

　アートがその社会的なニーズに応えられるように、アートと社会の関係をコーディネートすることが、アートマネジメントの役目です。それはアートによる市民社会づくりという「静かな革命」です。その静かな革命を、アートマネジメントは仕掛けるのです。市場と国家のコントロールから芸術文化を解き放ち、市民社会をつくるメディアの中心にアートを据えること、これがアートマネジメントの使命です。

　アートマネジメントの仕事について、まとめておきましょう。アートマネジメントとは、一般には、文化施設の運営、芸術団体の活動および芸術文化関係の事業を、より効率的かつ効果的に実現するための手法を指します。具体的には、美術展や演劇や音楽会の企画制作、経理や組織管理などの業務、広報・宣伝やマーケティングなどの活動を包括する仕事です。

　しかし、これまで述べてきたように、アートマネジメントは「新しい公共」や市民社会づくりと深く連動して、実務的な仕事以上の目的を担うようになってきました。アートマネジメントは、文化・芸術と現代社会との良好な関係づくりを探求し、アートの力を社会に広く開放することによって、成熟した市民社会の実現に寄与する活動です。アートによってコミュニティや「新しい公共」を紡ぎ上げるための知識、方法、活動の全体を意味するようになってきたのです。

　もとより文化・芸術は、豊かな人間性の形成に不可欠な「想像力」、「感情移入の能力」、「自己表現能力」を育むものです。また、経済偏重・効率優先の時代において軽視されがちな対面的コミュニケーション能力を身につけさせる機能をも備えています。芸術(作品)の美的価値は、人類にとって普遍的であり、人間形成に不可欠なものであるという点でも「公共性」をもっているのです。

そのため、文化・芸術の創造と享受の機会は、市場原理にのみ委ねてはなりません。文化・芸術には公共財に準ずる価値があります。ですから公共政策の一分野として、法・政策的保護を与える必要があります。同時に、自治体の財政難の中でも持続可能な文化・芸術振興をめざして、NPO、企業メセナ等を活用した市民参画の仕組みを充実させる必要も出てきました。

　このように、文化・芸術は、個人の人格形成に不可欠の美的・感性的コミュニケーション・メディアであると同時に、新しいコミュニティを創生するためのメディアという意味でも「公共性」を備えています。

　つまり、アートには、大衆の娯楽や個人の道楽を超えた社会的な意味がある。だからこそ、文化・芸術には公的な支援が必要だし、そのことに対する市民の合意が形成されなければならない。そのための政策提言や説明責任もまた、これからのアートマネジメントの重要な仕事なのです。その意味で、「文化政策はアートマネジメントから始まる」という意識の転換が求められるでしょう。

首都圏以外の文化経済圏の可能性

　アートマネジメントがめざすものについて、その理念を語ってきました。とはいえ、日本の現実は、もちろん理念どおりにはなっていません。その理由の1つに、文化における東京一極集中をあげてもよいでしょう。関西圏でなぜアートのマーケットができないのか、なぜ東京から買わなくてはいけないのか。わたしはこの問題をどうにかして解決していく必要があると痛感してきました。文化分権主義が徹底しているドイツのように、一定規模の地域ごとに文化の「地産地育」が成立することが理想ですが、まずは関西圏において具体的に構想してみたいと思います。

　関西だけで文化経済的に自律できるさまざまなポテンシャルがあると思うのです。関西圏に次いで大きな文化経済圏は、名古屋や福岡などですが、それらとくらべると、京阪神でまとまる可能性のある関西は恵まれた環境にあります。関西圏の文化施設や文化資源をもう少しうまくコーディネートしてコモンズ（共有地・共有物）にしていくと、全然違う展開ができるのではないか。東京に依存しなくてもアートのマーケットは形成できるのではないでしょうか。

兵庫県立芸術文化センターは「チケットが売り切れる」という現象で有名になりました。けれども残念なことに、自主事業の大半は東京のマネジメント会社から買い取っている公演なのです。兵庫県が何十億という税金を投入し、また観客もチケット代を出して、全体で30億円ぐらいのお金が動いていますが、そのうちのかなりの部分が東京の事業者にもっていかれてしまうという状況があります。

　びわ湖ホール（滋賀県立芸術劇場）での、アンサンブルを使って中ホールで行われるオペラは、ホールのスタッフによる「手打ち」の公演です。びわ湖ホールの中で2か月かけて練習し、本番までもっていきます。キャストもスタッフも、ホール外からはほとんど呼びません。

　他方、びわ湖ホールの大ホールでの大掛かりな自主制作オペラではどうでしょうか。キャストはほぼ日本人で固めているのですが、ドイツで活躍している日本人歌手を呼び戻して、いわゆるサッカーのナショナルチームと同じように最高のチームをつくるのです。それにはコストがかかります。東京からも優れた歌手をオーディションで呼んできますので、練習をどちらでやったほうが有利かとソロバンをはじくと、東京で練習するほうが合理的なのです。

　そこで本番の10日くらい前までは東京で練習し、最終の舞台稽古の段階でびわ湖ホールに移動します。同じ自主制作オペラとはいっても、規模が大きくなるとキャストもスタッフも東京に依存しなければなりません。数億円を投じて自主公演の目玉であるオペラを制作していますが、そのうちの大半は、やはり東京のマーケットに吸い取られてしまうという現実があるのです。

　それならば「びわこオペラビレッジ」みたいな構想を立てて、びわ湖ホールの周りにオペラ関係者が集住し、そこで制作できるようにすればよいのではないか。そこから大阪や神戸や京都に持っていくのは簡単なわけですから、首都圏以外にもう一つのオペラ制作の拠点をびわ湖ホールの周りに集積させればいい。オペラ産業のクラスターをつくるべきだ、と主張してきましたが、なかなか実現できておりません。でも、少しずつ前進はしているかなと思います。声楽アンサンブルのOG、OBがびわ湖ホールの近くに住み、自主制作オペラなどで活躍するようになってきたからです。

これからのアートマネジメント

　これからのアートマネジメントにおいて、最近もう少し発展させて考えていることがあります。まず大前提として、アートマネジメントはイベント企画ではありません。イベント屋ではない。つまり消費されるモノをつくるのではありません。アートも残念ながら消費されてしまう面があるのですが、できるだけその消費の速度を遅らせることが重要です。

　作品の中には、すこしキツイなというものがあってもいいと思います。魚を食べていてのどに骨が刺さってしまうことがあるように、そうやって後々まで覚えているような作品があってもいいと思います。学生の卒論を指導していると、最初はわけのわからない作品や演出を観て、その衝撃がずっと脳裏から離れない。しかしその大きな疑問符が、最終的には素晴らしい論文に結実します。芸術とは「答えのない問い」なのです。

　あるミッションにもとづいて「社会にとって欠けていてはならない事柄」に深くコミットする社会的な行為がアートマネジメントだと思っています。繰り返しになりますが、社会にとって欠けていてはならない事柄とはニーズです。これはデマンドとは違います。あれもこれも欲しいと煽られて衝動買いしてしまうような、顕在的なデマンドとは違う。デマンドとサプライの関係ではありません。

　社会にとって欠けていてはならないものかどうかをきっちりと見極めること。それがニーズということになりますが、それに深くコミットする社会的な行為がアートマネジメントです。ですから、社会にとって必要不可欠であるにもかかわらず欠乏しているものは何かを認識することが前提です。食にしても芸術にしても、子どものころから経験してこなかったとすれば、本当に必要不可欠なものに気づくことも難しいでしょう。

　文化・芸術は、社会になくてはならないものなのに、実際には欠けている。社会的欠乏です。アートをただ単に絆創膏のように穴埋めするモノ、道具としてのみ活用するではなく、その社会的欠乏を生み出している根本、仕組みは何なのかをきっちりと見抜く、見極める。そして、そういった欠乏ができる限り起こらないような仕掛けを作っていく。ここまでアートマネジメントはやるべきですし、その前に文化政策は、このような社会構造の欠陥を見抜き、変革す

るべきなのです。

　ですから文化政策は、ただ単に文化・芸術を振興するという話ではなく、社会の構造そのものを変えていくこと。つまり文化政策は社会構造政策であるというのが、わたしの見立です。こういったことはドイツの文化政策から学んできたことなのですが。

　さて「文化・芸術を活かしたまちづくり」とは何でしょうか。「文化・芸術を活かした」とは文化・芸術が手段、つまり道具になっていて「まちづくり」が目標のように思われます。まちづくりのための１つの選択肢として、文化・芸術を利用しましょう、活用しましょうという関係になります。こういう場合どのように考えるべきでしょうか。まちづくりは別に「アートでなくてもできる」ではないかという考えがあります。そこでアートとまちづくりの関係を３つに分けて考えてみましょう。１番目に、なぜまちづくりにアートを使うのか、他にも方法があるのではないか、ということを問う必要があります。

　けれども、次に考えてみてください。今、日本中がアートプロジェクトのブームに沸いています。「アートとともにまちづくりをやるとよりよくできる」、あるいは「より楽しくできる」、「より多様にできる」ということがあります。ですから２番目の波及効果、「アートと一緒にやることで、よりよくまちづくりをできる」ということがポイントです。

　３番目は「アートにしかできないこと」がたしかにあるということです。どういう分野のことなのか考えてみてください。

　この３つ。「アートでなくてもできる」ではないか、だから文化予算は要らないということもあります。しかし、「アートとともにやるともっと楽しくわくわくして面白いことができる」、そういう場合はアートを活用したほうがいいだろうということになります。３番目では、他のジャンルではできないこと、「アートにしかできないこと」があります。それは何でしょうか。

　ここ10年ほど、わたしはBEPPU PROJECTの活動に注目してきました。少し長くなりますが、代表の山出淳也さんが書かれた『BEPPU PROJECT 2005-2018』から、その結論部分を最後に引用したいと思います。「文化・芸術を活かしたまちづくり」における３つの問いかけに呼応するシャープで濃密な思想が語られているからです。

アートとは、自由なものの見方を促し気付きを与える触媒です。

　アートは地域の課題を解決しません。むしろ問題提起をおこなうものです。アーティストの役割とは、アートとは何か、美とは何かについて考え、問いを生むこと。そして、それぞれの価値を表現することです。

　対して、BEPPU PROJECTのような地域と向き合おうとする組織は、デザインの領域に近い。つまり、地域や社会の課題解決が責務です。そのためにアートの力が必要であれば、適切な企画を組み、キャスティングするのです。

　アートと地域がつながる具合的なイメージとして、3つの例をあげます。

　まず、アート作品の設置による観光地化や、アートによる付加価値型の商品の造成があるでしょう。地域や資源の質を高めるような直接的な効果です。国内の多くの芸術祭もこの一環として開催されます。近年、感性価値による差別化が注目されていますが、これは物質的な満足感から精神的な満足感に時代が移行し、性能ではなく数値化できないことに価値を見出すようになったためです。

　また、アートがもつ従来とは異なる視点や作品がもつエネルギーが、その地域の新しい価値を生み出す要素となり得るといわれ始めています。つまり、アートを体験した人々の心が活性化され、地域社会や経済活動が前進していく原動力になっていくのではないかということです。

　そしてもう1つ。

　わたしが最も大切だと信じていることは、アートによって異なるものの見方に気づき、互いの違いを認め合うこと。アーティストが10人いれば10通りの異なる作品が生まれます。同じ作品を意図的に作ることは許されません。つまり、人と違うことを考える、生み出すことがアーティストの宿命です。人と同じ価値観を持たねば生きづらい世の中ではなく、それぞれが異なる価値を持っていることを尊重し共存していく世の中。1人ひとりの個性が活きる社会の実現をわたしはめざし続けたい。そんな社会を子どもたちに残したい。それはアートでなければできないのではないか、そう考えています。

◎**参考文献**
・木下直之編（2009）『芸術の生まれる場』東信堂
・山出淳也（2018）『BEPPU PROJECT 2005-2018』NPO法人BEPPU PROJECT

劇場、
コンサートホールの仕事

公立文化施設とは

あなたが住んでいる町や地域には、市民会館や文化ホールと呼ばれる公立
文化施設が必ずあると思います。これまで、どのような機会に足を運びました
か。公立文化施設のほとんどは「多目的ホール」型という万能タイプですから、
成人式や講演会から、演劇、音楽、映画の鑑賞会まで、年間を通してあらゆ
る催しが行われています。つまり同じホールが、場合によっては「劇場」や「コ
ンサートホール」に様変わりするわけです。

演劇公演では、「プロセニアムアーチ」と呼ばれる額縁型の舞台に、さまざま
な吊り物や美術装置（大道具）が置かれますが、演奏会の場合は、音の響き
を改善するために反響板（音響反射板）が立てられます。演劇や講演会では、
残響がありすぎると言葉が聞き取りにくく、反対にクラシックの生演奏では残
響時間が短いと音がやせて聴こえます。多目的ホールの残響時間は、比較的
短めに設計されていますので、クラシック音楽などの生音で勝負する演奏会に
は不向きです。しかし、反響板を設置することで、ある程度は音響を改善でき
るのです。

この手のホールを何度も訪れたことのある人は、その万能ぶり（多目的性）
に感心したでしょうか。それとも、いつもどこか不満が残って、中途半端な感
じがしたでしょうか。公立文化施設の設置者は、それぞれの地方自治体です。
地方自治法では「公の施設」について次のように規定しています。「普通地方
公共団体は、住民の福祉を増進する目的をもってその利用に供するための施
設（これを公の施設という。）を設けるものとする」（第244条）。

公立文化施設は「公の施設」の1つに分類されます。文化・芸術活動を通

じて住民の福祉を増進することが目的の公の施設です。その設置（建設）と運営は、公共政策の1つである文化政策の対象となります。公立文化施設の利用については、他の施設と同じく「公平、平等」が原則です。日本の大半の公立ホールは、地域住民や文化団体に「公平、平等」に使ってもらう「貸し館」業務が中心となってきました。その反面、特定の団体が長期の公演や、作品制作のために利用する「創造・発信」には不都合な施設でもあるのです。

公立文化施設と公共文化施設

　さて、アートマネジャーの職場はさまざまです。劇団やオペラ団やオーケストラなどの企画制作を行う人たち、フェスティバルやアートプロジェクトの組織運営をする人たちもアートマネジャーと呼ばれます。けれども、アートマネジャーの多くは公共文化施設で働いていますので、アートマネジメントの仕事の代表として、まずは劇場や音楽堂で働いている人の仕事を取り上げてみましょう。

　とはいえ、「公共文化施設」と「公立文化施設」は、どのように違うのでしょうか。両者を同一視する場合もありますが、わたしは以下のような区別を提案してきました。まずは「公立文化施設」ですが、社団法人 全国公立文化施設協会（全国公文協）という団体があります。この協会には、自治体が設置した劇場、ホール、音楽堂など1,300余の施設が加入しています。しかし、美術館・博物館等の文化施設は全国公文協には参加しておりません。

　全国公文協は、以下のような目的で活動する公益財団法人です。「国及び地方公共団体等により設置された全国の劇場・音楽堂等の文化施設が連絡提携のもとに、地域の文化振興と地域社会の活性化を図り、もってわが国の文化芸術の発展と心豊かな社会の実現に寄与する」。

　公立文化施設とは、国及び地方公共団体等により設置された劇場・音楽堂等の文化施設である、と規定されています。2か所の「等」がどの範囲まで含むかは不明瞭です。民間が設置した文化施設は正会員ではなく準会員に分類されています。たとえば、日生劇場や住友生命いずみホールは、生命保険会社が出資した公益財団法人によって運営されていますが、設置者が民間企業のため、公立文化施設とはみなされないのです。

ところが、指定管理者制度の導入以来、地方公共団体が設置した文化施設のうち、かなりの数が民間企業によって運営されるようになってきました。けれども、設置者が自治体である限り、指定管理者が私企業であっても公立文化施設に分類され、その施設は正会員として扱われます。ここには一種のねじれがあります。

　そこでわたしは、「公立」文化施設と「公共」文化施設とを区別することを提案してきました。先にあげた日生劇場や住友生命いずみホールなどは、その「公共性」という観点からして、「公立」や「公営」にまさる卓越した舞台芸術を創造・発信しているからです。つまり「公共文化施設」には、公立文化施設のみならず、公益性の高い活動をしている私立施設も含まれる。そのように考えるならば、全国公文協の規定とは別に、公共文化施設を、民間の美術館・博物館等の文化施設をも包括する広義の概念で再定義してもよいでしょう。

公共文化施設のタイプ

　ここでは公共文化施設のうち、劇場、音楽堂、多目的ホールなどのタイプとその仕事の内容について概観しましょう。館長職を除けば、事務（総務）系スタッフと技術系スタッフに大別されますが、自主事業を担当する企画運営の専属スタッフを雇用している施設も少なくありません。これを狭義のアートマネジャーと呼ぶこともあります。ホールの規模は大雑把に300席から2,000席までさまざまですが、全国平均では、1館あたり約8人の職員で運営されています。

　公共文化施設には、その役割の面から大きく分けて3つのタイプがあります（図1）。①「貸し館」中心のホール、②「自主事業」中心のホール、③プロデュース機能とアンサンブルを備えたインスティテューション型の「劇場」です。また、ホールの構造上のタイプとしては、A：多目的ホール、B：コンサート専用ホール（音楽堂）、C：演劇専用ホール（劇場）、D：歌劇場（オペラハウス）に分けられます。但し「劇場」を名乗っていても、本来の劇場機能を備えていない施設も多いので、これについては、「本来の劇場とは何か」という点から、後ほど説明したいと思います。

図1 公共施設（ホール）のタイプ

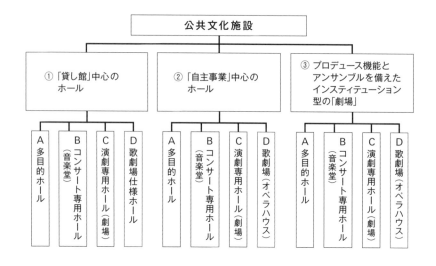

多目的ホール

　まずは、圧倒的多数を占める「多目的ホール」の仕事から始めましょう。自主事業を行わない貸し館の場合（①＋Aタイプ）、企画スタッフは必要ないため、事務系職員の業務は、貸し館の受付や経理などの管理部門に限定されます。この点では、多くのスポーツ施設と同様です。それでも舞台機構、照明、音響などの技術系スタッフは必要です。とはいえ最近では、コスト削減のために、舞台技術関係を外部業者に委託するケースが増えています。チケットのもぎりや会場係といった「表方」についても、外部委託、アルバイト、ボランティア・スタッフなど、さまざまな運営の仕方があります。

　文化振興財団などの自治体の外郭団体によってホールが運営されている場合でも、事務系には行政からの出向職員が目立ちます。自治体行政職員の多くは優秀なジェネラリストですので、ホールの仕事でも総務や経理などの一般業務にはすぐに適応できます。しかし、自主事業の企画・制作・運営には、アートマネジメントやプロデュースの専門性が要求されるため、行政からの出向職員では対応できない事態が頻繁に出てきます。そこで、専門性が高く経験豊

富な固有職員（生え抜きの職員）を採用する場合が少なくありません。

　ここまで、全国の公共文化施設約2,800館の中で多数を占める「多目的ホール」の業務について概観してきました。このうちの1割程度は、自主事業を活発に行い、しかも芸術家や芸術団体との連携による自主制作（演劇、オペラなど）にも取り組んでいるホール（②＋Aタイプ）です。

　これ以外の施設でも、何らかの自主事業を行っているところは1990年代を通じて増えてきており、貸し館業務しか行っていないホールは全体の4分の1程度にすぎません。しかし、自主事業日数の平均は年13日足らずであることから、やはり貸し館中心のホールが大半であることがわかります。しかも、近年の自治体財政難を背景に、自主事業予算の削減や廃止が目立ってきています。

　ところで、公立文化施設の建設費だけでなく、その維持・管理には少なくない税金が投入されています。また、自主事業にも多くの場合、市民税などからの補助金が使われます。「自主事業」というと聞こえはいいのですが、その実態はプロモーターからの「パック買い」が大半です。チケット販売、広報・広告、収支管理以外は外部業者にお任せできる仕組みが整っています。貸し館料金を減免するだけで自主事業扱いにする施設も目立ちます。

　こうした日本独特の「お手軽システム」のおかげで、ホールの事業部にアートマネジメントの専門家がいなくとも、プロモーターから売り込まれる既製品を見繕ってラインナップすれば、年間10本程度の自主事業なら、誰でも大過なく任を果たせるのです。しかし、「手打ち」と呼ばれる自主制作と、「パック買い」される自主事業は、まったく別物ですので、自主事業の数に惑わされずに、その内容や形態を見抜く注意が必要です。

劇場とコンサートホール

　それでは次に、多目的ホールとは異なる「劇場」や「コンサートホール」とは、いったいどのような専門施設（機関）で、そこではどんな人が働いているのでしょうか。

　「多目的ホールは無目的ホールだ」という批判が盛んに出された時代がありました。1980年代までに、大方の自治体が市民会館に代表される多目的ホー

ルを開館しましたが、その後、舞台芸術のより高度な創造表現や享受の可能性を追求できる専門的施設を求める声が高まったのです。時と場合によって「劇場」にも「コンサートホール」にも変身する多目的ホールではなく、年間を通じて演劇を専門に上演する「劇場」、クラシック音楽を主体に上演する「コンサートホール」、さらにはオペラとバレエを専門に上演する「オペラハウス」が計画され、とりわけ1990年代にその大半がオープンしました。

　芸術創造と享受の面からの要求だけでなく、バブル景気を追い風とした文化行政分野での「公共事業」といった要素も無視できません。また日本の貿易黒字を背景に日米構造協議が行われ、内需拡大のための公共事業が押し付けられた「外圧」の側面も忘れてはならないでしょう。当時でもすでに「ハコモノ行政」への批判はありましたが、それは、立派なハード（ホール）が出来てもソフト（公演）がない、という自主事業の貧弱さへの批判と一体となったものでした。ですから、中途半端な多目的ホールではなく、演劇や音楽の専門施設を整備し、自主制作を中心とした自主事業を充実させることが「ハコモノ」批判を克服する公共文化政策の力量として評価された時代だったのです。今日の自治体財政難のなかでは、もはや想像し難いことですが。

専門職としてのアートマネジャー

　主に1990年代にオープンした劇場、コンサートホール、オペラハウスでは、その設置目的にふさわしい専門性の高いソフトの制作がめざされました。そこで急速に求められるようになったのが、プロデューサーやアートマネジャーという専門職です。プロデューサーとアートマネジャーの仕事を区別する考え方が、一方にはあります。フリーランスの演劇や音楽のプロデューサーが、企画ごとに各地のホールでの仕事を請け負うという形態も少なくありません。

　しかし、日本の公立文化施設の場合、自主事業のプロデュースも含めた多様なアートマネジメントの仕事を数人のスタッフで賄っているケースが大半です。また、アウトリーチなどの教育普及事業もアートマネジャーの大切な仕事です。そこで、ここでのアートマネジメントの概念は、自主制作を重要な要素として含む広い意味で用いたいと思います。

まずコンサート専用ホールの場合、室内楽やリサイタル向けの小規模なホール（300席～500席）か、オーケストラ向けのシンフォニーホール（1,000席～2,000席）かによって、スタッフの数や専門性も異なってきます。しかし、基本的な姿勢や仕事内容は共通しています。小規模な音楽ホールでは、ピアノリサイタルや室内楽を中心にシリーズ企画を立て、質の高い演奏を地域住民に気軽に鑑賞してもらうことが自主事業の大きな柱となります。

　また、事業予算の大半が鑑賞型事業の補助金として使用されますので、プロモーターの売り込みに惑わされることなく、より良質の公演を、よりリーズナブルに企画する手腕が問われます。もとより、言葉によるアカウンタビリティ（どうしてその事業に公的助成が必要かについての説明責任）は必要ですが、芸術における最大の効果は、まさしく美的経験という人間的なインターフェイスの時間と空間の中で発揮されるはずです。

　その瞬間において、言葉を超えた「感動」や「共感」が呼び覚まされるならば、そこに自ずと「文化的公共性」が立ち現れるでしょう。しかしそれは、自分の好みに合っているかどうかという趣味の次元にとどまるものではありません。異なった価値観に対しても自分を開いていけるような美的コミュニケーションの次元が開かれる、という意味です。

　ここには、単に受動的な文化の消費者ではなく、芸術作品（公演）について自分の言葉で批評できる「議論する公衆（聴衆や観客）」が誕生するでしょう。そして、議論する公衆の声を再び公演の質の向上や自主事業のコンセプトに反映する仕組みを整えることも、アートマネジャーの大切な仕事なのです。

　たとえば、年間の公演ラインナップや各回の演奏プログラムの構成は、アートマネジャーの専門性が要求される分野です。既成品の受け売りではなく、「アーティストが上演したいもの」、「観客（というよりも市民・地域住民）が鑑賞したいもの」、「市民に鑑賞してもらうべきもの」、といった諸要素をすり合せて、明確なコンセプトにもとづいたシリーズ企画を立案する。そのためには、企画担当者は、観客ニーズに耳を傾けるだけでなく、アーティストとも粘り強く対話し、「いまなぜこの作品を表現（再創造）・伝達するのか」について相互に納得しておく必要があります。

　また企画担当者は、自腹を切ってでも多種多様な公演やCDに接し、作品

の内容や背景についての知識を習得し、豊富な経験の中で自分の感性を磨いてゆく努力が求められます。さらに、国内外の関係者と出会う機会を貪欲なまでにつかみ、多様な人的ネットワークを活用して、可能な限りアーティストと直接交渉し、独自の企画を主体的に構想する努力が必要です。実力のある若手アーティストなどを海外から直接招聘し、自分のホールで制作した公演を、各地のホール間ネットワークを通して相互に巡回させ、共同制作できたりするようになってはじめて、音楽専用ホールのプロデュース機能は充足されたことになります。

　このように税金が投入される自主事業に対しては、だからこそ中間搾取を賢く回避し、短期的な集客や観客ニーズのみに迎合しない独自のコンセプトが肝心なのです。しかし、それが独善的判断にならないように、多様な目配りと対話を通した不断の自己反省も不可欠です。これらのプロデュース作業はアートマネジメントの仕事の醍醐味ですが、そこには当然、厳しい自己修練がともないます。芸術・文化の領域で社会的責任を果たす専門職としてのアートマネジャーには、こうした不屈の心構えが必要なのです。

ドイツの公立劇場

　つぎに、演劇専用劇場（③＋Cタイプ）やオペラハウス（③＋Dタイプ）では、どのような仕事があり、どんな人が働いているのでしょうか。日本の現状をお話しする前に、「インスティテューション」としての本来の劇場とはどのような

写真1 ドレスデン州立歌劇場

写真2 同オーケストラピット

「機関」（単なる「施設＝ファシリティ」ではありません）であるかを、ドイツの劇場をモデルに説明しておきましょう。

　ドイツにおける文化振興は、16州および市町村が主体となって行う「文化分権主義」の立場から、公共サービスの1つとして展開されています。公立劇場に限っても、現在ドイツ国内にはオペラ専用劇場が15、同一劇場組織にオペラ・バレエ・演劇の各部門を包摂する「三部門劇場」が約70、演劇専用劇場が約50あり、これらの公立劇場での年間上演回数は約64,000回にのぼります。オペラ上演回数だけで7,000ステージを上回ります。

　劇場に所属する劇団、オーケストラ、歌手、合唱団、バレエ団などを「アンサンブル」と呼びますが、世界中のアンサンブル付常設劇場の過半数がドイツに集中していることは意外と知られていません。ドイツでは、いかなる地方に居住していようと、鑑賞意欲さえあれば多様な舞台芸術にわずかな受益者負担で触れることができます。人口10万程度の都市であれば、オペラを年間上演できる公立劇場が必ずありますし、青少年向けプログラムも充実しています。青少年向けの舞台公演は年間1万回、250万人の子どもたちが鑑賞しています。

　ドイツの公立劇場における補助金と自己収益との割合はおよそ5対1です。オペラ公演でも平均的なチケット価格が日本円で3,000円を超えることはありません。しかも、各都市の劇場が競うように実験的・前衛的な舞台を自主制作しています。ブロードウェイや劇団四季のように、成功した規格品を全国展開しているわけではありません。音楽ファン、演劇ファンにとってドイツはまさに地上の楽園です。舞台芸術分野における「文化アクセス権」の確立という意味では、ドイツはその目標を早期に達成してきたといってよいでしょう。

　他方、そうした「文化権」の水準を維持するための各種専門職員の雇用と、それにともなう公的財政支出も莫大です。州立か市立かを問わず、ほぼすべての劇場が専属ソリストや各種アンサンブルを常備しています。公演形態では、年間を通じて数十種類の演目を日替わりで上演するレパートリーシステムを採用。オペラ劇場では6週間のシーズンオフ以外、ほぼ毎日公演がありますので、年間の公演回数は300回を超えます。

　こうしたシステムを支える舞台裏の職員数は、舞台工房の職人なども含めると、アーティスト系職員の数をもしのぎます。ここ数年減少傾向にあるとはいえ、

ドイツの公立劇場の職員総数はおよそ4万人です。州立劇場クラスでは1,000名規模の職員が常勤雇用されているのです。

　ドイツの公立劇場に対する補助金は、州レベルと市町村レベルを合わせると約4,000億円にのぼりますが、連邦政府からの補助金は原則としてありません。文化に関する権限は州（および市町村）に属すると規定した「州の文化高権」に、もとづいて、文化振興が行われているためです。これら補助金に自己収益（主にチケット収入）を加えた約5,000億円が公立劇場の年間総予算となります。このうちの約8割を人件費が占めていますが、劇場職員の大半は、公演作品の自主制作に携わる芸術家や職人や技術者なのです。

日本の公共劇場はあるのか？

　以上のようなインスティテューション型の公立劇場が、本来の「劇場」であるとするならば、日本のほとんどの公立文化施設は、何らかの催しに人が集まるハコモノ（ファシリティ）ではあっても、劇場の名には値しません。そればかりか、国立劇場や県立劇場を名乗っている大型施設ですら、インスティテューション（芸術創造機関）には程遠い現状にあることがわかります。とはいえ、1990年代以降、幾つかの公立文化施設が、インスティテューション型の劇場をめざして芸術創造拠点を築いてきました。

　専属の劇団をもつ公共劇場の先進事例は、「ピッコロシアター」の名で親しまれている兵庫県立尼崎青少年創造劇場（1978年開館）です。1994年には水戸芸術館に次いで全国で2番目の公立劇団を立ち上げ、鑑賞事業だけでなく、青少年や市民を対象とした「演劇学校」や「舞台技術学校」にも取り組んできました。33名もの劇団員に給料が支給されるプロの公立劇団の誕生は、日本の演劇史において画期的なことでした。

　また大型の県立劇場としては随一のケースとなるかもしれませんが、2005年に開館した兵庫県立芸術文化センター（芸文センター）にはPACの愛称で呼ばれる専属のオーケストラが創設され、定期演奏会や自主制作オペラを中心に、年間100回程度の公演に出演しています。3年契約（基本的に延長不可）で年齢制限35歳というアカデミー型のユースオーケストラですが、若手演奏

写真1 びわ湖ホール　　　　　　　　　　　　写真2 同大ホールの舞台機構

家には十分な給料が保証されているので、世界各地から兵庫をめざして優秀
な音楽家が集まってきています。このPACオーケストラの人気のみならず、兵
庫の芸文センターは、公共劇場としては前例のない集客と地域活性化に成功
し、自主制作オペラの公演では、10回以上のロングランでの満員御礼という記
録を打ち立ててきました。親しみやすいキャラクターの芸術監督と、マーケティ
ングやPRに長けたカリスマ的アートマネジャーの存在が大きいでしょう。また、
開館当初から教育普及事業の目玉として「わくわくオーケストラ教室」を開催し、
県内の中学生全員が一度は芸文センターでPACの演奏に触れることのできる
仕組みを確立しました。

　ドイツ型のインスティテューションをめざして、芸術的な質や人材育成の面
で目覚ましい成果を上げてきたのは、1998年に開館したびわ湖ホールです。
この劇場の特徴は、自主制作オペラを主軸としたオペラハウス機能にあります。
またソリストクラスの精鋭メンバーからなる声楽アンサンブル16名が専属雇用
され、定期演奏会や学校巡回公演で活動するだけでなく、本格的な自主制作
オペラでは脇役や、キャストが不調の場合に備えてのカバー役を務めます。

　びわ湖ホールには「青少年オペラ劇場」のレパートリーが6本ほどあり、加
えて大人のためのオペラ入門シリーズも定期的に自主制作されています。これ
らの公演では、声楽アンサンブルの団員がキャストとして大活躍します。また、
滋賀県内の小学生全員が極上のオーケストラと歌唱を享受できる「ホールの
子事業」も定着し、公共劇場の公共性を地域に根づかせています。

　このように、びわ湖ホールは、卓越した音楽性を有する芸術監督と舞台芸

術に造詣の深い館長以下、専属の声楽アンサンブル、高いプロデュース能力をもつアートマネジャー、熟練した技術スタッフ等を擁する本格的な「芸術創造拠点」です。兵庫と滋賀は、自治体公共文化政策をリードし、また日本の舞台芸術レベルの向上とアートマネジメントの開拓に大きく貢献してきました。

　いずれにしても、プロ集団を抱えることで地域固有の文芸的な公共圏をどうやってつくるかということが、インスティテューション化の流れへとつながっていきます。そしてさらには、地域を超えた文化発信が行われるようになってきました。たとえば、びわ湖ホールの自主制作オペラは卓越したレベルですので、東京からも観にくるファンが少なくありません。公正なオーディションによる世界水準の歌手を起用したプロダクションが、新国立劇場と肩を並べる舞台を生み出すからです。東の横綱に対して、びわ湖ホールが西の横綱と呼ばれてきた所以です。

　また、この県立劇場クラスで重要なのは、長期的な視点からの人材育成プログラムです。芸術・文化面での未来への先行投資ですね。先ほどお話ししたように、インスティテューションというのは、施設と機関とさまざまな制度が一体化したもののことです。インスティテューションとして公共文化施設を運営していくことへの期待が高まったのは1990年代です。同時に、公共劇場の公共性とは何かを理論的に考え、そのミッションを確立しようという時代でもありました。このころから「文化政策」の研究が日本でも盛んになってきました。

　さらには財政学的な根拠が問われます。なぜ劇場やパフォーミングアーツに公費を投じるのか、という財政学的な根拠を説明する責任があります。その意味では1990年代はまだバブルが崩壊したとはいえ、追い風の時代だったと思います。

　しかし、自治体財政難が長期化する中で行財政改革が進められ、2000年代の後半から指定管理者制度が導入されてきました。公共文化施設の運営は、単なるインフラ整備ではない公共事業、公共経営ですので、助成金と自己負担率の比率をシビアに見なくてはいけないという流れになってきました。

　わたしが文化経済学の面から注目してきたのは自己収益率です。どのぐらいの比率であれば助成金を出してもいいのか、さらには受益者負担、自己負担はどのくらいまでが妥当なのかをシビアに見ていく必要があると思います。

公共セクターはホールとどうかかわるべきか

さて、公共セクターは劇場とどうかかわるべきなのでしょうか。比較のためにまずは民間の劇場を考えてみましょう。民間の劇場・ホールはやはり収支のバランスを考えなくてはいけませんから、集客率を優先せざるを得ません。とはいえ、大阪の例を見ていくと、残念ながら府も市も公立ホール、公立劇場がほとんどない状況です。とくにインスティテューションとしての公立劇場、ホールがほとんどありません。

けれども大阪では、クラシック音楽の分野では「住友生命いずみホール」という民間の生命保険会社が運営するホールが頑張っており、クオリティの高い公演を行っています。年間何億円もの予算を民間の財団が出しています。そういう特別な民間の劇場もありますが、普通は、やはり劇団四季や宝塚歌劇団のように、きっちり集客を確保して収支バランスをとっていかなくてはいけません。

2番目が基礎自治体のホールです。これは文化的なコミュニケーションセンターとしての機能が重要です。どのようにして住民参加を促し、それが芸術文化活動を通しての人づくり、地域づくりにどうつながっていくか。その点が、市町村の公立文化施設の大きな役割だと思います。

3番目が県立劇場クラスです。先ほどお話ししたように、劇団や専属歌手、合唱団、オーケストラなどを備え、さらにプロデュースできる人材が必要です。オペラのプロデュースは本当に大変で、コンサートのプロデュースとは桁違いに手間も経費もかかります。そういったことをきちんと仕切れるマネジャーが必要です。舞台芸術の総合的なインスティテューションが、県立劇場には望まれます。

具体的には、第1にオペラなどの綜合芸術の自主制作ができる。第2には短期的なリターンにとらわれない人材育成事業ができる。第3には、評価が定まっていないコンテンポラリーな実験的芸術にもチャレンジする。第4には、わたしがとくに重視していることですが、ただの文化消費に終わらないようにする。イベントには終わらないようにする。つまり、作品や上演の質や違いについて、自分たちの言葉で語り合う気運が醸成されることです。

別に難しい専門用語を使う必要はありません。自分が感じたことをどう伝え

合うかというコミュニケーションが重要です。公演の中身について口角泡を飛ばしてディスカッションする。「議論する観客」が自発的に形成されるような雰囲気づくり、場づくりが非常に重要です。同じことは基礎自治体のホールでも言えるでしょう。

公共文化施設と「文化的コモンズ」の形成

　劇場などの公共文化施設は、どういうミッションをもっているのでしょうか。公共文化施設の使命は、いわゆる商品経済、市場経済とは違う流れで理解する必要があります。つまり、生産し、販売し、消費してお客さんが満足するという商品経済のサイクルとは異なる経路、あるいは価値観によって、個人と社会、あるいは個人とコミュニティとの関係をつくり出していくことが重要です。作品や上演の質の「違い」がわかり、しかも「違い」を認め合える関係づくりが大切でしょう。「わたしとあなたが個体として違うように、わたしとあなたの感じ方も違っていて当然なのですよ」。この「差異」を大切にする場として、公共文化施設は機能すべきだろうと思います。その点で、共感はもとより、むしろ違和感を尊重したいと思います。

　さらに、この文化的プロセスは市民社会セクターの特性と深く関連するゆえに公共性をもつということです。この市民社会セクターは、市場経済からも政府・行政セクターからも相対的に自律し、貨幣にも公権力にも直接は左右されない領域です。その価値観は何かというと、信頼や連帯、美的・感性的コミュニケーション、知的充実感などです。

　このような文化的プロセスに参加し、そして議論することを通じて各自の根本的な経験が形づくられて、世界観が共有されていく。そのプロセスが重要なのです。これも「文化的コモンズ」と呼びたいと思います。一般に「文化的コモンズ」は空間的なネットワークと見なされますが、それと「議論する観客・聴衆」とをどう交差させていくかということが、とても重要な課題になってくるでしょう。

　ただし、ここで1点だけ注意すべきことがあります。市民社会セクターの落とし穴があります。わたしは行政のお手伝いをすることもあるし、市民社会の

セクターの一員としてまさにボランタリーにいろいろなことをやってきましたが、やはりいろいろな落とし穴がある。市民が身銭を切って文化を支えればいいのだ、という認識につながりかねない側面です。しかし、身銭を切れる人はいいけれども、そうではない、かつかつの生活をしている人は、文化的なものへの参加はなかなか難しい。そうすると、やはり芸術は道楽、お金持ち、暇のある人のただの楽しみだという話になって、一般の人は芸術とは無縁のままでいい、という文化切り捨ての方向になりはしないかという危惧があるのです。

もう1つ、逆の方面からの落とし穴があります。ニューパブリックマネジメントが今、行政のあらゆる分野で言われて、それが成功を収める事例が高く評価されています。兵庫県立芸術文化センターがその典型的な例かもしれません。そうすると、行政が今までやってきた事業に商業主義的な経営が定着していきます。そのあげく、公的な支援など必要ない、やればできるではないか、という話になる。

しかし、中身をよく見ないといけない。何度も言いましたように、芸術は異なった価値観が出合い、そこで理解し合うコミュニケーション行為です。本当にわかり合うのは大変ですが、異なった価値観、あるいは今の時代ではマイナーかもしれないけれども50年後、100年後には非常に大きな革新につながるような価値観を許容できることが、芸術文化政策にとって重要なのです。

というのは、芸術・文化についての歴史的な研究をするとわかるように、同時代の人は同時代の先端的なアートを残念ながら十分に理解できないのです。ゴッホでもそうですし、多くの作曲家が、同時代においては非業の死を遂げています。ところが50年後、100年後に見出されて、それがいかに次の時代を先取りし、次世代に希望と活力を与えていたかがわかります。

現代においてマイナーなものだとか、「理解できない」という理由で先端的なアートを切り捨てると、将来の新しい価値を生み出す源泉が枯渇してしまいます。芸術における創造性というのは短期的には評価も判断もできないのです。

ニューパブリックマネジメントを導入して、今もうかればいい、人が入ればいいというものばかりやっていると、芸術・文化の本来の意義を大きくゆがめてしまうことになります。さらに、公的な助成金などなくてもやっていけるではないかという話になると、芸術を公共的に支えていくということの根拠を失わ

せることになってしまいます。

　これから市民社会セクターは大変重要な領域となっていきますが、ここにあまりにも過大な評価と意味づけをしていくと、二重の面で自己撞着に陥ってしまうでしょう。1つは身銭を払ってやればいいのだという話、行政はやらなくてもいいのだという話、もう1つは、これは市民社会セクターではないのですが、一般の人に受けがいいようなニューパブリックマネジメントをして人が集まり、収益が上げられれば新しい公共経営としては成功だということになる。さらには民営化すればうまくいくという理屈になってしまいます。そうすると芸術のもっている本来の意味がどんどん狭まってしまう。芸術に固有の創造性が枯渇してしまうのです。この点は注意したいところです。

ドラマトゥルクの必要性

　このようなディレンマを克服するにはどうすればよいのでしょうか。日本の劇場への導入は容易ではありませんが、わたしがドイツから学んだ特筆すべき制度があります。そこで講義7の最後に、ドイツのインスティテューション型公立劇場の「頭脳」ともいうべきドラマトゥルギー（仮に「劇場学芸部」と訳しておきましょう）という部門と、ドラマトゥルク（学芸員）の仕事について紹介したいと思います。ドラマトゥルギーは、ドイツの市民社会の中で劇場文化の「公共性」を根拠づけるためにも大きな役割を果たしてきたからです。

　ドイツ語圏の劇場には必ずドラマトゥルギーが置かれていて、その職員の多くは、ドイツ文学、演劇学、音楽学などの博士号を取得しています。つまり、学者の卵とか演出家の卵が学芸部に籍を置いて、研究と広報活動の両方を担当しているのです。彼らの研究成果は、たとえば次のシーズンにどのような作品を、どのような演出家によって取り上げるか、といった上演プランの作成にも大きな影響を与えます。音楽監督と劇場支配人とシェフ・ドラマトゥルク（チーフ学芸員）は、劇場を支える3本の屋台骨なのです。

　また、公演プログラムの作成や新作上演のさいの資料展示などもドラマトゥルクの重要な仕事で、ここでは作品の理解に必要な情報をリサーチし、プレゼンテーションする能力が問われます。つまり、観客と上演者の双方に向けて

「作品理解のための知的なサポート」を行うのがドラマトゥルクの役目です。さらにパブリック・リレーションの面では、文字通り観客と上演者と劇場を結びつけるアートマネジメントの役目をも果たします。

　ドイツ語圏だけでも、数百のドラマトゥルギーのポストがあります。美術館・博物館における学芸員の仕事を思い浮かべれば、その重要性が理解できるはずです。しかし、残念なことに日本では、いまだにドラマトゥルギーの重要性がほとんど認識されておらず、ごく一部の劇場にしか導入されていません。

　講義6「アートマネジメントがめざすもの」の中で、次のように要約しました。「アートマネジメントは、文化・芸術と現代社会との良好な関係づくりを探求し、アートの力を社会に広く開放することによって、成熟した市民社会の実現に寄与する活動です」。このような活動として想起される形態は、通常は「アウトリーチ」や「ワークショップ」などのエデュケーション系プログラム、市民参加を前提としたアートプロジェクトなどです。

　とはいえ、ドイツにおいては、本来の公共劇場の使命を社会的に認知させるために、ドラマトゥルギーが大きな役割を担ってきました。というよりもむしろ、ドイツの近・現代市民社会は、劇場の芸術創造活動を通して、自らのあり方を自問自答し、その将来像をともにデザインするための議論を共有してきたのです。こうした劇場の重要な使命とその仕事を忘れてはなりません。このような「市民社会の自己省察の自由空間」である劇場の公共性は、今後の日本において、どのように定着しうるのでしょうか。とても困難な課題ではありますが、ドラマトゥルギーの役割がアートマネジメントの重要な仕事として市民権を得られるように、さまざまな働きかけや仕組みづくりに粘り強く取り組んでいくべきでしょう。

◎参考文献
・木下直之編（2009）『芸術の生まれる場』東信堂
・藤野一夫編（2011）『公共文化施設の公共性　運営・連携・哲学』水曜社
・藤野／フォークト／秋野編（2018）『地域主権の国 ドイツの文化政策』美学出版

8 講義

文化政策・文化振興組織の多様性と指定管理者制度の課題

文化振興組織の多様性

　講義6と7で考察したように、公共文化施設の運営には文化振興財団など
を通して、公共セクターが深く関与しています。また、そこには文化政策のレ
ベルとは異なるアートマネジメントの技法が不可欠です。とはいっても文化政
策・文化振興のための組織や形態や予算は各自治体によって異なっています。
とりわけ指定管理者制度のもとで、自治体・財団・民間事業者・市民NPOな
どは、どのように役割分担を行い、また連携すべきなのでしょうか。

　これまでかかわってきたさまざまな自治体や公立ホールの事例を整理・分類
し、その現状の分析と課題について考えてみましょう。まず、（公財）びわ湖芸
術文化財団を規範として、（公財）神戸市民文化振興財団の神戸文化ホールお
よび豊中市文化芸術センターを対象に、指定管理者制度の諸課題と組織別の
比較考察を行いたいと思います。

　それぞれの悩みを本音で語れる場をつくることが狙いですので、歯に衣着
せぬ考察になりますが、関係者にはお許しいただければ幸いです。「文化振興
の組織って自治体ごとにこんなに違うんだ」、「やってる中身もこんなに違うん
だ」ということを実感していただきたいと思います。

神戸の財団が弱体化した理由

　阪神淡路大震災が起きたのは1995年1月です。神戸文化ホールは「文化
ホール」の名を冠した草分けの1つなのですが、震災以後、その自主事業の
数や予算が激減しました。震災以前は年1億円くらい事業予算があったのが、

ゼロベースから見なおしました。人口150万の政令指定都市の中核ホールの事業予算が1,000万円しかないのです。

　震災から10年を経た2006年、「神戸文化ホール活性化計画」のとりまとめをさせていただきました。震災直後から事業費がどんどん減っていきました。市からの事業予算の補助金が、2004年は6,000万円ぐらいあったのが、現在では1,000万円しかないという相当厳しい状況です。それにもかかわらず、自主事業の演目数は激増しているのです。

　どこに負担がかかっているのでしょうか。当然職員の数も減っているわけですから、かなりブラックな状況のように思われます。この業界に共通した現象ですが、客観的に見てホールや財団がブラック企業化していても、アートマネジメントの醍醐味を満喫して生き生きと仕事ができていれば、主観的にはホワイトでハッピーだとも言えます。芸術の生まれる場にかかわるものは、アーティストであれ、アートマネジャーであれ、一般の労働者とは異なる価値観と使命感に衝き動かされているからです。

　さて、神戸文化ホールを運営している神戸市民文化振興財団が、なぜ弱体化していったのかということを、わたしなりに分析していきたいと思います。この財団やホールに20年以上かかわってきましたので、その経緯には肌身にしみて感じていることがあります。

　まず文化団体や婦人会と市のオール与党的な体質がありました。神戸市はずっと市役所の中から市長を出してきました。ですから、どうしても市長選の票田としていろんな団体に依存せざるを得ない。文化団体や婦人会のほうでも、文化に関しては市や市長に頼ってしまう相互依存の体質がいつの間にかできてきました。戦後のある時期、高度成長の時代から1980年頃の「文化の時代」と呼ばれる時期までは、それでもよかったのでしょう。しかし高齢化も伴って、しだいに制度疲労が出てきました。超少子高齢化社会ですので、全国的にも同じ傾向が見られますね。

　さらに神戸市はオール与党体制ですから、健全な批判精神がいつのまにか失われてしまった。「大先生」と呼ばれる人たちと付き合っていれば、文化行政はやっていけるというような甘えの構造になっていきました。そこに阪神・淡路大震災が大きなダメージをもたらした。文化予算の大幅な削減が起きまし

た。さらに指定管理者制度が導入されました。神戸の財団が運営してきた文化ホールにも指定管理者制度が導入されたのです。

　指定管理者制度は最初からコストカットが狙いだったことが露呈しました。そのしわ寄せで財団の固有職員がほとんどいなくなり、非正規の職員がどんどん増えていきました。それによって専門性や創造性が急速に低下していった。60歳以上の再雇用職員への依存度がどんどん高まっていきました。負のスパイラルに陥ってしまった。さらに、施設の老朽化が進みました。

　また、ある複雑な経緯から複数の演奏団体が不合理に並存しました。オーケストラだけでも、精鋭メンバーからなる室内合奏団（2018年より神戸市室内管弦楽団に改組）だけでなく、神戸フィルハーモニックというセミプロとアマチュアの中間ぐらいの団体が中途半端に存続してきました。複数の演奏団体が不ぞろいのまま財団の管轄下に併存していたのです。

　それから神戸アートビレッジセンター、略称KAVCの件がありました。2017年度に財団が指定管理を取り戻したのですけれども、その間15年ぐらい、財団の側からすると、民間の事業者にKAVCをもっていかれたことによる若者離れが起きていました。これは財団だけでなく、神戸全体のセンスの低下をも招きました。

　神戸文化ホールは1973年に開館しましたので、もうすぐ50年がたちます。名門ホールなのですが、古くさいイメージができてしまった。というのも、2005年に兵庫県立芸術文化センターが、佐渡裕さんを芸術監督として華々しくオープンしました。その輝きの陰となってしまい、見劣りするようになってきたのです。

　さらに大きな問題なのですけれども、神戸市には文化政策の法的な根拠がありません。政令指定都市で条例も基本計画もない自治体は珍しい。神戸市には文化政策の法的根拠がないのです（2021年度になってやっと「神戸市文化芸術振興ビジョン」が策定されました）。これらが、神戸の文化振興財団や文化ホールが、この20年で弱体化していった根本原因ではないかと分析しております。それではこの数年、どん底から這い上がるためにどのような努力をしてきたのでしょうか。そして財団内部では、どういったことを話し合ってきたのでしょうか。

財団改革の過程

　まず、民間でもできる貸し館事業と買い取り主催公演であれば、公益財団が指定管理をやる必要はないでしょう。民間のほうが賢くやってくれます。ですから、財団でしかできない自主企画とガバナンス（機能強化）を追求する必要がある。そして職員・市民ともにプライドとエートス、気概が低下し続ける負のスパイラルがあったので、それをどうにかして克服しなくてはならなかった。そのためには、専門性の高い正規雇用職員を確保する必要がある。ということでここ数年、固有職員の雇用が復活してきました。

　もとより神戸の芸術文化活動は多元的で多様です。わたしは長年、いろいろな文化のセクターやアクターにかかわってきて、これが面白いところなのですが、神戸には独立不羈の精神がある。要するに行政には頼らない、民間の非営利セクター、市民活動の動きがたくさんあります。たとえば、島田誠さんが理事長をされている「神戸文化支援基金」は、2011年に公益財団法人に認定された完全に民間非営利の組織です。市民の支援と寄付だけで成り立っています。すべて個人からの「志縁」です。

　その前身の「公益信託 亀井純子文化基金」が1992年に誕生して30年近くが経ちました。総額で1億円を超える助成活動を行ってきました。とくにとんがった現代アートを支援する市民ファンドです。このような民間の文化支援組織が公益財団法人化されるのは全国的にも珍しい。公益財団改革の早い段階で兵庫県に公益認定されましたので、おそらく日本で一番乗りではなかったかと思います。

　このように、市民側での非営利活動セクターが活発なのに、それらと市の側がうまく連携できてこなかった。震災後に神戸空港の建設をめぐって市の側と市民側が反目をしてきた経緯があり、まだそのしこりも残っています。とはいえ、これからは活力のある市民NPOや文化関係者、あるいは大学との連携が不可欠です。この意味では少しずつ、さまざまなアクターが「文化的コモンズ」をつくり直す必要性を自覚するようになってきています。

　さらに、神戸文化ホールを創造・発信する劇場にするには、きちっとした財源を確保すること、それから雇用の安定が不可欠です。そこでいろいろな知恵

を働かせて、（2017年段階で）次期の神戸文化ホールの指定管理者を非公募に戻すことができました。また、若手アーティストがチャレンジできる創造・表現スペースとしてのKAVCの指定管理者を、十数年ぶりに取り戻すことができた。これによって再び、先端的な芸術の開拓が神戸でもできるのではないかという期待が高まっています。

　それ以外に、神戸市演奏協会と神戸市民文化振興財団という2つの公益財団法人の合併がありました。元々、神戸文化ホールは、演奏団体付きの公共ホールとしては日本初、かつ唯一の存在でした。過去形ですが、その事実を意識している人はほとんどおりません。プロの神戸市室内管弦楽団があります。やはりプロの声楽家からなる神戸市混声合唱団をもっています。座付きの演奏家集団、つまり合唱団とオーケストラがあるホールは全国でも神戸だけだったのです。ところが諸事情により、震災直前の1994年11月に神戸市演奏協会が発足し、別の財団組織になっておりました。それが2016年の春に20数年ぶりに再統一されたのです。

　神戸市演奏協会と合併することによって、新規事業をこれから開拓できるのではないか。しばらく遠ざかっていたオペラなども、これから頻繁にできるのではないかという期待があります。座付きのオーケストラと合唱団をもつ唯一の公共劇場にまた戻ったことによって、神戸文化ホールをもう一度活性化できるのではないかという展望が出てきたのです。

神戸文化ホールの非公募化

　さて、どうして神戸文化ホールを非公募にできたのでしょうか。実は文化政策分野だけではできませんでした。というよりも、神戸には公式の文化政策がありません。法的根拠がないのです。注目したのは観光政策です。神戸は観光で再生しようという大きな意思表示をして、経済港湾委員会で神戸の観光振興に向けた提案を出しました。そしてMICE（国際会議、研修、見本市、イベントなどを目的としたビジネストラベル）の誘致を成功させるために最も重要な要素は人材であるという結論に至ったのです。

　現在の指定管理者制度のもとで人件費を削減する状態では、ノウハウをもっ

た職員の後継者育成もできない。「人材育成と充実のため、神戸国際コンベンション協会等は長期的に運営できるような仕組みを構築すべきである」と経済港湾委員会が提案したのです。

　このように、まずは観光のほうから大きな波が来た。そして2016年10月に「公の指定管理者制度運用指針」の改訂を行い、「例外事由」を付け加えました。「市の施設推進の観点から合理的な理由がある場合は非公募にしてもよい」という改訂です。法的根拠がないので、このような理由を付けたわけですね。その場合の「合理的な理由」とは何でしょうか。

　「市の展開する主要施策と不可分であり、当該施設における事業の企画立案等を、施設管理者と神戸市が一体となって実施する必要がある施設、この場合に限って非公募にしてもよい」。そして次に、「市の施設目的に照らし、長期的な視野に立った事業運営、人材育成、ノウハウの蓄積等、とくに必要とする施設は、必要に応じて行財政局と諸幹部局との部局間で協議を行う。指定期間ごとに非公募にすることの妥当性を十分に吟味すること」とあります。

　正確に把握するために、わたしは担当課長にヒアリングをしました。それによると、まずは事前協議をして、文化振興を管轄する文化交流部の担当課長から、行政経営課長を通じて、神戸文化ホールの非公募を要望しました。それに対して神戸市長は「反対はしなかった」とのことです。市長は総務省時代、指定管理者制度の制度設計に関係された高級官僚ですから、なかなか意味深長ですね。その後11月30日に「神戸文化ホールの次期指定管理者選定方法の変更について」が出され、2017年2月3日に「指定管理者公募者の決定について」のプレスリリースがありました。こうして「公募外施設」として神戸文化ホールが公表されたのです。

　ただ、この「合理的な理由」というのは、よくよく考えてみると法的に正しい措置だったのだろうかという疑問が残ります。うるさいことを言っているようですけれども、その点をきちんと見ておく必要があると思います。まず施設の位置づけとして神戸文化ホールは神戸市の文化振興施策を実現する基幹施設の役割を担ってきました。市の展開する主要施策と密接不可分であり、当該施設における事業の企画・立案等を施設管理者と市が一体となって実施する必要がある施設として位置づけられています。

つぎに財団の適格性についてはどうでしょうか。「指定管理者である神戸市民文化振興財団は、長年その専門性と機動性を活かし、本市の文化施策の実施機関として、神戸文化ホールをはじめとする市の文化政策の実現を担ってきた実績がある」と述べられています。では、市の文化政策はいったいどこにあるのでしょうか。本市の文化施策の実施機関だというのであれば、当の市の文化施策はどこにあるのでしょうか。

合理的理由とは、条例・基本計画等の法制度的根拠のことではないでしょうか。条例や基本計画に基づいて自治体の文化施策は行われるはずなのですが、神戸にはそれがない。ところが、ここでは文化振興施策の実施機関として神戸文化ホールが位置づけられています。まるで神戸市には文化振興施策があるかのようなフィクションが、公文書に記されているわけです。

もう1つ問題があります。事前協議をして市長が判断し、議会報告をするということに、本当に合理性はあるのでしょうか。手続きとしてそれでいいのかどうか。このような合理性は恣意性に左右される危ういものではないか。市長の一存であるとか、首長や力のある一部の幹部の好みによって指定管理者が変わったり、あるいは続けられたり、非公募になったりというようなことになりはしないか。指定管理者側、財団側が翻弄されるようなことが起こるのではないか。やはり法的根拠である条例や基本計画をきっちり整備しておく必要があるのではないか、というのがわたしの考えです。

豊中市の指定管理者の選定

つぎに豊中市の話に移りましょう。2016年10月、豊中市立文化芸術センターがオープンしました。100億円近くかけた、とても立派ないいホールです。その時の指定管理者の選定に関係したのですけれども、5団体中書類選考で3団体を選んでヒアリングを行いました。ホームページでも公開されましたが、1位の団体が702点、2位が591点ということになりました。

配点をどうするかについての事前協議で、なるべく事業の内容を重視するように主張しました。割合で一番高いのが鑑賞事業の40点、2番目が人材育成・ボランティア組織・コーディネート事業の35点、相談事業が20点です。これに

対して、所要コストの適正度が300点と、大きな配点になっています。基本姿勢については公益性が40点で、配点上あまり大きくありませんでした。

さて、1位に選ばれた団体の講評は以下のようなものです。「鑑賞事業や相談事業、友の会事業などの事業計画が優れており、確保すべきサービス水準や自由提案においても積極的な姿勢が見られる。豊中市の文化資源を活用した魅力的な事業展開で、豊中ならではのオリジナリティがある」という講評結果でした。その選定理由となった、事業計画の概要が重要です。4社の構成団体からなるジョイントベンチャーで、日本センチュリー交響楽団が企画面で加わりました。大規模施設の指定管理者に実演団体が選ばれたことは画期的でした。

さて事業計画ですが、人材育成の考え方として3点が上がりました。まずは鑑賞者の育成、2番目は表現者の育成、3番目は支える市民の育成。つまり市民ボランティアやサポーターズクラブの具体的な取り組みのことです。

自主事業プログラムの実施方針として、他の4団体には無かった提案なのですが、豊中だけで見られる「プレミアムプログラム」をつくると書かれていました。2番目には「メイドイン豊中」。地域性と独自性の高い公演企画をやること。3番目が舞台芸術の理解を深める付随プログラムの開講。つまり教育普及事業です。さらに、某著名な夏の音楽祭を誘致し、豊中国際音楽祭を開催すると書かれていました。こういったことが他の団体にはない特徴だったので、当然ながら好意的に評価されました。

オープニングラインナップの衝撃

ところが、実際にオープニング時のラインナップを見て腰を抜かしました。民間の事業者は公共ホールの公益性をどこまで理解しているのか、という疑問を抱きました。というのも、自分がこの指定管理者の選定にかかわった当事者、つまり責任者であり、また事業評価を継続して行う立場でもあるからです。

グランドオープンのラインナップは、谷村新司、加山雄三、氷川きよし、南こうせつ、さだまさし、といったオールドスターのオンパレードでした。たしかにボリュームのある一定の世代以上であれば、もう一度ナマで見てみたい、聴いてみたいと思う魅力的なラインナップですね。ですから、もちろん集客はきちん

とできましたし、採算もとれたのではないかと思います。けれども、グランドオープンのラインナップが、こういったポピュリズム志向でいいのかどうか。とても大きな疑問を突きつけられました。いったい、これは誰のための公共ホールなのか。誰のために新ホールをつくったのか。このようなラインナップから、子どものための将来はあるのか、ということを深刻に考えてしまいました。

　2017年度のラインナップでは、日本センチュリー交響楽団豊中名曲シリーズやリサイタルシリーズなどがあって、これはなかなか良いクオリティなのですけれども、その他はほぼ買取り公演になってしまっていた。「豊中ならでは」のオリジナリティはいったいどこにあるのかという疑問が残りました。

　その後、年次進行で徐々にいい方向に向かってきましたので、現在では、中核都市の文化ホールとしては理想的なプログラムが揃ってきました。ですから、ここで問題にしたのは、あくまでオープニング時のショック体験にもとづいたものです。けっして悪意はありません。というよりも、豊中市の文化芸術センターとその指定管理者にエールを送っているつもりです。

　しかし、初動期であるにしても、なぜ公共ホールの公共性がポピュリズムへと傾いてしまったのでしょうか。公益財団法人ではありえない事業展開になってしまったのですが、残念ながら、申請書の時点では見抜くことができませんでした。つまり、提出された事業計画の審査時には、まさかこのようなラインナップになるとは全然予想しなかった。それで高得点が付けられたわけです。とはいえ、指定管理者に選定されてからオープニングまでの期間が半年程度しかない場合、プログラムをじっくりと熟成させる時間がないことも理解できます。そこで、イベント主義による集客路線に走らざるを得なかったのでしょう。

　いずれにしても、民間の指定管理者は、自治体文化政策を本当に理解して事業運営しているのでしょうか。日本センチュリー交響楽団は当然、公益事業を柱とした公益財団法人です。それと、親会社が旅行業の民間企業とのジョイントベンチャーですから、そのシナジー効果にも期待をもっておりました。ツーリズムと結びつけて面白い事業展開ができるのではないか。豊中には近くに飛行場もあります。けれども、当初期待したほどの相乗効果は、十分に表れていないように感じます。逆に営利企業と公益財団の論理との違いが表面化してしまったのです。

指定管理者制度の落とし穴

　指定管理者制度にはさまざまな落とし穴があります。これまでの事業委託という考え方が、指定管理者制度のもとでは「委任」になります。事業委託だったらならば、市からこういうことをやりなさいという企画内容が決められていて、それを粛々とやるわけですが、指定管理者制度ですと自由裁量の余地がある。そのぶん事業の企画に自発性・自主性が出しやすいのです。ところが委任による裁量権の拡大が落とし穴になっているのではないか。それによってポピュリズムが生まれやすいのではないか、という事実に直面しました。

　公益財団法人と民間企業とのジョイントベンチャーの場合、自治体文化政策との整合性はいかにして確保できるのでしょうか。困ったことに、市の側はもう委任してしまったわけだから、一人歩きを始めた指定管理者の行方を指をくわえて見ていなくてはならないのです。もちろん、そうならないように、豊中市ではいろんな仕組みを考えています。けれども、ひとたび一人歩きを始めた指定管理者の行方を誰がどうやってチェックできるのか、という問題は多くの自治体に共通した課題でしょう。

　文化施設の公共性について、企業文化の間でのコンフリクトがある場合、どうにかしてコンセンサスを形成しなければなりません。オーケストラ団体からホールに配属された職員は、公共文化施設の公共性を深く認識し、社会包摂の課題やアートリテラシーの形成にも先進的に取り組んでいることがわかります。そしてホールを拠点に、文化的コモンズを紡ぎ出し、持続可能なオーディエンス・ディベロップメントをめざしています。

　共同事業体の内部において、先ほどのオールスター路線に見られるようなコマーシャリズムの画一的なイベント文化と、創造性・多様性に富んだ公共文化とは、いかにして折り合いを付けていくことができるのでしょうか。そして行政と市民は、この異質な組織文化から構成される共同事業体に対し、どのような参画とチェック・評価が可能なのでしょうか。根本から考えさせられる事例に直面した身として、自治体文化政策のアクチュアルな課題を紹介させていただきました。

　さて、指定管理の第2期では、諸事情から日本センチュリー交響楽団が共

同事業体から外れました。とはいえ、センチュリーのコンサートは、豊中市立
文化芸術センターの中核事業に位置づけられています。良好な関係が続くこ
とを願っています。

文化振興組織の機能別類型

　「文化振興組織の機能別類型」（資料1）をご覧ください。わたしが何らかの
形でかかわってきた文化政策の主体、あるいは文化振興組織を類型化したも
のです。上のほうは文化振興財団の機能類型です。表を横に見ていってくだ
さい。次のような観点からチェックしております。公演や演奏団体との事業主
体になっているかどうか。文化活動の中間支援をやっているかどうか。文化施
設の管理運営をやっているかどうか。それから文化活動への助成を行ってい
るかどうか。文化助成の審査・評価を行っているかどうか。調査・研究やアー
カイブ化などを行っているかどうか。さらに人材育成をやっているかどうか。

　また新規事業の企画・提案を行っているかどうか。文化政策の立案・提言
を行っているかどうか。この点は補足が必要でしょう。当然、行政は文化政策
の立案を行うべきところです。けれども逆に、文化政策の立案や提案を、行
政ではなく財団がやっている場合もあるので、ここまで書きこんでいます。

　こうやって見ていくと、兵庫県の芸術文化協会は、後でも類型化しますよう
に、総合商社のような組織になっています。多様な主催事業をやっています。
オーケストラも運営しています。ピッコロシアターは劇団を備えています。それ
から連携事業、中間支援的なこともやっている。文化施設の管理・運営では
非公募で、兵庫の芸文センターとピッコロシアターの管理・運営をしています。
調査・研究も、人材育成もやっています。

　つぎに神戸市民文化振興財団ですね。ここもやはり同じように総合商社型
で、主催事業をやり、オーケストラと合唱団を運営しています。神戸の財団に
は振興部という部門があって、いわば中間支援的な連携事業をやってきてい
ます。神戸文化ホールだけではなく、神戸アートビレッジセンターや区民セン
ターなどの指定管理をしています。文化活動への助成ということでは「アート
ベンチャー事業」という、ハコを貸すだけでなく助成金も出すというようなプロ

グラムも行っていました。もちろん人材育成もやっています。

　つぎに大きなところではびわ湖芸術文化財団があります。滋賀県の文化事業団と、びわ湖ホールが2017年4月に合併して、びわ湖芸術文化財団となりました。主催事業は自主事業をはじめたくさんやっています。特徴的なところでは、びわ湖声楽アンサンブルという演奏団体を運営しています。文化活動の中間支援では情報提供をしています。びわ湖ホールのホワイエには情報センターもあります。

　びわ湖芸術文化財団では『湖国と文化』という100ページに及ぶ中身の濃い雑誌を年4回発行しています。毎号の特集が興味深く、学術性も高い雑誌です。それから劇場サポーター制度がある。いろんな連携事業もやっています。文化産業交流会館という米原にあるホールも運営しています。

　施設の管理・運営では、びわ湖ホールはずっと非公募でしたが、2020年の新規の指定管理では突然、公募になり動揺が走りました。結果的には、びわ湖芸術文化財団しか応募団体がありませんでした。びわ湖ホールの財団ほど高いスキルをもち、充実した事業運営をしている施設を、他の施設と同じように公募にすること自体、非常識なことです。

　さて、先に触れた神戸文化支援基金は完全な市民ファンドです。市とは全く関係ありません。市民からの寄付を募って、それをもとにして公募をして1件20万円、1年間に200万円ほど、先端的なアートの活動に支援していますが、基本的に主催事業はやりません。さらに、神戸アーツアワード（KAA）という懸賞事業を行い、兵庫県で活動をしている団体や個人に賞を授与しています。

　それからアーツサポート関西があります。これは関西の大手企業が主に寄付をしてくれています。こちらも行政の支援の対象になりにくい芸術文化活動に、1件100万円まで助成する財団です。とくに若手の芸術家にたいするスカラーシップ的な支援を重点化しています。大阪は府、市ともに行政の支援が非常に手薄なので、アーツサポート関西の助成金申請はものすごい数になります。非常に狭き門です。

資料1　文化振興・助成の機構別機能類型（平成29年度）

文化振興財団の機能類型	公演、演奏団体等の事業主体	文化活動の中間支援	文化施設の管理・運営	文化活動への助成
兵庫県芸術文化協会	○主催事業、オケ、劇団	○連携事業、相談・助言・情報	○芸文センター、ピッコロシアター	
神戸市民文化振興財団	○主催事業、オケ、合唱団	○振興部の連携事業	○文化ホール、区民センター、KAVC	○アートベンチャー
びわ湖芸術文化財団	○主催事業、声楽アンサンブル	○情報提供、サポーター、連携	○びわ湖ホール、文化産業交流館	
明石文化芸術創生財団	○主催事業、（たこフィル支援）	○連携事業、相談・助言・情報	（民間指定管理者）	○振興事業助成
神戸文化支援基金	（Kobe Art Award 顕彰事業）			○20万×10件
アーツサポート関西（21世紀協会）				○1件100万まで

アーツカウンシルの機能類型	公演、演奏団体等の事業主体	文化活動の中間支援	文化施設の管理・運営	文化活動への助成
大阪アーツカウンシル（府市）		○ネットワーク事業		○1200万（H28経費）
アーツカウンシル東京	○文化創造発信・企画戦略事業	○支援・国際ネットワーク事業		○26億（H26）
アーツコミッション・ヨコハマ		○助成相談、情報発信		○5500万（H28）
静岡県版アーツカウンシル（試行）		○助成相談、プログラム伴走		○5200万（H28）

文化振興財団を持たない自治体	公演、演奏団体等の事業主体	文化活動の中間支援	文化施設の管理・運営	文化活動への助成
大阪府・市	○主催事業（課直営 or 業務委託）	○アーツカウンシル	民間指定管理者（江之子、ワッハ）	○府1千万、市6千万
芦屋市	○主催事業（主に教育委員会）		民間指定管理者（美博、ルナホール）	
豊中市	○主催事業（課直営 or 業務委託）	○民間指定管理者	民間指定管理者（文芸センター他）	（市直？）
豊岡市	○主催事業（課直営 or 業務委託）	○NPOプラッツ	直営（KIAC. 市民会館）＋ NPO	（市直？）

注1　財団の解散
　　　大阪府：2011（財）大阪センチュリー交響楽団を解散し（公財）日本センチュリー交響楽団に
　　　大阪市：2007（財）大阪都市協会解散
　　　芦屋市：2005（財）芦屋市文化振興財団解散

文化助成の審査・評価	調査・研究・記録	人材育成	新規事業の企画・提案	文化政策の立案・提言
	○	○		
		○		
	○『湖国と文化』	○	H29 文化振興事業団と合併	
（文化芸術創生会議、事業評価）	△『創生』	○	市主催事業の財団移管	
○			市民寄付による助成財団	
○成果発表会	△		財界等民間寄付による助成	

文化助成の審査・評価	調査・研究・記録	人材育成	新規事業の企画・提案	文化政策の立案・提言
○府市文化事業・助成	○情報収集・分析	○	○（実施主体ではなく）	△府市審議会の部会
○	○	○	○東京都歴史文化財団内に設置	
○文化力プロジェクト認定	○		△横浜市芸術文化振興財団内に設置	
○文化モデルプログラム	○		○静岡県文化政策課に設置	

文化助成の審査・評価	調査・研究・記録	人材育成	新規事業の企画・提案	文化政策の立案・提言
○アーツカウンシル	○アーツカウンシル	○アーツカウンシル		府市文化振興会議
○文化振興審議会（事業評価）			文化振興審議会	企画部政策推進課
○文化芸術振興審議会		○指定管理者	文化芸術振興審議会	都市活力部文化芸術課
未定		○ KIAC, NPO	文化芸術振興計画策定委員会、文化振興課	

注2 文化芸術創造都市表彰
　　横浜市（H19）、神戸市（H22）、豊中市（H27）、豊岡市（H28）
注3 文化振興条例のない自治体
　　兵庫県、神戸市、豊岡市
注4 文化振興基本計画（方針）のない自治体
　　神戸市、豊岡市（H29制定予定）

さまざまなアーツカウンシル

　文化振興財団と言っても、これだけ多様なタイプがあります。その次のカテゴリーですが、アーツカウンシルがあります。アーツカウンシルは現在、全国で10以上活動しています。たとえば大阪アーツカウンシルを例に取ると、これは大阪府と市が一緒につくったもので、文化審議会の中にアーツカウンシル部会が設置されています。

　大阪府は2011年に大阪センチュリー交響楽団を解散しました。大阪市は2007年に大阪都市協会という財団を解散しました。したがって、文化政策の立案は行政が管轄するのですが、文化振興の主体となる組織、エージェントがないのです。そのため、大阪アーツカウンシルにいろんなことが押しつけられている傾向があります。

　ただ、アーツカウンシルはそのミッションからして文化振興財団ではないので、事業実施まではとてもできない。現場を運営するアートマネジャーはいないのです。しかも予算が非常に少なく、ほぼ人件費で飛んでしまっています。

　それに比べるとアーツカウンシル東京は多角的なプログラム展開をしています。助成額は26億円ですから別格です。横浜はアーツコミッションと呼んでいますが、予算は6,500万円くらいです。

　その次のカテゴリーは、文化振興財団をもたない自治体です。どうしたらいいのでしょうか。そういう自治体は結構あるのですね。大きな自治体にもかかわらず文化振興財団をもっていない。大阪は府も市も財団を解散しました。個人所得では日本一の芦屋市も2005年に文化振興財団を解散しました。その後始末に、すでに15年もかかっているのですが、なかなかうまい具合にいかないのです。豊中の場合は、先ほどお話ししたように文化振興財団を創設しませんでしたけれども、民間指定管理者が新しい展開をしています。

　兵庫県の豊岡市は「小さな世界都市」や「飛んでるローカル」をめざして、文化政策に力を入れてきました。1市5町が合併して人口8万の地域です。ここもNPO法人プラッツが中間支援と市民プラザの運営を行っています。いま最も脚光を浴びている城崎国際アートセンター（KIAC）は、市の直営で運営されています。

写真1 城崎国際アートセンター　　　　　写真2 同エントランス

　資料1の注1で示しましたが、財団を解散してしまった3つの府・市に関しては、その後の始末がとても大変だという苦い経験をしてきました。注2は何かというと、文化芸術創造都市表彰を受けた市です。文化庁長官表彰です。横浜市、神戸市、豊中市、豊岡市が表彰を受けています。大阪府内では豊中市が初めて表彰されました。兵庫県では、神戸市、丹波篠山市についで、豊岡市が3番目に受賞しました。

文化政策・文化振興組織の5類型

　最後に、文化政策・振興組織の類型について考察してみましょう。これまで見てきた文化振興の形態を5つのタイプにまとめてみました。

　1番目の類型Aですけれども、これは財団内にアーツカウンシルが設置されている形態です。財団内にアーツカウンシルがあるというのは、本当に第三者機関といえるのかどうかちょっと微妙な位置づけなのです。東京都とか横浜市の場合ですが、結果的に静岡県もこのタイプに収まってしまいました。類型Aの自治体には文化振興課があります。そして文化審議会もあります。そのもとに、一方では文化振興財団があり、文化振興財団の中にアーツカウンシルが置かれています。さらに文化施設の指定管理もやっているところがある。文化振興課は直営事業もやっています。しかし直営事業と言っても多くは民間委託の事業だと思われます

　類型Bは、財団はないけれども、文化審議会の中にアーツカウンシルを設

文化政策・振興組織の類型A
財団内アーツカウンシル系：東京都・横浜市・静岡県

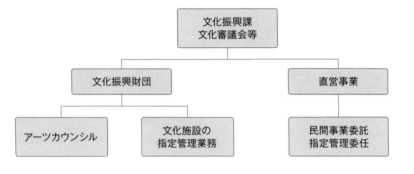

文化政策・振興組織の類型B
財団のない審議会内アーツカウンシル系：大阪府市

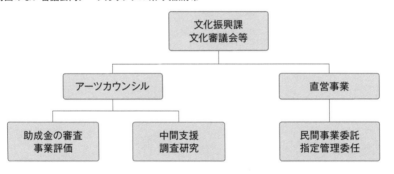

文化政策・振興組織の類型C
総合商社型財団：兵庫県・滋賀県・神戸市

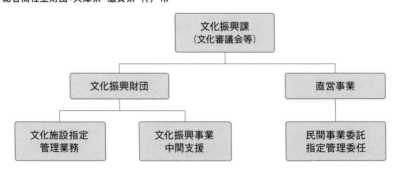

文化政策・振興組織の類型D
文化施設をもたない中間支援型財団：明石市〜R1

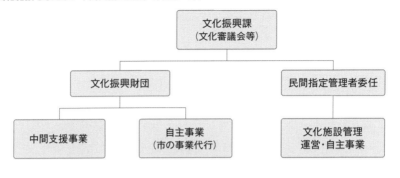

文化政策・振興組織の類型E
財団もアーツカウンシルもない直営型：豊中・豊岡

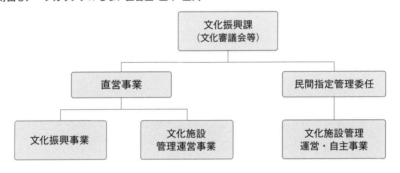

置している形で、これは大阪府市のタイプです。大阪府も市も文化振興課があります。文化審議会も府市が共通でやっています。アーツカウンシルも府市共通でつくっています。アーツカウンシルの業務は助成金の審査と事業評価です。それから中間支援と調査研究も行っています。2021年度からは、堺市にもアーツカウンシルが設置されました。大阪府市のタイプを改善したもので、類型Aと類型Bを統合した形です。大いに期待したい事例です。

　類型Cは総合商社型財団です。兵庫県芸術文化協会や滋賀県のびわ湖芸術文化財団、あるいは神戸市民文化振興財団のように、100人以上抱えている大型の財団です。いずれの自治体にも文化振興課はあります。ただし文化

審議会等がない場合もあります。兵庫県にも、また神戸市にも文化審議会にあたる常設の委員会がありません。実際の文化振興の実施主体は、文化振興財団と直営事業に分かれています。文化振興財団は文化施設の指定管理業務と文化振興事業、さらに中間支援の活動をやっています。それから直営事業は、文化振興課のほうで民間事業委託をしたり、指定管理をしたりしています。

　類型Dですけれども、文化施設をもたない中間支援型の財団です。明石市のケースですが、すでに述べたように、現在では文化審議会が廃止されています。最後に類型E。財団もアーツカウンシルももたない直営型で、わたしがかかわったなかでは豊中市、豊岡市、丹波市などが当てはまります。財団を設置していないにもかかわらず、豊中市、豊岡市は文化芸術創造都市に選ばれています。それぞれのプロジェクトの中身で勝負している自治体です。

　今ざっと5つの類型に分けてみました。日本中にはおそらく200から300の文化財団がありますので、これらの5類型に当てはまらないケースもあることでしょう。文化振興組織にはさまざまなタイプがあり、どれがベストであるとは言えません。市の直営や市長のトップダウンでうまくいっているケースもあります。条例や基本計画を整備し、常設の審議会をもっていても、文化予算が極めて乏しい自治体もあります。その場合は皮肉なことに、市民に直接、喜びや感動や幸せをもたらしてくれるプロジェクトよりも行政コスト（間接経費）のほうが何倍もかかっています。本末転倒の無駄遣いと言えるでしょう。

　このような現状に遭遇すると、わたしは文化政策よりも、これからのアートマネジメントに光明を見出してしまうのです。しかし、そのアートマネジメントのためにも「未来の文化政策」を、どうにかして理論的に基礎付けなければならないという使命感にも襲われます。みなさんの自治体は、文化振興組織類型のうち、いったいどのタイプに当てはまるでしょうか。また、本末転倒の無駄遣いに陥っていないかどうか。これまでの理論、実例、分析、議論を参考にして、それぞれに「未来の文化政策」をデザインしていただければ幸いです。

発展編

文化多様性と
アートマネジメント

9 講義

感性の復権と
文化的コモンズの形成

　まず、なぜわたしは文化政策にコミットするようになったのか。またアートマネジメントの現場に深入りして、その新しい仕組みづくりを、あれこれと試みてきたのはなぜか、その理由を端的に述べたいと思います。社会の組み立て方、人間の世界へのかかわり方が、ここまで大きく歪み、綻びを露わにしてしまった原因は、いったいどこにあるのか。その原因を明らかにして、社会の仕組みを組み直したいという、やむにやまれぬ思いが、わたしを文化政策とアートマネジメントへと駆り立ててきた根本動機です。

　現代社会は深い病に覆われています。わたしたちはみな病院の中にいるとしましょう。しかし病院の中にいることに、誰が気づいているでしょうか。そのことに気がつかないとすると、いったい誰がわたしたちを治すことができるのでしょうか。それどころか医師や看護師も入院患者なのかもしれません。

　ところで、わたしたちの周りには「変人」と思われがちな芸術家がいます。彼は「病者」なのでしょうか。幸運にも芸術家は、自分が病院の中にいることに、ひとり気がついています。彼には「正気」が残っているからです。しかし彼もまた、わたしたちの病を治すことはできないでしょう。では、いったいどうすれば、この世の中は救われるのでしょうか。実は、鈴木忠志の演劇を通して、わたしはこのような問いを直視するようになりました。

　日本中の、いや世界中の政治家やさまざまな分野のリーダーが、もはや理性的な判断ができなくなっています。現代は「思考停止社会」なのです。それでは、人間の理性が麻痺しているのでしょうか。いや理性そのものが無力になってしまったわけではありません。理性が正しく働くために必要なアンテナ、理性の働きの前提となるセンサーである「感性」が、いつのまにか曇らされ、錆び付き、麻痺してしまったのではないでしょうか。

つまり、生きている自然と人間、そしてさまざまな社会の出来事と直接ふれあい、感じとり、心を通わせあうための通路が閉ざされてしまったのではないか。情報の洪水の中にいるにもかかわらず、いつしかわたしたちは本当の自然を、本当の世界を、本当の美を、本当の自分を見だすことができなくなっているのではないでしょうか。

　さて、いま最も大切なことは何でしょうか。一人ひとりの感覚を広く、遠くへ向けて、しなやかに開き、そこに見だされる繊細な違い、つまり人間や自然が生きていることの、その多様なあり方を、生き生きと受容する心を取り戻すこと。それが一番大切なことでしょう。おそらく、このような誰にとっても共通する感性、つまり「共通感覚」を再び目覚めさせること。このことによってしか、世界の仕組みを根本的に組み直す道はないと思うのです。だからこそ、感性による知覚と想像力を刺激し、活発にしてくれる芸術の力が、現代社会にとって最も必要不可欠なものだと、わたしは考えています。まさしく芸術の力が、その確信を与えてくれたからです。

日本社会への違和感と危機感

　個人的な回顧をお許しください。わたしは思春期からドイツの思想と芸術に関心をもってきました。最初のきっかけは、ベートーヴェンの音楽との出合いでした。それは小学校の高学年のころでした。それ以来、ベートーヴェンが生まれ、活躍した時代のドイツとはどんな社会だったのだろうか、という興味がわき上がってきました。200年以上前のヨーロッパ、それはフランス革命によって近代市民社会が誕生する、まさに激動の時代です。わたしはベートーヴェンの音楽に没頭しながら、激動するドイツの社会や文化のことをあれこれ想像し、哲学書や文学書を読みあさりました。音楽を通じて何かを感じること、つまり心を震わせる根本的な経験が出発点でした。そこから知的な好奇心が次々とわき起こってきたのです。

　最初にドイツを訪れたのは22歳の時です。10年以上も日本から、ドイツの社会や文化に憧れ、思いを馳せていたわけです。この思春期の根本経験が、今日に至るまで、わたしの価値観と行動の拠り所となってきました。ドイツの

音楽は、それほどまでに強烈な精神力をもっているのです。

　ところでバブル崩壊以降の1990年代、イベント文化そしてハコモノ行政の弊害が、日本中で一気に表面化しました。それまでは哲学や美学、さらに音楽を中心に芸術作品の研究をしていました。しかし、芸術の研究は残っても、生きた芸術そのものの存続が不可能になってしまうなら、何のための芸術研究なのだろうか。芸術文化の研究とは、けっきょく造花を分析すること、つまり死に絶えた作品を研究することになるのではないか、という根本的な矛盾を抱くようになりました。研究者としてのモラルハザードに直面したのです。

　自治体財政難や少子高齢化が進行するなかで、文化・芸術の持続可能な発展が危ぶまれる状況を、どうにかして変えなければならない。わたしが文化政策に関心をもち、アートマネジメントの現場にかかわるようになった根本動機は、このような危機感からでした。2000年ころから神戸大学が中心となり、産・官・学・民の連携による新しいアートマネジメントにチャレンジしてきました。質の高い芸術を創造し、発信し、享受するためには、長期的な展望に立った新しいシステムが求められます。その実現には、従来の市場経済や消費文化とは異なる価値観と方法を模索しなければならない。大きな挑戦でした。

　他方、わたしは東京で育ちながら、思春期にドイツの芸術と思想に出合ったために、日本の文化のあり方に違和感をもち続けてきました。筋金入りの「ドイツかぶれ」は、日本のマジョリティである「アメリカかぶれ」に嫌悪感すらもちました。1960年代からの高度経済成長、そしてバブル景気を通して、イベントとしての文化事業が全国に広がり、文化は一過性の華やかな消費財となっていきました。1970年の大阪万国博覧会（EXPO'70）が大きな転機でした（写

写真1 EXPO'70 鳥瞰図

写真2 EXPO'70

真1、2)。1981年には、神戸で開催されたポートアイランド博覧会（ポートピア'81）が大成功し、それを受けて1980年代には全国で地方博ブームが起きます。

　しかしどれも画一的な一過性のイベントに終始し、お祭りのあとには何も残りませんでした。東京に本社を置く大手の広告代理店が、これらの博覧会やイベントを華々しくプロデュースしてきましたが、各地域の市民や住民が、そのイベントに主体的に参加することはありませんでした。市民もまたクライアント（お客様）として、華やかな「文化の消費者」に留まっていたのです。

イベントと文化との違い

　イベント文化とは何でしょうか。そもそもイベントと文化は同じでしょうか。大地に根を張った雑草のように、たくましい草花ではなく、見た目が美しいだけの切り花、それがイベント文化です。それでも、生きた切り花であれば、花瓶の中で数日間は目を楽しませてくれる。もっと劣悪なのは造花です。生命をもたない作り物によって、一時的に華やかさが演出されます。造花は、お葬式の花輪のように使い回しが可能なので、日本中いたるところで画一的な文化イベントが開催されました。しかしそれによって、地域独自の個性的な文化の衰退に拍車をかけてしまった。日本の文化行政は失敗し、バブルの崩壊とともに失速しました。企業メセナ、つまり企業による芸術文化支援も、同様に後退し続けています。

　それではイベントではない「文化」の本質とは何でしょうか。文化については無数の定義がありますが、あえてハンナ・アーレントの見解を紹介したいと思います。(『文化の危機―その社会的・政治的意義』みすず書房)。

　　Culture という語はラテン語のcolereから派生し、耕し養う、住まう、気遣う、慈しみ保存することを意味する。自然が人間の住まいにふさわしいものになるまで自然を耕し慈しむという意味での、人間と自然との交わりに主に関わっている。文化という語は、愛情のこもった気遣いを指し示しており、自然を人間の支配のもとに従属させようとする、あらゆる営みと鋭い対照をなしている。

アーレントによれば、「文化という語を魂や精神の事柄をいい表わすために最初に用いたのはキケロ」だとされます。文化とは本来、人の心を耕して、その潜在能力を発揮させる営みなのです。個人の内面を耕して豊かにするだけではありません。社会のなかで、さまざまな才能に長けた人たちが、それぞれの能力を発揮し、お互いに刺激し合うこと。つまり相互のコミュニケーションを通じて、その社会全体のポテンシャルを高めることも、文化の大切な意味です。それでは文化によって形成される「社会」と、現代の「大衆社会」との違いはどこにあるのでしょうか。アーレントは、それを「文化」と「娯楽」との違いから説明しています。

　　おそらく社会と大衆社会との大きな違いは次の点にある。社会は文化を欲し、文化的な事物を社会的商品へと価値付け、それらを社会自身の利己的な目的のために使用し、濫用はしたが、それらを「消費」しはしなかった。(中略) 反対に、大衆社会は、文化ではなく娯楽を欲しており、娯楽産業が提供する製品は、実際他のあらゆる消費材とまったく同様に社会によって消費される。

　講義6で述べたように、文化とは個人の内面を耕し、社会発展の土壌を耕すコミュニケーション行為です。しかしながら、現代の日本では、芸術も含めて、あらゆる文化が消費の対象となっています。消費材としての文化は、人づくりのメディアにもならないし、コミュニティづくりにも寄与しません。もちろん文学や芸術は、直接社会に役立つ道具ではありません。しかし、いつの時代にも、文化は長期的に構想される社会変革やイノヴェーションの源となってきました。ここには、効率優先の経済的合理性とは異なる、人文的価値の存在根拠があります。

クリエイティビティの道具化

　グローバル化する社会のなかで、その文化と制度は矛盾に満ちた関係に陥っています。みなさんの身近なところでは「指定管理者制度」、あるいは「創

造産業」の事例がおなじみでしょう。それらの事例には「創造性」と「効率性」と「多様性」の間の複雑な関係が反映されています。「創造性」、「クリエイティビティ」という言葉はたしかに耳触りがいい。「クリエイティブ・シティ」や「クリエイティブ・インダストリー」という言葉もクールに聞こえます。「クリエイティブ」を国家政策の中心に置いたのはイギリスのブレア政権です。

　新労働党（ニューレイバー）は、2001年の政府の政策案を「すべての人びとはクリエイティブである」という言葉で始めています。「個人の創造的な潜在能力を解放する」ことが目標とされています。まるでヨーゼフ・ボイスの「人間はみな芸術家である」という社会芸術宣言を思わせます。しかし、ブレア政権におけるクリエイティビティの解放は何をめざしていたのでしょうか。

　創造産業の育成は、言うまでもなく経済政策です。ポスト・フォーディズム、つまり画一的な大量生産システムの行き詰まりを克服することが目標でした。大量生産、大量消費のシステムがもたらした社会問題を、創造的に解決するという意味も、そこには込められています。新自由主義は、現代社会の中にあらゆる分野の格差を生み出し、コミュニティの分断を深めてきました。他方、そのような社会的排除の創造的解決という意味で、芸術文化による「社会包摂」が唱えられています。

社会的排除と社会包摂の共犯関係

　ところで、社会的排除は新自由主義の過剰な競争が生み出した当然の結果ですが、その社会の割れ目、亀裂が目立たなくなるような目隠し、もしくは応急措置としてアートが活用されています。芸術は社会包摂の道具として役に立つ。その限りでなら芸術文化のために公的資金を投入してもよろしい。芸術のクリエイティビティが注目されるのは、一方では付加価値の高い商品を開発する産業振興のためです。他方では、アートが社会問題の解決に役立つ道具とみなされるからです。では、社会問題の解決に直接役に立たない種類のアートは、社会と人間にとって不要なのでしょうか。

　いずれにしても、社会的排除を生み出し続けている新自由主義的な社会経済構造そのものにメスが入れられることはありません。芸術文化が社会構造そ

のものの矛盾を暴露すること、文化政策が歪んだ社会構造そのものを根本から変革する社会構造政策になることは避けられ、隠されています。文化政策が人間本来の創造力を発揮するような仕掛けになっては困る。それが新自由主義者の本音なのです。ここに社会包摂が、為政者の歴史的定番である、いわゆる愚民政策と知らぬ間に手を結んでしまう危険が潜んでいます。

　日本の文化政策は、ロンドン・オリンピックの「レガシー」効果もあって、イギリスの文化政策から熱心に学ぼうとしていますが、わたしはいささか懐疑的です。文化政策と文化産業がクリエイティビティの本質を歪めているからです。「レガシー」というイギリス発信の広報マーケティング戦略の背後にあるものを賢く見抜く必要があるでしょう。

　歴史を振りかえると、芸術家の創造力は、既存の価値観や世界観を覆す「途方もないもの」を生み出してきました。それは政策的な意図を超えた「他者」が突如として現れることです。政府や行政が計画的に手なずけることのできない出来事や表現は、体制側にとっては危険なものです。行政管理と芸術文化とは本質的に矛盾します。経済力にしても、政治力にしても、人間本来の創造力をコントロールすることはできません。このような意味で、わたしはこれまでの文化政策よりも、これからのアートマネジメントに光を見出しています。

新自由主義からのクリエイティビティの救済

　文化とは本来、人の心を耕して、その潜在能力を発揮させる地道な営みでした。ところが現代における創造性とは、耕すことではなく、天地創造のごとく、ある問題を生み出すと同時に、その生み出された問題を解決する能力です。そうした全能者は、もはや神のものではなく、人間にのみ与えられています。

　もとより「創意工夫」は人間の知恵が生み出した大切な文化です。ところが現代では、社会問題の創出も、その創造的解決も、誰かが背後で操っています。「神の見えざる手」、市場原理主義という名のシステムです。このシステムは、クリエイティビティを道具として、文化という地道な営みを呑み込もうとしています。こうして資本家も含めて、あらゆる人間が資本の奴隷となってしまうのです。

グローバル資本主義の全面支配のもとで、もはや創造性を手放しで賛美できる時代ではなくなってきました。ドイツの文化社会学者のアンドレアス・レックヴィッツは、それを「クリエイティビティディスポジティブ」（Kreativitätsdispositiv）という概念によって解明しています。彼は次のように述べています。後期近代の「美感的資本主義」（ästhetischer Kapitalismus）における創造性は、「クリエイティビティ願望（Kreativitätswünsch）とクリエイティビティ命令（Kreativitätsimperativ）、主観的欲求と社会的期待との二重構造を包括している。われわれはクリエイティブでありたいが、またそうあらねばならないのである」（Andreas Reckwitz, Die Erfindung der Kreativität, in „kulturpolotische mitteilungen"141, II /2013, Kulturpolitische Gesellschaft ）。

　それでは、経済的思惑に誘導された「社会的期待」と、個々人の「クリエイティブ願望」との共犯関係を賢く見抜き、それへの異議申し立てを表現できるのは何でしょうか。わたしたちはこれまで、そのような社会批判的な機能を、とりわけ現代アートに求めてきました。しかし、ここにも罠があります。創造都市論や創造産業の振興を根拠とした公的助成金制度においては、その手続き（形式）のほうが、（社会批判機能をもつ）内容そのものよりも優先されるからです。もちろん、現代社会の病に敏感な芸術家やアートマネジャーは、自由意志に基づく自律的な市民社会づくりに貢献したいという「美しい魂」をもっています。そして、その実現のために公的助成を請求するでしょう。

　ところが、その自由意志が「強制」として、芸術家などのアクターに戻ってくるのです。というのも功利主義、いや道具主義的芸術観が芸術の自律性に優先する新自由主義的システムのもとでは、社会経済問題の「役に立つ」限りにおいて、芸術への助成は評価に値するものとされるからです。アングロ・サクソン由来のロジックモデルが、それを助長し、補強します。

　芸術は何らかの実利的目的に寄与しなければばらない。文化は社会的・経済的価値を生み出さなければならい。イノベーションもクリエイティビティも、主体的願望と客体的（社会的）期待との共犯関係を通して、新自由主義の延命のために強制動員されるのです。レックヴィッツによれば、ポストモダン美学は「クリエイティビティディスポジティブ」に染め上げられています。それでは、美感的資本主義と結託したポストモダン美学の芸術的策略からの解放の契機は、

いったいどこにあるのでしょうか。

　ここでレックヴィッツは、ドイツの「社会文化」（Soziokultur）の概念とその運動に注目しています。そして、美感的資本主義の罠にはまらないために、以下のような提案をしています。社会文化にとって喫緊の課題は、「クリエイティビティディスポジティブ」の過熱状態を冷却することである。社会文化にはクリエイティビティディスポジティブの絶対化への対抗手段を認めることができる、というのです。レックヴィッツは、その特効薬を「観客のいないクリエイティビティ」（Kreativtät ohne Publikum）というキーワードで強調しています（拙稿「ドイツの文化政策における社会文化の位置と刷新」）。

　ここで重要なのは、「ローカルな日常実践における創造的なものの目的自由（Zweckfreiheit）」です。この「目的自由」は、カントにおける美の規定である「目的なき合目的性」（Zweckmäßigkeit ohne Zweck）を連想させます。社会文化は、「観客の前で常に結果を出さなければないという強制（das ständige sich Bewährensollen vor einem Publikum）を、少なくとも一時的に失効させる」というのです。

　レックヴィッツによって名付けられた「ありきたりのクリエイティビティ」（profane Kreativität）における相互主体的な実践においては、何が起こっているのでしょうか。そこにおいて決定的なことは、「制作者（Produzente）と観客（Publikum）との分離ではなく、参加者（Teilnehmer）と共演者（Mitspieler）だけが存在していることである」。このように「社会文化のストラテジーは、クリエイティビティディスポジティブの時代において新しい、ひょっとすると思いがけないアクチュアリティを獲得できるかもしれない」と、レックヴィッツは語っています。ちょっと難解な議論ですが、頭の片隅に留めておきたい洞察ですね。

文化的コモンズの形成

　文化政策における社会排除と社会包摂との共犯関係について考察してきました。新自由主義的なグローバル化の中で、芸術に固有のクリエイティビティが、資本主義の延命のために強制的に動員されるメカニズムを暴いてきました。わたしはナイーブに「感性の復権」を唱えて、新しい文化政策とアートマネジ

メントに取り組んできましたが、その道程には思わぬ落とし穴や罠が仕掛けられています。そのようなリスクを賢く回避しながら、「感性の復権」を「文化的コモンズの形成」という社会哲学的課題と結びつける必要があります。

　日本の現代社会の問題に引きつけて考えてみましょう。わたしは1995年、阪神・淡路大震災で被災し、その後、アートマネジメントの分野から、神戸の文化的復興にかかわってきました。その経験から注目しているのは、東日本大震災以後、コミュニティの再生がどのように行われてきたかです。コミュニティの再生にとって、芸術文化がどのような役割を果たしているのか。そこから、アートマネジメントの課題はどのようなものかを考えています。

　東日本大震災以後の日本で急速に浮上してきた問題が3つあります。1つ目は「シュリンキング」、縮小する社会の問題で、これは地方のコミュニティに顕著に現れています。2つ目は「ジェントリフィケーション」、大都市のある地区が、再開発をきっかけに急速に富裕化する現象です。縮小化と富裕化が同時に起きることによって格差社会がどんどん拡大していく。その構造を的確にとらえ、適切に対応しなければ、日本の社会は非常に不安定なものになってしまうでしょう。3つ目は「復興災害」ですが、これについては講義12で論じます。

　いま日本のアートマネジメントにおいて注目されているキーワードがあります。「文化的コモンズ」です。震災後における公立文化施設の役割を調査した一般財団法人地域創造の報告書にも「文化的コモンズの形成に向けて」というタイトルがつけられています。わたしはこの報告書の提言に注目してきました。「文化的コモンズ」とは、地域の共同体の誰もが自由に参加できる入会地のような文化的営みのことです。つまり共同の文化的ネットワークやクラスターを意味しています。提言にはこうあります。

　　東日本大震災の後、誰もが文化的な機会を享受し、その経験を他者と
　共有できる場の重要性を認識したのは被災地だけではない。そうした場
　は、地域の多様な文化的営みを共有し、分かち合える「文化的コモンズ
　（共同利用地）」の形成によって成立する。
　　公立文化施設は、文化的なつながりを求めて人々が集まり、地域の記
　憶と共感の装置として機能する文化拠点を目指し、地域で継承されてき

た伝統芸能やお祭り、文化団体やアートNPOなど、様々な文化の担い手とも手を結び、文化的コモンズの形成を牽引する役割を担うべきである。

　以上の提言から明らかなように「文化的コモンズ」を形成する主体は、公立文化施設だけではありません。図1にあるように、文化団体、NPO、まちづくり団体、図書館、公民館、自治会、商店街、地場産業、お祭り、地域伝統芸能、神社仏閣などがその主体です。文化的コモンズを形成する主体は、文化施設だけでなくさまざまな場所や組織や活動なのです。

　文化的コモンズの形成にとって、公立（公共）文化施設に求められるのは、地域における「文化拠点」としての役割です。文化拠点に必要なのは、地域の内と外の営みをつなぎ、また地域コミュニティとテーマコミュニティをつなぐプラットフォームとしての機能です。文化的コモンズを形成する文化的拠点が、他の領域・他の地域のさまざまなコモンズと双方向的で水平的なネットワークを形成する。そのような異なる方向への相互乗り入れが可能なプラットフォームが求められています。

　これからの日本では、劇場や音楽堂や美術館のような文化施設は、芸術鑑

図1 文化的コモンズの
　　イメージ図

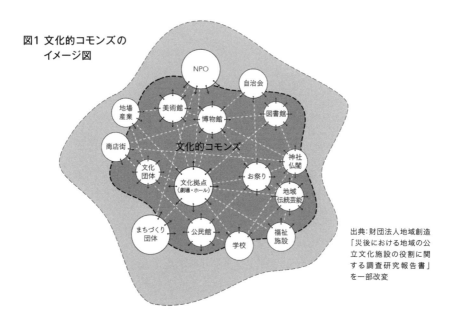

出典：財団法人地域創造
「災後における地域の公
立文化施設の役割に関
する調査研究報告書」
を一部改変

164

賞の場に尽きるものではありません。文化的コモンズを形成する拠点、すなわちプラットフォームとなる必要がある。この点こそ、東日本大震災の経験を通して、わたしたちが痛感したことです。アートマネジメントの主要な課題は「地産地育による文化的コモンズの形成」にあるのです。

広報マーケティングの功罪

しかし現実は、そうなってはいません。繰り返しになりますが、消費社会では、文化は商品としてお金で買われ、交換され、使い捨てにされます。他者とのコミュニケーションを通じて自分の内面を耕し豊かにするメディアではありません。文化は、市場経済に巻き込まれると大きく歪んでしまいます。文化の価値は、経済に従属しても、また国家に従属しても、深く損なわれてしまうのです。そこで芸術文化を、市場原理からも、また国家や行政の管理からも干渉されない自由な領域に解き放つ必要が出てきます。いったいどのようにすれば、「自由な文化」が可能となるのでしょうか。絵に描いた餅にすぎないのでしょうか。じつは、ここにこそわたしが考え、また実践してきたアートマネジメントの本質的な意義があります。

アートマネジメントとは「アートと社会の橋渡し」と呼ばれています。ここで大切なのは、社会の側がアートに求めているニーズを掘り起こすことです。ニーズとは、社会にとって欠けていてはならない事柄、人間にとって不可欠な欲求です。それは消費社会のデマンドとは根本的に異なります。デマンドとは、消費をいたずらにあおり立てて、不必要なものまで買わせてしまう誘惑、幻惑です。スペクタクルです。アートマネジメントの原則は、その非営利性にあります。消費社会の罠にはまらないように、人びとの主体性と美感的判断力を、ともに磨いていくことがアートマネジメントのミッションです。

とはいえ現場は火の車ですね。みなさんが痛感されているように、美談で済むような生易しい業界ではありません。わたしが身を削る日々の実践を通じて痛感してきたことは、消費社会の発生装置である「広報マーケティング」という怪物の有害性です。アートマネジメントにとって広報マーケティングがいかに大切かは、もちろん熟知しています。しかしここでは、そのマイナス面に、あ

えて着目したいと思います。諸刃の剣だからです。メディアは「第三の権力」と呼ばれていますが、「広報マーケティング」という権力は、その幻惑する力、マインドコントロールの浸透力という点で、資本主義社会の最強のイデオロギーかもしれません。なぜ有害なのでしょうか。

消費社会では、「本物」と「まがい物」との違いを的確に判断する批評能力が著しく衰退しています。本当に卓越した物が、まがい物の背後に隠されてしまい、質的な違いを見分けること、聴き分けることが困難になっています。実は「本物」という言葉は、アカデミズムの世界ではできるだけ使わないほうが無難です。しかしわたしはあえて、自分の実感を込めて「本物」という言葉を使いたいと思います。「これこそが本物だ」という衝撃に、しばしば襲われてきたからです。

わたしたち一人ひとりが感性を研ぎすませ、共通感覚が開かれるならば、ひとは誰でも本物と出合い、深い感動を覚えるはずなのです。はからずも、純粋に美的なものに直撃された行政や企業の重要人物が、文化政策を最善の方向へと舵取りする場面に、わたしは何度も遭遇しました。本物の美的経験が公共性を開くからです。

ところが消費社会は、本物とまがい物の質的な違いを判断できない人であふれています。スノビズムが蔓延しています。美的なものに深く心をつき動かされたことのない人たちが、文化の分野でビジネスを始めるとしたら、いったいどのようなことになるでしょうか。「広報マーケティング」という営利戦略で頭の中がいっぱいの人たちが、文化を道具にしてビジネスを展開しようとする。それは文化のプロモーター、とりわけ広告代理店が得意とするマジックです。

まがい物でも本物のように見せかけて知名度をアップする。知名度と実力には、多くの場合ギャップがあるのですが、その質的な違いを判断できる「感性の共同体」が衰退しているのです。消費社会においては、多くの人びとの感性が曇らされ、共通感覚が麻痺させられています。一点の曇りもない美的直観は、現代社会から失われてしまったのでしょうか。

地方創生と文化的植民地化

　「地方創生戦略」が叫ばれて久しいですが、全国各地で同じことが繰り返されています。プロポーザルの段階から広告代理店が入り込んでいますので、3年間の継続事業であったとしても、そのプロジェクトに市民・住民が主体的に参画し、文化的自己決定能力を涵養し、発揮する機会は最初から奪われているのです。行政も市民も民間企業の従順なクライアントにすぎません。

　振り返れば、1970年の大阪万博を契機に、広告代理店が文化帝国主義のように肥大化しました。神戸ポートピア博の成功を嚆矢に、地方博ブームを通じて全国に東京発信のイベント文化が浸透していったのでした。

　政治と財界とメディアが結託して国家的プロジェクトの「共同幻想」をばらまいています。子どもや孫の世代には巨大な負債が残されるでしょう。恐るべきモラルハザードです。自然との共生、多民族・多文化との共生と並んで、次世代との共生、つまり持続可能な社会の仕組みをつくることが成熟した大人たちの責務です。真の芸術こそが、そのためのラディカルな機縁となるはずです。媚びないアートは、現代社会とそのイベント文化の腐敗を白日のもとに曝け出してくれます。わたしたちはその真実を直視し、未来の日本と社会がどうあるべきかをねばり強く議論し、ともにデザインしてゆくべきなのです。

　しかし「世界は病院である」ことに目覚めている大人たちは、ほとんどいません。大阪万博の半世紀前と現代では、世界史における日本のステージは大きく構造変化しているのです。その歴史的位相の違いを直観する感性が麻痺し、理性的思考が停止しています。この点では、国家的プロジェクトも地方創生戦略も同断です。

　最大の問題は何でしょうか。「地方創生」の名のもとで、かえって地域が自立できにくくなる仕組みが巧妙につくられていることです。税金が霞が関を通って地方を潤わすように見せかけながら、結局は東京資本に回収される仕掛け。これによって地方は文化的にも植民地化されていく。地域主権のための自己決定能力、つまり市民自治が生まれにくい環境がつくられていくのです。

　本物の文化を受け継ぎ、本物の文化で世界をつなぎ、地域や社会階層を超えて広めることが、じつに難しい時代となってしまいました。消費社会の発

生装置である「広報マーケティング」という怪物が行く手を阻んでいるからです。それは本物とは何の関係もないスペクタクルです。巨大な風車に立ち向かうドン・キホーテと呼ばれようとも、しかし希望を捨てていません。アートマネジメントは美と感性で結ばれた共同体を紡ぎ出す地道な作業です。美と感性によるインターフェイスが、そのつど鮮烈な出合いと深い感動をもたらしてくれる。長い労苦が報われる瞬間が、奇跡のようにやってくるからです。

アートリテラシーと情操教育

　ところで、わたしは「感性の復権」のために、アートマネジメントの中でも「アートリテラシー」の普及・開発に腐心してきました。これは従来「情操教育」と言われてきたものとつながっているように思われます。しかし「情操」とは何を意味するのでしょうか。『日本大百科全書（小学館）』には次のようにあります。

> 　道徳、宗教、芸術、学問など社会的価値をもった感情の複合という意味でとらえられる場合。絵画や音楽を鑑賞するとき、情動のようなはっきりしたものではなく、なんとなく心が洗われるとか、身が引き締まるとかいう感じになることがある。このような漠然とした、いくつかの感情が複合したような状態をいう。この情操を身に備えた人間は、社会的価値のうえで高く評価される。一般にいわれている情操教育の情操というのは、この意味で用いられていることが多い。

　また『大辞林』にはこうあります。「最も複雑で、高次の感情。感情の中で、最も安定した形をとり、知的作用・価値を伴う。美的・道徳的・知的・宗教的の四つに分けられる。〔西周訳「奚般氏心理学-下」（1879年）に英語sentiment や feeling、ドイツ語 Gefühl の訳語としてある〕」
　情操という言葉のルーツを調べているうちに、ドイツの教育哲学者ヨハン・フリードリヒ・ヘルバルトの著作と出合いました。ヘルバルトは19世紀の初めに『世界の美的表現―教育の中心的任務としての―』という小著を発表しました。それを読むと、情操教育が人間性の形成にとって不可欠のものであること。そ

して、子どもがいかにして打算的なものの見方から解放され、真の自由を自発的に獲得していくかが、生き生きと叙述されています。長くなりますが、貴重な記述ですので引用いたします。

　子どもがほんとうに自由になるか、ならないか、またどの程度まで自由となるかどうか、いいかえれば、彼が何よりもまず利己主義の打算に専心するか、それとも自分を取り巻く世界の美的 - 感性的理解に専心するかどうか、それはこれまで心理的偶然に左右されていた。しかしこの偶然は偶然のままとどまっていてはならない。教師は、もし自分が正しく適切に着手するなら、心の自由な態度が、世知にたけた悪賢さによってではなく、純粋な実践的思慮によって法則を受けいれるように、世界の美的 - 感性的表現によって、子どもによる世界の美的 - 感性的理解を早い時期から強くじゅうぶんに決定することができる、と前提してかかる勇気をもつべきである。(中略)
　ところで、世界の一般的・美的 - 感性的表現はどのように構想されなければならないか。(中略)
　それは、趣味判断が順次にあいついで出てくるよう、変形の手を加えることのないように注意せよということである。つまり、趣味判断の間のあつれきを否定することのないように注意せよということである。

　ここでの趣味判断というのは、感性を通して対象から受け取った表象を、主体つまり自分にとって快適なものであるか、不快なものであるかという感情と結びつけて識別する能力のことです。もちろん趣味判断は、あくまでも主観的なものです。子どもが自由を獲得するプロセスは、趣味判断の試行錯誤の繰り返しですが、そのさいに教師は子どもの趣味判断に介入すべきではない。そもそも美的なものの判断力は自分で身に付けるしかありません。
　コンクールは別として、芸術とスポーツとの決定的な違いは何でしょうか。芸術表現には勝敗がありません。芸術は数値で競うことができません。わたしたちは芸術の卓越性について、つまり、どちらがより美しいか、より優れているかについて、一定の合意を要求することはできます。そのことをめぐって批

評し、議論することは大切なことです。

　しかし、教師であろうと権威のある評論家であろうと、芸術の判断に対して客観的な尺度を押し付けることはできません。芸術には「正解」はありません。答え合わせもできません。芸術の本質は、その多様性と自由にあるからです。ですから、子どもが自由な主体性を自分で形成してゆくために、教師が取るべき態度は一種の放任主義がよいのです。「美的‐感性的な世界の表現」は、道徳的行為を命令し強制するのでも、知識を暗記させるのでもありません。

美感的判断力の自発的形成

　それでは子どもたちは、どのようにして当事者意識を獲得し、物事にコミットメントし、責任感を身につけて行動するようになるのでしょうか。ヘルバルトの考えを要約してみましょう。

　「美的必然性の特徴は、ぜんぜん証明を加えることなく、しかも強制することもない。しかし子どもは、この美的必然性だけを手がかりに、いったいどのようにして、世界について何かを自分の前で見出し、判断し、そして行動に移すようになるのだろうか。子ども時代にどうしても得なければならないのは、子どもが自分の体力、健康、欲望からの自由、そして内的な態度に確信をもつようになると、そのときそのときの理解のなかで鋭く注意された現象の全部に集中することにより、世界の事物や事象の間にあって、自分がなんのかかわりもないよそ者であるかのように感じることがないようになることである」

　このようにヘルバルトは、子ども自身の当事者意識やコミットメント、そして責任感の涵養を前提としたうえで、以下のように自由への道筋を示唆しています。

　「そこで、子どもの集中された思慮は、あらゆる関係を理解し、ばかげたことと当を得たこととの間の対照は、彼のふるまいと同じく、彼の判断をもまた容易に規定するようになろう。さらにこの当を得たものと並んで、尊敬すべきものと恥じるべきもの、すなわち、誠意や忠実、いつわりや裏切りに気づくようになる。実際に見習う心をもってさえいれば、もともと彼の心は同情にあふれ、他人の苦悩や希望の底深くはいりこむ感覚にあふれている。したがってまた、子どもは美しい心や善を知り、評価する、そういう深い思慮へと心を向けるよ

うになる。

　このような理解や判断から、今度は、彼は自分自身に対して法則を掲げ、この法則に従う義務を自分に課すだろう。なぜなら、もしこれに従わないとしたら、自分をはずかしめる以外の何もできないからである。それゆえ、彼は従おうと望み、そして従うことができるはずである。この場合、君たちはさらに力をこめてもう一度、彼が自由であると呼ぶだろう。当然、このことばの最も高貴な意味において」

　このように、子どもたちは、自分の趣味判断にしたがって自由に感じ、比較し、考量することを繰り返すなかで、おのずから道徳法則を編み出し、それに従うようになるのです。他者（権力）から命令され、与えられるのではなく、内面の法則によって自己を律していく自己立法が、自由の本質となり、自由な人格が形成されます。「徳は人格において確立され、現実性へと発展した内的自由の理念である」。これがヘルバルトのめざした教育の目標でした。

感性の共同体と文化政策

　さて、このような美的 - 感性的な人格形成は、時代を超えて普遍的に当てはまる真理です。そして純粋な美的経験が、心と心をつないでいるのです。オリンピックによる国家レベル、広告代理店レベルの交流よりも、もっと大切なものを、わたしたちは繰り返し噛み締めています。国家権力や経済的競争（狂騒）社会とは別の、コミュニティに根ざした市民的でグローカルな交流が、これからの先進国の課題です。

　さまざまな地域・民族・文化のパッチワークやモザイクを思い浮かべてみましょう。1つひとつの図柄を丁寧に縫い合わせ組み合わせて、世界をつなげていくことの大切さが身にしみます。というのも、1つひとつの図柄そのものが、長い伝統とさまざまな交流のなかで紡ぎ上げられた、かけがえのない個性を刻み付けているからです。けっして「日の丸」のような画一的な色彩に染め上げられてはなりません。

　色とりどりの文化を縫い合わせ、組み合わせる作業には、画一的なマニュアルはありません。それはお針子のような手仕事（メチエ）です。それぞれの手

業が必要です。1人ひとりの創意工夫が活かされ、1つひとつが丁寧に仕上げられていきます。それは競争ではなく「共創」です。共通感覚を根っ子としたつながりを通して、さまざまな違いを活かしたまま、多くの人々の共感と合意が形成される。命令されることも強制されることもなく、「感性の共同体」が形成されるのです。あらゆる面で分断されてしまった現代の社会と世界を手業によってつなぎ直すこと。そこに、コミュニティと世界を美と感性を通して人間化する文化政策、そして現場実践としてのアートマネジメントの意義があります。

　ところで文化政策とは何でしょうか。そもそも政策、いや政治とは何なのでしょうか。それはパワーゲームなのでしょうか。国益や利害の駆け引きなのでしょうか。芸術は政治と絶縁すべきなのでしょうか。そうではないと思います。わたしは美的経験の只中から政治の本質とは何かを自問してきました。政治とは、さまざまな社会的・文化的背景をもつ人たち、異なった考え方をもつ人たちが共に生きられる場、それぞれの潜在能力を発揮できるように、相互に高め合えるような共同体を創る営みです。そのためには、他者の立場にたってものを考える幅の広い視野が必要なのです。

　この点について、本講義の最後にじっくり考えてみたいと思います。ここでわたしは、本来の政治と、美的 - 感性的認識との深い関係をとらえるために、少し回り道をしたいと思います。「社会的なもの」とは何か。そして「ホスピタリティ」とは何かという観点から、政治的なものの本質をとらえ直してみたいのです。

社会的なものと歓待

　社会とは、複数存在している人間たちがコミュニケーションしている状態です。そのコミュニケーションは、まずは言葉による交通、つまり意思疎通の状態です。しかしながら人間が言葉を用いてコミュニケーションできるためには、その前に身体的に生きることが可能でなければならない。身体を維持する生存活動は、労働の生産物によって衣食住を確保する行為です。ただし衣食住のすべてにわたって労働の生産物を一人でつくり出すこと、つまり単独者による完全な自給自足は不可能です。人間は他人の労働の成果に依存しなけれ

ば生存できない。そこで労働の生産物を相互に交換する行為が必要となります。これは言葉によらない物質的な交通です（今村仁司『交易する人間』）。

　それでは「社会的」socialと「社会」societyとはどのような関係にあるのでしょうか。socialという形容詞は、societyという名詞よりも古いのです。それだけではありません。「socialなもの」とは社会を形成する働きです。ですから「socialなもの」を基礎として、はじめて社会societyが可能となるのです。それでは、socialにはもともと、どのような意味があったのでしょうか。

　現在のドイツ語でも「エア イスト ゾチアール Er ist sozial」という言い回しがよく聞かれます。「やつは気前がいい、太っ腹だ」、つまり「人間味があるやつだ」という意味です。「ゾチアーレス ケーニヒトゥーム soziales Königtum」という言葉もあります。「社会的王権」ではわけがわからない。王様が気前よく、人民に大盤振る舞いしてくれることを意味します。

　歴史を遡ると、socialには「他人に対して親切である」という意味がありました。狭い意味では、同じ組織のなかの仲間に親切であること、とくに寡婦や孤児に手を差し伸べることを意味しました。しかしもっと広い意味では、見知らぬ人を仲間として扱うことも意味した。とくに遠方からの客人に対して宿や食事を提供する気前のよさがsocialの意味でした。それは対価や見返りを求めない贈り物の慣習です。socialとは人類の歴史と同じだけ古くからある贈与の慣行であり、hospitalityと同じ意味だったのです。

　経済（活動）のことをドイツ語では「ヴィルツシャフト Wirtschaft」といいます。もともとは「気前よく客をもてなす」という意味でした。「ヴィルト Wirt」は、いまでも旅館や飲食店の主人、つまり客をもてなすホストの意味です。ですからWirtschaftは「社会的なもの das Soziale, social」と同じ意味でした。

　19世紀に入ると資本主義的市場経済がイギリスからドイツへ入ってきます。しかし当時のドイツ人は、そのような新しい経済のシステムとWirtschaft、つまり「気前よく客をもてなすこと」とは相容れないものと感じていました。そこでマルクスも、エコノミーという英語を用いて資本主義市場経済の波を受け止めて、その本質を分析しました。欲望と利害打算と財産の私的所有を原理とする、これまでとは別の社会が形成され始めたのです。この近代市民社会を「欲望の体系」と規定したのはヘーゲルでした。

19世紀の後半になると、ドイツでもWirtschaftが経済の意味に転換します。とはいえビスマルクが世界で初めて、手厚い社会福祉制度を確立したことはよく知られています。国家政策の枠組みでSozialなものを実現したのです。

　戦後（西）ドイツは資本主義陣営の一員となりましたが、アングロ・サクソンの新自由主義には一貫して批判的でした。Sozialなものを大切にする価値観が、行政、企業そして市民社会を貫いてきたからです。右派のキリスト教民主同盟も左派の社会民主党も、ともに「社会的市場経済」Soziale Marktwirtschaftという経済思想を重視してきました。資本よりも人間を大切にする価値観はSozialなものによって育まれてきたのです。Sozialというドイツ人の価値観は、財政学、文化政策、そして現在の移民・難民政策にまで深く浸透しています。

　ホスピタリティhospitalityのことをドイツ語では「ガストフロイントシャフトGastfreundschaft」といいます。見知らぬ者、異邦人や旅人を、ゲストとして喜んでもてなす行為です。そのさいに重要な条件が2つあります。まず、最初から見知らぬ者の身分や名前を問うことはしない。このような場面は、たとえばワーグナーの作品にもたびたび登場します。『オランダ人』、『ローエングリン』、『ワルキューレ』など。異邦人を異邦人のまま、身分や国籍や民族といった属性を超えて、つまり「人間として」もてなすのです。

　もう1つの条件があります。丸腰の状態、つまり武装解除です。この2つの条件のもとで、異邦人は異邦人であるがゆえに客人として招かれ、食事をふるまわれ、歓待される。「客人としての権利Gastrecht」は、近代以前の世界ではいたるところで保証され、通用していたと考えられます。

　じつはここに、socialなものの根源があります。名前も身分も知らぬ完全な他者との出会いは、もちろん不安と危険に満ちたものです。それは地縁血縁による共同体の内部での自然発生的な関係とは別物です。共同体の外部からやってくる異邦人は、自分たちとは敵対している存在かもしれない。完全な他者とは潜在的な敵なのです。それにもかかわらず、あえて異質な人間、異邦人との間に関係を創り出そうとする行為がガストフロイントシャフト（hospitality）「刃を交える前に握手し抱擁する」です。そしてこの異質なもの同士の「関係づけ」こそがsocialなものの起源であり、また本質なのです。

　整理しましょう。「歓待」とは潜在的な敵である異邦人を、丸腰の人間として

もてなす行為です。つまり、「敵」を「友」へと変換するはたらきが「歓待」なのです。もしホストがゲストを歓待しなかったとすればどうなるでしょうか。潜在的な敵対性が現実のものとなり、戦闘は避けられないでしょう。現代の世界では、移民・難民を排斥する勢力が急速に台頭してきています。このような不穏な動向が全面戦争に至ることがないように、わたしたちは根源的に考える必要があります。思考停止状態から抜けださなければなりません。

　ここでsocialなもの、hospitalityの本質が大きな示唆を与えてくれます。「歓待」という機能は、潜在的な敵対性を無力化するからです。敵対する関係性を解消し、異質なもの同士を結びつける社会的な絆、それがsocialなものです。そして現代社会を支配している実利、功利主義、効率性、すなわち利害打算の競争原理ではない世界のあり方、カジノ資本主義とは別の、本来の社会的な形成力に改めて注目する必要があります。このとき、とりわけ芸術文化による国際交流の重要性が浮かび上がってくるでしょう。

感性の共同体としての文化的コモンズ

　エゴを超えて他者の立場にたって共通の利益、つまりコモンズを形成するためには、豊かなイマジネーションが不可欠です。その想像力を養ってくれるのは芸術です。純粋な美的経験の只中で、私たちは利害打算を超えた、とても清々しい心持ちになるでしょう。世の中のあらゆる諍いが愚かなことに思われてきます。

　美的経験をもとに、わたしたちは物事を公平・公正に判断できるようになる。美感的判断力は、本来の政治的判断力が育まれる母胎なのです。ですから、私利私欲を超えて、他者の立場に自分の身を置き換えて、幅広い視野から世界全体の秩序と平和を構想すること、その意味で国民ではなく世界市民として生き、行動すること、それこそが政治の本質でしょう。

　わたしたちは、純粋な美的経験から出発する必要があります。愚かなパワーゲームに明け暮れるのではなく、公平・公正な政治的判断力を身につけるためには、さまざまな美的経験を通じて豊かな感性を育むことが大切です。これは空理空論でもユートピアでもありません。わたしたちはこのような価値観

を深く共有して、アートマネジメントによる新しい市民社会づくりにチャレンジしたいと思うのです。わたしたちはみな、深く豊かな美的経験を共有しているからこそ確信をもって、公平・公正に行動できる。芸術文化が公共性を開き、じわじわと社会を変えていけることに手応えを感じることでしょう。それは共通感覚にもとづく「感性の共同体」です。

　けれども、その成果が現れてくるには、やはり長い時間がかかります。しかし、ローカルの大地に根ざした文化的コモンズは、確実に世界とつながっています。色とりどりの文化を縫い合わせる作業には、画一的なマニュアルはありません。それはお針子のような手仕事です。そこには1人ひとりの創意工夫が活かされ、1つひとつが丁寧に仕上げられていきます。

　文化とは、慈しみ保存する愛情のこもった気遣いなのです。文化政策とアートマネジメントが現代の世界を変えられるかどうか。その成否は、この愛情のこもった気遣いが、文化的コモンズを色とりどりに紡ぎ上げることができるかどうかにかかっています。文化は多様性によって生きのびるからです。

◎参考文献

- ハンナ・アーレント（斎藤他訳, 1994）「文化の危機―その社会的・政治的意義」『過去と未来の間』みすず書房
- 今村仁司（2016）『交易する人間　贈与と交換の人間学』講談社学術文庫
- ヨハン・フリードヒリ・ヘルバルト（高久清吉訳, 1972）『世界の美的表現―教育の中心的任務としての―』明治図書
- 藤野一夫（2021）「ドイツの文化政策における社会文化の位置と刷新」、大関／藤野／吉田編『市民がつくる社会文化 ドイツの理念・運動・政策』水曜社

10 講義 都市コモンズの悲劇を超えて

文化的コモンズの定義

　講義9で述べたように、「文化的コモンズ」は地域社会のさまざまな分野や主体と連携することによって、地域の文化的な資源や人材やノウハウ等を互いに共有し活用していく、共同体の1つのモデルです。公共ホール、自治体など、それぞれの立場が、地域をつなぐプラットフォームとなるために「文化的コモンズ」の発想を、どのように活かすことができるのでしょうか。

　「文化的コモンズ」というのはいったい何なのかを、ここ数年考えてきました。文化的コモンズというキャッチフレーズはすごくいい。広めていくのに非常に有効だなと基本的には思っています。ただ、いろいろ考えていくと、やはりよくわからないところとか、もう少し掘り下げなければならないところもある。まずは地域創造の提言をもう一度確認しておきましょう。

　「東日本大震災の後、誰もが文化的機会を享受し、その経験を他者と共有できる場の重要性を認識したのは被災地だけではない。そうした場は、地域の多様な文化的悩みを共有し、分かち合える「文化的コモンズ（共同利用地）」の形成によって成立する」

　もう1つは、「公立文化施設は、文化的なつながりを求めて人々が集まり」、「地域の記憶と共感の装置として機能する文化拠点を目指し、地域で継承されてきた伝統芸能やお祭り、文化団体やアートNPOなど、様々な文化の担い手とも手を結び、文化的コモンズの形成を牽引する役目を担うべきである」。

　このような提言を受けて、わたしは2年間、地域創造の研究員として調査させていただきました。文化的コモンズの形成を実際に推進していくコーディネーターはいったいどこに存在するのだろうか。あるいは、どういったところが

足りないのか。そのような観点から全国調査し、地域における文化芸術活動を担う人材育成等に関する調査研究の報告書を作成いたしました。『文化的コモンズが、新時代の地域を創造する』という大胆なタイトルで公開されています。

　まず提言の1ですが、「地域活力の創出のためには自治基盤の形成に向けた文化的コモンズが必要である」と述べております。地域のガバナンスをどうやって形成していくかというのは難しい。ただ単に行政がトップダウンでやるというのではなく、地域の市民たちの自治や自発性とどう協働していくかが重要です。そこで「自治基盤の形成」という言葉を入れました。

　「文化・芸術には地域の活力を創出し、自治の基盤をつくっていく力がある。この文化的営みの総体こそ、文化的コモンズだ」。

　ここで少し文化的コモンズの定義が深まってきました。「地方自治体の行政や文化・芸術の拠点である公立文化施設は、文化的コモンズを形成する役割を担うという視点に立って、文化に係る政策形成や文化施設の運営に積極的に取り組むべきである」。

　そもそも文化的コモンズは何か、ここのところを後で深掘りしたいと思います。「英語の（common）という言葉には、『共通の、公の、公共の』といった形容詞としての意味があり、複数形の（commons）は、『共有地、公共緑地（広場・公園など）』などといった意味の名詞でもある」と、述べられています。

　日本では地域の共同体が共同で森林や水源を管理する。これを入会地と呼んできました。これは英語のcommonsに相当するものです。その次の説明ですが、ここはちょっと引っかかっているところです。「本提言では、地域の共同体の誰もが自由に参加できる入会地のような文化的営みの総体を『文化的コモンズ』と表している」という部分です。のちほど検討したいと思います。

　さて、文化的コモンズを形成するにあたって、行政と文化拠点、つまり劇場とか公共ホールなどはどういう意味をもっているのか、ということが書かれています。まず、行政は何をすべきか。「『行政』は文化に係る諸施策を進めるに当たって、文化的コモンズの形成を文化振興施策の目的に位置づけながら、事業の企画、調整、実施をするべきである」。

　次に文化拠点の役割です。公立ホールであるとか劇場はどうかというと、「単に公演事業を企画、実施するだけでなく、文化的コモンズの形成をミッション

の1つとして、諸事業を進めることが求められる」という努力義務が書かれています。そして文化的コモンズの形成にあたっては、「住民の自主的な係わりが必要不可欠であり、『行政』や『文化拠点』は、このことを十分に認識して支援の環境を形成すべきである」と述べられています。

コーディネーターの役割

以上のように、3つの観点から努力目標が書かれています。その次に、人材育成に焦点を当てました。行政や文化拠点の運営に当たるのは、実際には生身の人なわけですね。その人びとが文化的コモンズを形成している。したがって、そうした人材の育成・確保が極めて重要です。地域創造の研究会では、そこを中心に考えていきました。それを「コーディネーター」と呼びました。

提言の2では、人材育成のなかでもとくにコーディネーターの育成に焦点を絞って提言がなされています。文化的コモンズを形成するには、それを担う人材が必要であり、とくに各々の組織内をつなぎ、また組織外とつなぐコーディネーターが重要である。まずは組織内をつなぐことが重要です。次に、組織と組織の外のさまざまなアクターとをつなぐコーディネーターが必要となる。行政と文化拠点は、地域におけるさまざまな担い手と連携しながらコーディネーターを育成・確保する必要があります。また同時に、コーディネーターが活躍できる環境を整備する必要がある。これが提言の2です。

その次に、文化的コモンズの形成を担う人材の育成・確保のためにどういうことが必要でしょうか。とくに、地域におけるさまざまな担い手には、地域の人々を巻き込み、さまざまな文化活動を企画・調整・維持することが求められる。行政と文化拠点は、こうした人材を見つけ連携し支援して、その活動を促進することが重要である、と。ここをどうにか創意工夫して実現できるようにしたいと、わたしは考えています。

整理しましょう。コーディネーターはまず自分が属する組織についてコーディネートする必要がある。セクションごと、部とか課ごとに縦割りになっているわけですけれども、全体を把握している人がいない、横のつながりがない。このようなことは、組織が大きくなればなるほど起こりやすいのです。ですから、自

分の組織内をきちんとコーディネートする、いわば遊軍のような存在が必要に
なってくるのではないかと思います。

　2番目に、コーディネーターは自分が属する組織以外の人たちについてコー
ディネートする必要がある。自分の属する組織以外の主体と話し合い、コンセ
ンサスを得て事業を企画・調整・実施する。たとえば、商店街の会長さんであ
るとか、自治体や婦人会の人とか、あるいは図書館長であるとか、NPOの人
とか、いろんな人と出会って事業を企画し、調整することが求められます。

　ところで、コーディネーターの資質とはどのようなものでしょうか。コミュニ
ケーション能力とかマネジメント力、現場力、周囲を巻き込む力、芸術文化の
社会的役割を伝える力、この5つがコーディネーターの資質として求められて
いるのですが、これらをまんべんなく満たせる人を見つけるのは大変だし、そ
れを養成するのも時間がかかることだと思います。ですから、地域創造の研
究会の報告書に書かれていることは理想論に近いのですけれども、とにかく
コーディネーターをどうやって見つけ出し、あるいは育成するかが大きな課題
です。

　実際にはさまざまなところでコーディネーターとして活躍している人はいるは
ずです。ただしその場所によって、また条件によって、コーディネーターにはい
ろんなタイプがある。ですから、コーディネーターのお手本を示すのは実に難
しいのです。

　3番目の課題ですが、コーディネーターに負担がかかりすぎてしまうことです。
何でもかんでもコーディネーターに投げ込まれてしまう実態があります。コー
ディネーターが組織の中で孤立し、過剰な負担を背負ってしまうことがある。
そのような現状も、実際に生の声としてたくさん出てきました。

　4番目の課題ですが、行政の場合、公務員は3年とか4年で異動してしまい
ますので、行政職員がコーディネーターとしての役割を担うのは難しいのでは
ないか。他方では、財団の固有職員の場合にも課題があります。文化施設の
専門職員がコーディネーターとして活躍できるにはどうしたらよいのでしょうか。

　一定の専門的な知識と経験が必要なのですが、1つの文化拠点にとどまっ
てしまう場合には、長所と短所があります。特定の文化施設に定着してしまうと、
その中の組織文化だけに慣れてルーティン化し、経験を積みにくくなってしま

うという側面がある。しかし他方では、1つの施設で長年専門的な知識や経験を積むことも重要です。これは表裏一体の、非常に矛盾に満ちた関係である、ということが研究会で議論されました。このように、文化的コモンズを担っていくコーディネーターの育成は、実に重要な課題ではあるけれども、なかなか難しいという現実があるのです。

文化的コモンズ再考

ここで、文化的コモンズはいったい何なのかいうことを、もう一度考えてみたいと思います。先に「地域の共同体の誰もが自由に参加できる入会地のような文化的営みの総体である」と定義しました。地域共同体をコミュニティと言い換えると、コミュニティの一員であれば誰でもアクセスフリーなのか、オープンスペースなのかという問題がでてきます。これが第1の問いです。

反対から見ると、コミュニティに帰属しない外者は、コモンズへのアクセスを拒否もしくは制限されてしまうのだろうか。ここも矛盾に満ちた関係ですね。これが第2の問いです。地域コミュニティではなく、「テーマコミュニティ」の問題があります。簡単に言えば同好会ですが、そのメンバーシップの条件と地域コミュニティのメンバーシップの条件にはいったい違いがあるのかどうか。これが第3の問いです。

さらに第4の問いですが、誰がそのコモンズを管理し維持していくのか。つまりガバナンスの主体の問題です。どのような形がふさわしいのか。あるいは現状としてどのような形があり、そして先ほど出てきたコーディネーターはどのような役割を果たすべきなのか。最後に第5の問いですが、文化的コモンズというのはいったいスペースなのでしょうか。空間のように見えるけれども、スペースなのか、それとも関係性、ネットワークとかプラットフォームと呼ばれているものと同じなのかという問いです。

この間、社会関係資本、「ソーシャルキャピタル」ということが言われてきましたけれども、たとえば信頼関係で結び付くような資源があります。そういったものとコモンズはどこが違うのでしょうか。また、地域創造の報告書では、もちろん地方都市も扱っているのですが、どうしても都市型のコモンズをイメージ

しがちです。けれども、農村部ではどうなのか。エコロジー的、生態学的観点はどうなのか。さらに、景観をどうやって形成するかという、景観形成のような視点も、コモンズを考えるさいには必要だったのではないでしょうか。

「社」と文化

　文化的コモンズについての理論とその実際にはさまざまな議論があります。あとで詳しく紹介しますが、デヴィッド・ハーヴェイという世界的に活動する社会学者は、著書『反乱する都市』の中で「コモンズは不安定で可変的な社会関係である」と述べています。それでは、コモンズが生まれる仕掛けとか仕組み、あるいはアクター、エージェントはいったいどうなっているのでしょうか。

　宇沢弘文が『社会的共通資本』(岩波新書)という本を書いています。宇沢は「社会的共通資本」として農村を取り上げています。これはわたしたちにはなかった視点ですが、非常に重要だと思います。一国の社会的、文化的水準を高く維持し続けるためには、農村で育った若者の人数が常に一定の水準にあって、都市で生まれ育った若者と絶えず接触する。そのことによって、すぐれた文化的、人間的な社会をつくりだすことが必要なのだ、と述べています。

　宇沢の考え方の根本には、宮沢賢治の『農民芸術概論要綱』があったのではないでしょうか。というのも賢治は「農民芸術の本質」という小見出しで「何がわれらの芸術の心臓をなすものであるのか」と問うていたからです。

　　もとより農民芸術も美を本質とするであろう
　　われらは新たな美を創る　美学は絶えず移動する
　　「美」の語さへ滅するまでに　それは果てなく拡がるであろう
　　岐路と邪路とをわれらは警めねばならぬ
　　農民芸術とは宇宙感情の　地人　個性と通ずる具体的な表現である
　　それは直観と情緒との内的経験を素材としたる無意識或いは有意の創造である
　　そは常に実生活を肯定しこれを一層深化し高くせんとする
　　そは人生と自然とを不断の芸術写真として尽くることなき詩歌とし

巨大な演劇舞踊として観照享受することを教へる
　　そは人々の精神を交通せしめ　その感情を社会化し遂に一切を究竟地に
　　まで導かんとする
　　かくてわれらの芸術は新興文化の基礎である

　このように賢治は、農民芸術が新興文化の基礎を創り出し、人々の精神的
な交流を通して、その感情を社会化する、と述べていました。宇沢は、農業で
育った若者と都会育ちの若者との交流が、すぐれた文化的、人間的な社会を
つくりだすと論じています。

　しかし現実はどうでしょうか。資本主義的な経済制度の下では、工業と農
業の間の生産的格差は拡大する一方です。市場的な効率性を基準として資
源配分がなされるとするならば、農村の規模は年々縮小せざるを得ないのが
現状です。

　さらに今日のグローバル経済の視点から言うと、市場原理が全面的に適用
されることになる。すると、日本経済は工業に特化されて、農業の比率は極端
に小さくなります。農業は事実上消滅するという結果になりかねない。

　1991年の新規学卒者で農業に従事することを選択した人は、全国でなん
と1,800人しかいなかったことに、宇沢は大きなショックを受けました。では仮
に、農村の適正規模を人口比で20％だとしましょう。そうすると、この人たち
が定着して農業に従事することを自ら選択するような、魅力のある何らかの誘
因が必要なわけです。

　何らかの誘因をつくりだすためには、農村における経済的、社会的、文化
的な環境を整備して農村での生活を魅力的なものにしなければならない。つ
まり、農村を1つの社会的共通資本と考えて、人間的に魅力のあるすぐれた
文化、美しい自然を維持しながら、持続的な発展を続けることのできるコモン
ズを形成する必要があるのです。

　しかし実際には、農業は若者たちにとってはもはや魅力的ではない。その1
つの原因ですが、農村の共同体というのは非常に因習的で閉じられたもので
す。新しい展望がそこでは得られにくい。しかし、この15年ぐらい、地方にお
けるアートプロジェクトが起こってきて、また農村が別の視点から耕されて魅

力的になっているという動きもあります。

　さて、宇沢は「三里塚農社」という組織に言及しています。その「社」の意味が非常に面白いのです。農社の「社」は、コモンズの訳語として最適であると直感しました。社とは元々は土を耕す意味をもっていた。講義9で、ハンナ・アーレントの「文化とは何か」に触れましたが、「コレーレ」というラテン語とほぼ同じ意味なのです。コレーレからカルチャー、ドイツ語で言うとクルトゥーアという言葉が出てきます。

　「耕す」ということ、アグリカルチャーのカルチャーですね。それが耕作の神、さらには土地の神を意味し、それを祀った建築物を指すようになった。社は村の中心となり、村の人たちは社に集まって相談し、重要なことを決めるようになっていった。そして社は人びとの集まり、集団組織を指すようになりました。

　社は農の営みを中心としてつくられた組織であったが、それは次の世代に伝えていかなくてはならない。そして学校、社学がつくられ、先生、社司がそこには必要となった。社司は社に伝承されてきた学問的・技術的・思想的・人間的蓄積を子どもたちの代に伝えるという最高の役割を担っていった。社はまさにコモンズそのものであった、と宇沢は述べています。ではなぜ、社としてのコモンズが崩壊してしまったのでしょうか。

コモンズの悲劇と新自由主義

　しばしば引用される論文に「コモンズの悲劇」と言われるものがあります。生物学者のギャレット・ハーディンという人が1968年にそれを取り上げて有名になりました。共有地、コモンズは必然的にそのキャパシティを超えて、過剰に利用され、再生の能力を失って崩壊せざるを得ない。そのような命題を出したのです。

　そこで具体例としてあがっているのが、共有の牧草地です。その牧草の枯渇が問題になっているのですが、これは漁場であるとか労働市場、さらには人口問題にも当てはまる。ギャレット・ハーディンを支持する人たちは、そのように言っています。

　しかしよく考えてみると、この論文には奇妙な前提があります。牛は私有物

なのだけれども、牧草地はコモンズである、という二律背反の前提から出発している。その結果として矛盾と悲劇が生まれてくるのではないかと思うのですが、そのことをハーディンは見逃しているか、見て見ぬふりをしています。牛が私有物である限り、個人は営利動機に基づいて利益を最大化しようとする。すると牛の数が過剰になって、コモンズに自生する牧草が枯渇してしまう。こうした矛盾が生まれないようにするためには、どうすればよいのでしょうか。

　牛だけを私有物とするのではなくて、牛も牧草もある集団の共有物とすることが考えられるのではないか。しかし、その場合どのような問題が生まれてくるのか。この問題については、「ゲノッセンシャフト」という協同組合の論理で考えていけば解決が可能だと思うのです。規模と対象がある程度まで限定されている場合は、共同出資による協同組合を組織して、そのコモンズを維持管理していくことができる。その考え方の基本には分権主義があります。

　しかし、もしこれが国家レベルでコモンズを管理しようとすると、それは国営企業の形態が必要でしょう。強い国家権力に依存する左右の全体主義、共産主義であるとかファシズムに陥ってしまうことは、歴史が教えています。

　それでは全体主義に陥らない形で、なおかつコモンズの悲劇を回避するためにはどうすればいいのでしょうか。1968年から70年代に出てきた考え方が、市場原理主義や新自由主義という論理へとつながっていきます。共有地制度のもとでは、実際には市場のメカニズムは働かないではないかという批判です。だから、私有化することによって初めてアダム・スミスの言う市場の「神の見えざる手」が働くことができるというのです。

　ここから、いわゆるドナルド・レーガンやマーガレット・サッチャー、中曽根康弘の新自由主義、あるいは民営化論、自己責任論が支配的になっていきました。つまり「共有地の悲劇」を回避するための経済政策が、逆にますます「格差社会」という、さらなる大きな悲劇を生みだしてしまった。この間40年の世界的な動向です。これは「コモンズとは本来どのようなものであるのか」を十分に理解していなかったことが生み出した悲劇ではないか、とわたしは考えています。

　では、コモンズをどのように考えたらよいのでしょうか。「コモンズの概念は元々ある特定の人々の集団、あるいはコミュニティにとって、その生活上もしく

は生存のために重要な役割を果たす希少資源そのもの、あるいはそのような希少資源を生み出すような特定の場所に限定して、その利用に関して特定の規約を決めるような制度を指す」。

これは先ほどの宇沢の本で言われていることです。このようにコモンズと言うときには、特定の場所が確定され、対象となる資源が限定されます。さらにそれを利用する人々の集団あるいはコミュニティが確定され、その利用に関する規則が特定されているような制度を意味します。

文化的コモンズの特性

では、コモンズ一般ではなく「文化的コモンズ」においても、このような制度的縛りはあるのでしょうか。もしあるとしたら、そういった制約・条件への眼差しが、わたしたちの研究には欠けていたのではないか。むしろ「つながる」とか「つなげる」という方向ばかりに目が向いていたのではないか。つまり、コモンズの、ネガティブではないにしても厳しい側面というのを甘く見ていたのではないかという気がします。

しかし、もう一歩考えを深めてみるならば、「文化的コモンズ」というのは、希少資源の保全に依存するような「社会的コモンズ」とは、そもそも性格が違うのではないか。それでは、コモンズの資格を特徴づける重要な性格として、どのようなものがあるのでしょうか。コモンズの管理は、必ずしも国家権力を通じて行われるものではなくて、コモンズを構成する人々の集団ないしコミュニティから、その管理を信託されています。コモンズの統制者は、私有制か国家統制という単純な二者択一の関係ではない。これも宇沢から示唆されたことです。

最後に、先に少し触れたデヴィッド・ハーヴェイの議論をご紹介します。ハーヴェイはこう言っています。「コモンズには自由にアクセスできるものと、そうでないものがある。あらゆる形態が自由にアクセスできるわけではない」。あるコモン、たとえば空気は制限されたら大変ですよね。これは基本的にアクセスが自由であるが、別のコモンにはどのようなものがあるでしょうか。原則としてはアクセス可能であるものの、たとえばPPP（公民連携）方式で再開発されたビ

ジネスパークのように、非常にセキュリティが厳しいコモンもある。あるいは、私的に利用されてしまうようなコモンズもある。さらに、地域住民の組合みたいなものですけれど、50人の農民の共有資源、たとえば水資源の共有は、初めから特定の社会集団に限定されています。

それから、東南アジアに行くと、大都市には必ず「ゲーティッドコミュニティ」があります。アメリカでは典型的ですが、富裕階級がゲートで守られて安全安心に暮らせるようにしている。そして、その周りには、いわゆるスラムが広がっています。凄まじい格差社会の現実に衝撃を受けます。そのゲーティッドコミュニティはどうなのだろう、ということを考えてしまいます。

文化的・知的なコモンズの場合は、それ以外の社会的なコモンズとは性格が違うのではないか。ハーヴェイはこう言っています。「文化的・知的コモンズは、しばしば希少性の論理には従わない。ほとんどの天然資源に適用されるような排他的利用にも強要されない。我々はみな同じラジオ放送やテレビ番組を視聴してもそれらが減るわけではない」。

文化的・知的なコモンズは競合しない場合（非競合性）が多いのです。このようなコモンズの特徴というのは、今日のデジタル化によってさらに飛躍的に拡大し、加速しています。クリエイティブコモンズなどの考え方もある。ただここまでくると、今度は「知的所有権」の問題が出てくるので、これはまた改めて考えていかなければなりません。

ネグリとハートという思想家は、文化をこういう風に定義しています。「コモンズは長い時間を経て築き上げられてきたものであって、原則として文化的・知的なコモンズは万人に開かれている」。これは、先ほど紹介したさまざまな社会集団のメンバーシップによるコモンズとは大きく違います。そこに、わたしたちが「これからの文化的コモンズ」を考えていくための1つの大きなヒントがあるでしょう。

公共財と都市コモンズの関係についても、ハーヴェイは論じています。コモンズは、自分たちでつくっていくものである、と。ですから、都市における公共空間と公共財を共同の目的のために領有しようとする闘争は、実は現在進行形なのです。たとえば2500年前、アテネの神殿の前の広場であるアゴラは、そこの市民たちが声を上げることによって一個の都市コモンズとなっていった

ものです。これは現在にも当てはまる。「市民の行為」としてのコモンズです。コモンズは日々の住民投票といってもよいでしょう。

　整理しましょう。コモンズには3つのケースがあります。1）一個の社会集団に排他的に利用される場合、2）人々に部分的に開放されている場合、3）すべての人に完全に開放されている場合です。いずれにしても、コモンズは集団的で非商品的なものです。牧草地におけるコモンズとは異なるレベルで、わたしたちは「都市コモンズの悲劇」ということを真剣に考えなくてはならない時代におります。また、デジタル化における文化的コモンズについても多面的に考察する必要があります。

　たとえば、自動車が歩行者に優先して往来するようになる以前の昭和30年代を思い浮かべると、道路はしばしばコモンズでもありました。それは人々が交流しあう場であり、子どもたちにとっての遊び場でした。下町の路地裏には、その面影がいまでも残っています。ここ数年かかわってきた神戸・新長田の下町芸術祭での経験は、昭和30年代に子どもだったわたしにとってタイムマシーンのようでした。生まれ育った東京の目黒区原町には、文字どおり原っぱが至る所に残っていました。いまはマンションか時間制の駐車場になっています。児童公園のない時代、路地で遊ぶのは当然でした。車が路地を通過しなければならない時、運転手は徐行どころか、止まって子どもたちを見守ってくれました。

　しかしながら、この種のコモンズは破壊され、自動車の往来に支配される公共空間へと変貌してしまいました。そこで今度は都市行政、都市計画サイドが歩行者天国やオープンカフェ、児童公園などを整備していきました。より文明的なコモンズを人為的に復活させようとしたのです。

　しかし、こうした新たなタイプの都市コモンズを形成しようとする試みは、実にやすやすと金儲けに利用されてしまいます。渋谷の宮下公園がその典型です。新自由主義的な市場原理主義に巻き込まれてしまう。2020年の東京オリンピック開催が金科玉条となって、ホームレスや低所得者層の溜まり場のクリーン作戦が、民間業者の手によって進行してきました。それを認めたのは行政という名の「公共」です。ジェントリフィケーションによる社会的排除の拡大。それが「都市コモンズの悲劇」ということの意味です。アーティストも、悪意の

ないままに、こうした社会的排除に加担してしまうことがあるのです。

　わたし自身、「文化的コモンズ」というキャッチフレーズを気軽に使ってきましたが、その背景にはかなり大きな思想的、社会的な問題があります。いったい「都市は誰のものなのでしょうか」。「コモンズとしての公共性はどこから生まれるでしょうか」。現代社会のさまざまな矛盾がコモンズという概念に内包されていたのです。その点を、少し深く掘りさげて問題提起しました。次の講義11では、この問題をさらに深掘りしてみましょう。

◎参考文献

• 宇沢弘文（2000）『社会的共通資本』岩波新書
• デイヴィット・ハーヴェイ（森田他訳, 2013）『反乱する都市』作品社
• 宮沢賢治「農民芸術概論要綱」（1995）『宮沢賢治全集10』ちくま文庫

創造都市と「都市への権利」の相克
──ケイパビリティ・アプローチから

現代日本の根本問題

　2011年3月11日に起きた東日本大震災は時計の針を一気に十年単位で進めたと言われています。日本社会が抱えているさまざまな問題を一気に顕在化させたからです。講義9で触れましたが、社会構造の点から急速に浮上してきた問題が3つあります。1つは「シュリンキング」。縮小する社会という問題で、これは地方のコミュニティに顕著に現れています。

　2つ目は「ジェントリフィケーション」。大都市のある地区が、再開発をきっかけに急速に富裕化する現象です。日本の社会と経済の「縮小化」と「富裕化」が同時に起きることによって「格差社会」がどんどん拡大しています。その構造を的確にとらえ、適切に対応しなければ、日本の社会と経済を支えてきた中間層は解体し、人々の暮らしと仕事と文化は、ますます不安定なものになるでしょう。

　3つ目は「復興災害」。「災害復興」ではありません。「災害復興」が「復興災害」を生み出す構造です。それは「復興過程における人為的要因によって被災者の生命と生活が脅かされ、被災者が疲弊するという災害である」（池田清『災害資本主義と「復興災害」』水曜社）。わたしは、阪神・淡路大震災の復興過程において「復興災害」を痛感してきましたが、東日本大震災の復興においては「復興災害」の規模が拡大しています。

　「復興災害」は日本社会特有の構造に由来し、日本社会の持続可能性と再生可能性を著しく損ねています。その政治経済的背景は実に根深い。高度成長期以降、日本列島はほぼ画一的に改造されてきました。まちの個性を失った画一的な国土開発、再開発事業が全国に広がっていきました。国土をコン

クリートで強靱化することが、災害列島の安全・安心神話を再生産し続けてきたのです。この国の政治家とテクノクラートの土木アタマは、絶望的なまでに変わっていないのです。

　東日本大震災のあと、400キロに及ぶ防潮堤が建設されました。しかし、これによって遮断された自然と生業と暮らしの生きた関係は、未来永劫にわたって回復されることはないでしょう。もし本気で大災害からのレジリエンス（弾力的回復）に取り組むのであれば、わたしたちは海が見えなくなった場所で暮らすことへの違和感や圧迫感、そして哀しみにたいして、もっと正直になるべきでしょう。

　わたしたちは何百年もの間、それぞれに個性的な文化的景観のなかで暮らしてきました。文化的景観は、自然と生業との共同作品です。わたしたちにとっての「まち」も文化的景観を形づくっています。文化的景観は、それぞれのコミュニティによって形づくられてきましたが、他方、文化的景観はコミュニティが存続するための基盤でもあります。

　わたしたちの感性もまた、文化的景観のなかで育まれてきました。そのようなコミュニティに根ざした個々の感性が一体となることで「共通感覚」とエートスが形成され、文化的景観も維持されてきたのです。

　たとえば景観条例の策定には、このような感性的な認識や経験が深く関与しているはずです。講義9で論じたように、感性がすべての原点なのです。いま行われている再開発や復興事業が、それぞれの「まち」にとって、地域コミュニティにとって最善の道なのかどうか。それ以外に本当に選択の余地がなかったのかどうか。わたしたちはまず自分の感性に、共通感覚に問い合わせることから始めるべきです。図面上の計画が先にあるのではないのです。

　東日本大震災以後、社会構造の点から急浮上してきた3つの根本問題を指摘しましたが、いずれも中央集権的な政治経済体制を変革しない限り、抜本的な解決は不可能でしょう。文化政策においても同様です。グローバルな都市間競争の中で、東京一極集中が加速した反面、地方の経済は衰退し続けています。それによって、コミュニティのソーシャル・ガバナンス（市民自治の能力）も著しく低下してきました。

　劇作家の平田オリザが『新しい広場をつくる』の中で主張するように、地方

都市ほど、いったん市場原理が浸透すると、効率優先の社会となってしまう。地方ほど、文化・芸術といった無駄や遊びの空間、ひとの心をつなぎ支える地域のひろば、すなわち「文化的コモンズ」が失われやすいからです。

しかし、地域に根ざした文化資源の枯渇は、信頼にもとづく安定した市民社会の基盤、すなわちソーシャルキャピタル（社会関係資本）の衰退をも招きます。コミュニティの持続可能性を損なわせ、地域再生の原動力である自発的に創意工夫する人格の形成ができなくなります。日本は少子高齢化において世界の最先端にありますが、世界に先んじて超少子高齢化がもたらすさまざまな問題にチャレンジしなければなりません。わたしたちは世界史的なミッションを背負っています。文化政策やアートマネジメントの関係者も、この事実と使命から目を背けることはできません。

ところで、現在の日本の世論は、対立する2つの意見に分かれています。新自由主義者の中には、こう主張する人がいます。「日本にはシンガポールのような都市が7つか8つ残ればよい」と。これは日本が農村や漁村を切り捨てて、グローバル都市として生き残ればよい、という意見です。アマルティア・センが「合理的な愚か者」と呼んだ連中です。

これとは異なる動きも出てきています。藻谷浩介の『里山資本主義』（角川書店）という本がベストセラーになりましたが、マネーキャピタリズムに対するオルタナティブの動きです。里山の自然資源、とくに日本の豊かな森をエネルギー資源として見直そうというローカルな動きです。都会で生まれ育った若者が、アートプロジェクトを通じて田舎暮らしの魅力を発見し、地方に移り住む動きも生まれてきています。UターンやIターンのきっかけとして、アートプロジェクトやアーティスト・イン・レジデンスが注目されています。

都市への文化権とコミュニティへの権利

阪神・淡路大震災で被災し、その後の文化面での復興にかかわってきた経験から、わたしは当初「都市への文化権」と、東日本大震災における文化的復興のデザインとを結びつけて考えることに、それほどの違和感をもつことはありませんでした。「都市への文化権」という概念から連想していたのは、アン

リ・ルフェーヴルの著書『都市への権利』です。そしてその問題意識は、グローバル化し都市化する資本の暴走から、いかにして生活世界を防衛し、住民本位の「すみか」であるコモンズを再構築するか、という点に注がれています。

　この点を明らかにしたのは、講義10で紹介したデヴィッド・ハーヴェイの『反乱する都市』という本です。阪神・淡路大震災後の復興計画とその遂行過程は、まさに日本の政治と経済がネオリベラリズムに巻き込まれるグローバル化と軌を一にしていました。「惨事便乗型資本主義」（ナオミ・クライン『ショック・ドクトリン』岩波書店）の台頭にさらされていたわけですが、東日本大震災からの復興過程においても同様の事態が予想されました。

　しかしながら、東日本大震災における文化的復興のデザインは、「都市への権利」の奪還もしくは再構築とは異なる構想力を必要とするものであることが、しだいに明らかになってきました。3.11の衝撃は、大都市圏を襲った阪神・淡路の場合とは比較にならない広域かつ分散した地域の被害をもたらし、さらに原発事故への不透明な対応を見せつけました。

　都市への権利というよりも「コミュニティへの権利」ともいうべき問題が浮上してきたのです。それと同時に、コミュニティの復権を求める声が各方面から上がり、その過剰な待望論は「コミュニティ・インフレーション」（吉原直樹『コミュニティを再考する』平凡社新書）と呼ばれる現象にまで高まりました。

　もとよりわたしは、日本の地方だけでなく、主に旧社会主義圏に属していた中欧圏の地方都市や地域がグローバル化の影響によって衰退し、とりわけ若年人口が急速に流出している現状を憂慮してきました。そして、文化政策と、そのプラクシスであるアートマネジメントの立場から市民的公共性の再構築をめざし、インターローカルな国際ネットワークの形成に腐心してきました。そのさいの議論の中心は、コミュニティと芸術文化とのあるべき関係性の追求でした。

　ここ20年、過疎地域におけるアートプロジェクトやフェスティバルが、アート（マネジメント）によるコミュニティ活性化の成功例として日本のトレンドの1つとなってきていました。しかし、東日本大震災の復興に面して、このコミュニティという概念がはらむ複雑な含意と、それが置かれているコンテクストについて、あらためて考え直す必要を感じています。そこで講義11では、コミュニティを再考することから始めたいと思います。

コミュニティとアートプロジェクト

　わたしは、アートプロジェクトがコミュニティ創生に作用している現場を、以下のような理論の枠組で把握していきました。アドルノやホルクハイマーといったフランクフルト学派第1世代は、市場と国家からなるサブシステムに抵抗する最後の砦として芸術文化にほのかな希望を託していました。しかし彼らは、社会と文化の分裂を批判しながらも、結局は両者を再び関係づけるプログラムを提示することはできませんでした。

　これに対しフランクフルト学派第2世代のハーバーマスは、1980年代に台頭する「新しい社会運動」の中で美的経験がもつ意味に注目しました。「美に関する根本経験がもつ生産性と起爆力」は、目的合理性に支配された行動やパターン化された日常の知覚からわれわれを解放する。とりわけアヴァンギャルド芸術の「めくるめくような効果」のなかで、「自己実現の目標となる諸価値の目録が革新され豊富になる」(『近代の哲学的ディスクルス』岩波書店)。

　こうした「美的近代のラディカルな経験内容」のおかげで、生活世界の資源が活性化されるのです。この点に、アートプロジェクトが本来めざすべき社会文化的ポテンシャルを見出すことができるでしょう。とりわけサイトスペシフィックな視点を重視するアートプロジェクトは、現代アートの「起爆力」による地域の文化資源の再発見と、その現代的更新という社会哲学的ミッションを担っていると考えられます。

　さてアーレントは、1)政治とは人間の複数性という事実に基づいている、2)政治が扱うものは、異なったものの間の連関と相互の共同関係である、という2つのテーゼを立てました。これらをアートプロジェクトによる「新しい公共」づくりというコンテクストに落とし込むならば、次のように言い換えることができるでしょう。人間の複数性という事実にもとづき、文化多元主義の立場から、異なったものの間の関係を扱う「コミュニティ創生の術」が政治(ポリスの術＝アート)である、と。

　ところで、政治学者の斉藤純一は、「コミュニティの再生は、もうひとつのコミュニティである政治的共同体の再生と並行して進められる必要がある」と主張しています。というのもコミュニティの再生が急務となればなるほど、反対

意見は抑圧されやすくなり、価値観の相違や意見の対立に対して同調圧力が働くからです。そこで、コミュニティの再生のためには、外部に開かれた風通しのよい関係や、コミュニティ間の連携を意識的に創出する方策が有効となります。

> 　再生されるコミュニティを持続可能なものにしていくためには、自らが居住していないコミュニティを継続的に支援するルートを多元的に築くことが必要になる。（中略）コミュニティ再生の活動を通じてつくりだされる相互性と持続性のある関係は、同時に継続的な対話の関係でもある。その対話を通じて、共有すべき問題が（再）発見され、その問題をさぐる政治的な意見‐意思形成が行われるとき、コミュニティは、同時に政治的公共圏としての機能を帯びる（『コミュニティを再考する』）。

斉藤は、コミュニティ再生への関心が、同時に国家の制度や政策を市民の視点から議論する政治的関心をともなう場合、コミュニティの再生が政治的共同体の再生と並行して進められるとして評価しています。ただし、コミュニティが政治的公共圏としての機能を帯びるまでに成熟するための仕掛けづくりに関しては具体的な言及はありません。

この点でわたしは、アーレントの考える「政治」を実現するための仕掛け、もしくは触媒としてのアートプロジェクトに着目してきました。そこに「コミュニティ創生の術（アート）」を見だしてきたからです。

アートプロジェクトは、コミュニティの内部と外部（よそ者）とが出合い、異なった者どうしが対話し、ともに変化するプロセスを創発します。よそ者とは、コミュニティの文化資源を魔法のように甦らせる現代アートであり、内外のアーティストです。都市圏からの若いサポーター（ボランティア）や探索者たちです。

もちろんアートプロジェクトが過度に巨大化し、観光化された場合には、「コミュニティ創生の術（アート）」からの自己疎外も生まれます。ですから、プロジェクトの仕掛け人（アクター）たちは、異なった者たちの関係をどのように紡いでいくかに細心の注意を払いながら、適正な規模と各アクターのかかわり方を決めていく必要があります。そのさいに、コミュニティの住民こそが当事者であ

り、最も重要なアクターなのです。

　このようなコミュニティの内と外の境目で繰り広げられる「コミュニティ創生の術（アート）」が、まさしく政治なのです。それはイシューとしての政治でも、「天下国家」について声高に語る政策論議でもありません。しかし、コミュニティ・デザインをめぐって多様なアクターが議論する公共圏創発の媒体かつ技法という意味では、アートプロジェクトはかけがえのない政治の学校と言ってよいでしょう。そして、現代アートが表象するグローバルもしくはインターローカルなテーマを通して、コミュニティは外部世界に開かれ、相互につながりながら再生されてゆくことでしょう。

ネオリベラリズムとコミュニティ

　とはいえ、3.11以後の東北におけるコミュニティ再生の動きは、もう1つの政治の力学に巻き込まれて不穏な状況を呈しています。そのような磁場において、アートプロジェクトの本領である「コミュニティ創生の術（アート）」としての政治が、いかなる作用を及ぼし、もしくは変容を被っているのかを慎重に見極めていく必要があります。この点で社会学者の吉原直樹は、シャープな政治力学の構図を提示しています。3.11の衝撃は、リベラリズムかコミュニタリアニズムかという二分法をめぐって、コミュニティ研究の存立基盤そのものをも大きく揺るがしているからです。

　阪神・淡路大震災のときとは異なり、3.11以後では宗教学者や民俗学者が多く登場し、「祈り」や「癒し」、フォークロアのような「文化的なもの」、あるいは「共助の伝統」が強調されました。こうした動きの中で、コミュニティの実態から乖離した一種のイデオロギーとして、コミュニティへの過剰な期待と願望が「コミュニティ・インフレーション」を生み出しました。

　吉原は、このような動向を「コミュニタリアンに誘われたコミュニティ期待論／願望論と新自由主義（ネオリベラリズム）的な創造的復興論とが奇妙にも響きあうプロセス」と見ています。ネオリベラリズムは、市場原理主義にかなった自己統治の主体を必要とするだけでなく、そのような主体をはぐくむ「倫理的で文化的なコミュニティ」をも求めているからです。

「創造的復興論」の本質は、後述する創造都市論のディレンマと同様、ネオリベラリズムの戦略にコミュニタリアンを巧みに取り込む点にあります。その結果、「惨事便乗型資本主義」が跋扈します。こうして吉原が述べるように、以下のような構図が浮上してきました。

　　　災害ユートピアに身を寄せる人々と、災禍を創造的復興という名の下に利益チャンスへと巧みに誘導する新自由主義的欲動とが隣り合わせることになった。(中略) 災害ユートピアの下で立ちあらわれる「即興的なコミュニティ」は、被災者を「つなぎ」や「絆」というコミュニタリアン的な価値規範に抱合する (ただし非強制的に)。一方で、ショックドクトリンは国家 - 地方政府にたいして復興が新規の市場としてきわめて有望であることを保証する能動的な政策主体になるように命ずる。ここに国家の統治と市場の自由とを結びつけ、その間に生じる「すきま」を、被災者＝統治される者にたいして、「つなぎ」や「絆」に積極的に関与する「自己統治主体」としての道徳的義務を課すことで埋めるといった新自由主義の手法が見て取れる。

　それでは吉原は、ネオリベラリズムにもコミュニタリアニズムにも絡め取られないコミュニティ再生の可能性を、どのようにして見出そうとしているのでしょうか。ここで「創発性」という概念が提唱されます。その理論は、先にアーレントの「政治」との関連で提示した「コミュニティ創生の術 (アート)」とよく似ています。

　　　創発性として言及される状態は、複数の主体 (変化をもたらす行為 [エージ] 主体 [エント]) が相互作用を介して行為することで、個々の行為を越えて新たな集合的特性や、質的に新しい関係が生み出されることを指している。(中略) 大切なのは、変化にたいして構成諸主体が能動的に対応し、より高次の特性を生み出す (＝創発する) という点である。つまり創発性の要を成すのは、諸主体間の交流としてある相互作用が新たな変化をもたらし、そうした変化が累積されることで人々のつながりとか関係が変わ

り、システム全体の構造が変わっていくプロセスである。

　吉原は「創発性」という概念によって、エージェントの相互作用による質的変化を理論化しています。しかし、その対象、内容、媒体については言及していません。そこで、わたしは、以下の2点において、アートプロジェクトには「コミュニティ創生の術」としての優位性があると考えています。第1に、その「媒体」としての作用、つまり触媒機能のゆえです。第2に、妄想力、想像力、構想力として個人から相互主観的なものへと自覚的に昇華していくデザイン力に注目するからです。

　社会システム全体の構造を変える可能性は、芸術そのものが開く公共性のうちにある、というのがわたしの持論です。したがって、コミュニティ再生における文化的側面を軽視する社会理論は、コミュニタリアニズムの隘路を回避しようとするあまり、大切なものをも見失っているように思われます。文化という係数は、コミュニティ再生の理論にとって不可欠なのです。もとより非アングロサクソン系の欧州文化政策では、公共政策における文化の役割を重視してきました。文化多元主義の立場からネオリベラリズムに対抗する仕掛けをつくることは、ヨーロッパ大陸型の文化マネジメントの主要なミッションなのです。

　以下では、「都市への権利」と「コミュニティへの権利」との差異に留意しながら、グローバル資本主義の暴走から生活世界を防衛し、市民主体の文化を創生するための文化政策について考えてみたいと思います。

創造都市ハンブルクと都市への権利

　現代日本の根本問題をグローバルな視点から検討するために、海外の先端的な事例を紹介しておきましょう。グローバル化の拡大にともなって都市間競争も激化してきました。わたしが長年にわたり調査を続けてきたドイツのハンブルクは、そのダイナミズムの背後でグローバリズムの影となる部分も大きく、文化政策にも社会的弱者への眼差しが不可避となります。このブルジョワ都市の壮麗さの裏面には暴力の痕跡が生々しい。多文化社会と一口に言っても、ドイツの大都市部のように外国人比率が20～40％にもなると、多文化社会の

難しさを皮膚感覚で痛感します（『地域主権の国 ドイツの文化政策』美学出版）。

　首都ベルリン（人口352万）に次ぐドイツ第2の都市ハンブルク（人口178万）は、チェコを源流とするエルベ河が北海へ注ぐ河口近くに位置し、14世紀以来ハンザ貿易の拠点として栄えてきました。1819年に「自由ハンザ都市」としてドイツ連邦内での独立した地位を獲得しましたが、現在でもハンブルク市は州と同格の行政単位と見なされ、おもに文化・教育の面で政府としての権限と役割を存分に発揮しています。

　都市州文化政策として「創造都市」を標榜するハンブルクは、ドイツ国内だけでなく世界中から有能な人材を呼び込みつつあります。ニューリッチやスノッブを惹きつけ、この新しい特権階級にビジネス・チャンスと高質な生活と快適な文化環境を提供してきたのです。

　創造都市の典型であるハーフェンシティ（Hafen City）・プロジェクトは、ハンブルク最大の都市再開発計画であるばかりでなく、ヨーロッパ全体においても最大規模のプロジェクトの1つです。ハーフェンはハーバー、すなわち港を意味します。中心市街地の南部に隣接した157 ha（東西3.3 km、南北1 km）の港湾エリアが構造転換され、12,000人が居住できる6,000の住居と45,000人の雇用（うちオフィス系35,000人）が新たに生まれつつあります（Themen Quartiere Projekte, HafenCity Hamburg GmbH, März 2013）。

　完成は2025年を予定。すでに住居、文化、余暇、観光、貿易、産業をミックスした巨大市街地が形成されてきましたが、ハーフェンシティの最大のメリットは、その距離的利便性と親水性の快適都市空間にあります。

　ハンブルク市がハーフェンシティのプロジェクトに着手して14年を経た2017年、そのランドマークとしてエルプフィルハーモニーが落成しました。2,000席のコンサートホールを中核とした複合施設ですが、その建設は非常に難航しました。工期は10年を超え、最終的には当初予算の10倍の8億6,600万ユーロが費されました。当然ながら反対運動が起きましたが、完成後はハンブルクを象徴する新たな観光名所として世界中から脚光を浴びています。

　これらのプロセスを参与観察するなかで、わたしは複雑な思いを抱いてきました。たとえハーフェンシティ・プロジェクトの成功によって都市間競争に勝利したとしても、多文化都市ハンブルクの光と闇の格差は本当に縮まるのだろう

写真1 エルプフィルハーモニー（2018）（左）
写真2 ゲンゲフィアテルの占拠（2009）（右）

か。いわんや都市間競争の「負け組」の文化的生存権に至っては、それはいったいどのようにして保障されるのだろうか。こうした疑念を抱きながら、わたしは定点観測を続けてきました。そのような中で2009年、ハンブルクの中心市街地で、「都市への権利」の奪還を求める1つの反乱が起きました。

　ハンブルクでもっとも古い地区の1つゲンゲフィアテル（Gängeviertel）は、中心市街地ゲンゼマルクト（Gänsemarkt）に隣接する一等地にあります。奇跡的に戦災を免れたことから戦後の復興計画からも外れ、戦前の街並みを残す地区です。2009年8月、画家のダニエル・リヒターの支援のもと、約200人の芸術家が何年も空き家となっている10棟あまりの建物を占拠し、ギャラリー、アトリエなど多様なアート空間を立ち上げました。

　これによって芸術家たちは、歴史的建造物を再開発から救おうとしました。つまり「資本のアーバナイゼーション」（ハーヴェイ）による創造的破壊から都市のコモンズを防衛し、人間本来のクリエイティビティにもとづいて共有地としての「すみか」をつくり直そうとしたのです。その後、若い芸術家の活動集団は、以下のようなマニフェストを公表しました。

　2009年10月末、Manifest Not in our Name, Marke Hamburg!
　アメリカの経済学者リチャード・フロリダが、「創造的階級」にとって快適な都市だけが繁栄すると算段して以来、ヨーロッパにはある妖怪が歩き

回っている。「ゲイとロックバンドの無い都市は、経済発展競争に負ける」とフロリダは書いている。多くのヨーロッパの大都市は現在、創造的階級のための移住地域となるように競い合っている。ハンブルクにとって、目下この誘致競争は、都市政策がしだいに「都市イメージ」に従属するというありさまだ。一定の都市のイメージを世間に広めること。すなわち、あらゆる傾向の文化創造者に刺激的な環境とベストチャンスを提供する「脈動する大都市」というイメージが大切とされている。マーケティング会社の仕事は、「ハンブルク・ブランド」というイメージをメディアに浸透させることだ。(中略)

わたしたちは主張する。都市はブランドではないし、企業でもない。都市とは「共同存在」(Gemeinwesen コモンズ) である。大切なのは、ハンブルクの生活が「成長都市」をめざす集団に属さない市民にとっても、生きるに値するものとなるような場所を征服し、防衛することである。わたしたちは都市への権利を奪還する――(企業) 立地のファクターとなることを拒否する。ハンブルクの住民とともに (kultupolitische mitteilungen, Zeitschrift für Kulturpolitischen Gesellschaft, Nr.127, IV/2009)。

このアーティストたちによる大規模な不法占拠のアクションは、ドイツ中のメディアによって大きく報じられました。『ツァイト』のような保守系新聞でさえ、このアクションを「ハンブルクの奇蹟」と呼び、市当局が推進する企業家的都市政策へのプロテストに共感を示しました。ハンブルクで先鋭化している現象は、端的にいって「ジェントリフィケーション」の負の側面と言ってよいでしょう。

光と闇の格差が急速に拡大するなかで、多数の芸術家が「このまちは自分たちのものだ」という「都市への権利」を求めて反乱を起こしています。企業が撤退したあとのオフィスビルやデパートを占拠し、都市への権利を求めるオルタナティブな行動が激化してきました。芸術家たちの反感はこのようなものです。自分たちはマリオネット扱いされているのではないか。まちに彩りを添え、まちの儲けが上々となるための手先にされているだけではないのか。ハンブルク市当局はリチャード・フロリダのクリエイティブシティ論を信奉してきましたが、それとは反対に、ハンブルクの若い芸術家たちの側は「クリエイティブクラス」の教祖に牙を向けたのです。

ジェントリフィケーションとアート

　21世紀に入り、さまざまな都市問題の解決や緩和にアートの力を利用しようする社会包摂型の文化政策が注目されています。また、クリエイティブシティが、都市文化政策のトレンドとなってきました。しかし、クリエイティブシティがはらむディレンマから目を逸らすこともできません。少しラディカルな批判的考察となりますが、お許しください。

　ダイバーシティを促進し、インクルーシブな社会をつくる政策はクリエイティブシティにとって重要な要素です。けれども現実には、どうでしょうか。それとは反対の動きが世界中で起こっています。クリエイティブシティの名のもとに行われる政策は、資本のアーバナイゼーションによる創造的破壊と表裏一体の場合が多い。クリエイティブシティ論は、ネオリベラリズムが推進する民営化や分権化（たとえば下請NPO）との相性がよいからです。

　ネオリベラリズムは、市場原理主義にかなったガバナンスのアクターを必要とします。さらに、そのようなアクターをはぐくむ倫理的で文化的なコミュニティをも求めています。この点で、各地域のコミュニティや、大都市の「街区」において、アーティストやクリエイターの活動の果実が、ジェントリフィケーションに不可欠の文化資本として、繰返し刈り取られてきました。その問題を、わたしは以下のようにとらえています。

　当初、まだほとんど無名の芸術家たちは、荒廃した街区に胸をときめかせて入り込み、資本の論理とは異なる次元から、ある根源的な欲求に突き動かされて「コモンズとしてのまち」をつくり直そうします。その美的再創造のプロセスは、多くの場合、地域が抱える社会的課題と向きあい、不当な差別や貧困に直面している人々に寄り添う市民活動として展開されます。わたしたちの都市とわたしたち自身とをつくる自由、つくり直す自由は、すべての住民に開かれており、その自由は、ともにつくる中で実感されるものだからです。

　ところが、したたか極まりない資本の論理は、このような都市と都市生活を再創造する自由を奪い、その文化的産物を商品化して交換価値に変えます。貨幣によって取引され、投資の対象となる。アーティストによる再創造のプロセスの中で育まれた地域固有の文化資源が、使用価値の自己充足から切り離

され、「文化資本」として搾取されます。何世代にもわたって住民たちが形成してきた都市特有のエートス（気風、かたぎ、秩序意識）までもが、固有価値としてジェントリフィケーションの餌食となってしまうのです。

　ネオリベラリズムと結びついたクリエイティブシティにおいて、なぜこのような疎外や搾取が生まれるのでしょうか。つぎのように理解することができるでしょう。資本そのものは、株や貨幣のように、均一的に数量化できる交換価値によって普遍的な力を発揮しますが、ユニークな固有価値の生産は不得手です。そこで新自由主義者は、自らにないものを、まずは「借り物」として、コミュニティの文化とエートスに求めます。

　この場合、創造的破壊は、たとえばナオミ・クラインが『ショック・ドクトリン』で解明したような、「惨事便乗型資本主義」と比べるとゆるやかに進行します。しかし、気がついたときは後の祭なのです。ジェントリフィケーションの結果、高騰した地価とレント、つまり地代や家賃や使用料のために、若いアーティストを含む都市大衆は、自らの住処であった文化的コモンズには、もはや住めなくなっているのです。このような社会的排除は、公共文化政策が特定の街区のジェントリフィケーションに寄与することによって、世界中で生じています。たとえば、荒廃した街区にハイセンスな現代美術館が建設されます。すると芸術文化施設を目玉として周辺地域の「創造的復興」が計画され、クリエイティブシティの美名のもとに社会格差が拡大します。

　少し整理してみましょう。新自由主義者は、一方で「小さな政府」を主張して公共支出の削減を要求します。他方では、公共政策による創造的復興に巧みに便乗して、その果実を独占しようとします。都市空間の再生が行政主導で行われるとしても、ジェントリフィケーションによって高騰した地価とレントを刈り取るのは資本家です。新自由主義者は、公共文化政策を通じて、最少の投資で最大の利益を手に入れるのです。たしかに荒廃した街区からは貧困と暴力と風俗の痕跡が抹消されますが、それは都市大衆の社会的排除とコモンズの私有財産化によって購われています。芸術家を道具とした荒廃した街区のクリーン作戦は、クリエイティブシティ政策の常套手段と言ってよいでしょう。

　このように都市のコモンズは、文化資本と文化産業によって変質します。再創造をめざした芸術家たちは、都市再開発が付加価値によって剰余生産物を

生み出すための「道具」となる。そして新自由主義的な創造都市論者は、付加価値による資本の増殖を期待できる限りで、芸術家や芸術活動を都市空間に先行投資するのです。「美しい魂たち」の悲劇が、こうして世界中で繰り返されています。

　以上のようなジェントリフィケーションとアーバナイゼーションの創造的破壊に抵抗することは、どのようにしたら可能なのでしょうか。クリエイティブシティと都市への権利とのディレンマを超える構想力を、わたしたちはいかにして紡ぎ出すことができるのでしょうか。

　ハンブルクでの出来事に戻りましょう。ゲンゲ地区の若い芸術家たちの反乱は、たちまちハンブルク市当局に大きな揺さぶりをかけました。2009年12月、当局はオランダのディベロッパーからゲンゲ地区を買い戻し、芸術家たちの活動拠点とすることを認めたのです。しかしその背景にも都市間競争が絡んでいました。ハーフェンシティに代表されるジェントリフィケーションの結果、活動拠点を奪われた若手の芸術家の多くは、より安価で条件の整ったベルリンにすでに移動していたからです。このような次世代の芸術家の流出に、ハンブルク市当局は危機感を抱いていました。そこで、ゲンゲ地区の権利を買い戻し、芸術家たちの活動拠点として貸与したわけです。

　その後、芸術家たちはゲノッセンシャフト（Genossenschaft）と呼ばれる協同組合を結成し、ゲンゲ地区でのさまざまな活動を自主管理し、フレキシブルに運営しています。アーティスト・イン・レジデンスなどの国際交流も盛んで、神戸のアートNPOとも芸術家の交換をしています。2012年、ゲンゲ地区はユネスコによって「文化多様性の場所」の事例に選ばれました。ゲンゲ地区の光景は、大都会の真ん中に出現したアジールです。ネオリベラリズムと結託したクリエイティブシティを空洞化する台風の目となっています。

　エルプフィルハーモニーのランドマーク性とはまったく異なる次元で、カウンターカルチャーの文脈における「文化的コモンズ」が形成されたのです。けれども、これらのアクションが、いわゆる「ガス抜き」に終るのか、それとも都市の社会構造を根本から変える契機となるのかは即断できません。今後も経過を観察してゆく必要があるでしょう。

ケイパビリティと文化政策

　わたしたちが人間らしく生き生きと暮らすことのできる「生活世界」を、資本のアーバナイゼーションから防衛すること、自然と人間、生業と文化との本来の関係を取り戻すことが文化政策の社会哲学的課題です。文化的コモンズの再生のためには、文化資源の発掘と活性化が不可欠です。それはアートの力とともに、グローバル時代の新しい公共哲学を必要とします。この点でわたしはマーサ・ヌスバウムのケイパビリティ論に注目してきました。

　ヌスバウムは『正義のフロンティア』（法政大学出版局）で、人間の中心的なケイパビリティをリストアップしています。各人が潜在的にもっている能力を、いかにしたら十分に引き出し活かすことができるか。そのためにはどのような条件や機能を整えればよいのか。ケイパビリティ・アプローチはそれを究明します。ヌスバウムは、人間の中心的なケイパビリティを10項に整理しています。このうち文化政策と直接関係する項目に絞って考えてみましょう。

　まずヌスバウムは「感覚を用いることができること」をケイパビリティの基本にあげています。当たり前のように思うかもしれませんが、わたしたちは本当に感覚を用いて考え、行動しているでしょうか。数字だけで判断してはいないでしょうか。どこまで自分の頭で考えているでしょうか。たとえば美術館に行ったときに、絵を見る前に解説を先に読んでしまうことはないでしょうか。ヌスバウムは以下のように述べています。

　　　想像し、思考し、論理的な判断を下すことができること。これらを『真に人間的な』仕方で、つまり適切な教育によってなしうること。自らが選択した宗教的・文学的・音楽的作品やイベントを経験したり生み出したりすることに関連して、想像力と思考を働かせることができること。

　自分の感性と想像力を自由に羽ばたかせ、そのつど新鮮に世界を認識できるようになることが一切の出発点なのです。ですから、曇りのない感性に基づいてケイパビリティを発揮できる環境づくりが文化政策の課題です。美感的判断力をはぐくみ、磨くこと。美感的判断力を自由に発揮させ、世界と自己、自然

と人間、社会の中での人々の関係を、利害関心を超えて公平・公正に知覚・認識できるようになることが芸術文化の社会哲学的機能と言えるでしょう。さらにヌスバウムは次のように述べています。

> 政治的スピーチおよび芸術的スピーチに関する表現の自由が保障された仕方で、また宗教的儀式の自由が保障された仕方で、自分の心（mind）を働かせることができること。楽しい経験ができ、無益な痛みを避けられること。

　ヌスバウムは、たしかに自明のことを述べているにすぎません。これらは日本では十分保障されているはずの自由権です。しかし、本当にわたしたちはこのような権利を享受し、日々、自由で楽しい生き方をしているでしょうか。

　日本から一歩外に出れば、外的・物質的環境において、感覚が凍り付くような状況に置かれている人がたくさんいます。家庭、宗教、性的関係、紛争、難民収容所、飢餓の中で、感覚を閉ざさざるを得ない人々の数は限りない。無感動になることでしか生き延びられない人たち、生き延びるために感覚を鈍化させざるを得ない人たちがたくさんいるのです。そこから、あらためて日本における子どもの貧困やヤングケアラーの実態を直視する必要があるでしょう。

　しかし、翻って考えると、新自由主義者といわれている人たちは、本当に感覚を開いて自由に、人間らしく生きているのでしょうか。目先の金儲けに血眼になり、数字のことしか頭にないのではないか。株価の変動にしか関心がない人たち。大資本家や新自由主義者は、感性的な知覚と人間的な理解能力を失ってしまった、実に哀れな人たちのように思われます。人間性から疎外された資本の奴隷なのかもしれません。おこがましいようですが、このような自己疎外社会から新自由主義者を解放することも、文化政策の課題でしょう。

　さらにヌスバウムは「感情」を重要なケイパビリティにあげています。「自分たちの外側にある物や人々に対して愛情を持てること。愛すること、嘆き悲しむこと」ができること。これも当たり前と思われているかもしれません。しかし、嘆き悲しむ能力を失うこと、絶望する能力をも失ってしまう状況が世の中にはあります。「自らの感情的発達が恐怖と不安によって妨げられない」こと。ヌスバウムは世界中の貧困や紛争の場面で、とくに多くの子どもたちと接すること

で、感情的発達の大切さを痛感したのです。

「他者と共に、そして他者に向かって生きること」、すなわち連帯する能力も重要なケイパビリティです。独りよがりの生き方や、自己中心的な考え方を改めなければならない。そのために大切なのは、「ほかの人間を認め、かつ彼らに対して関心を持ちうること。さまざまな形態の社会的交流に携わりうること。他者の状況を想像することができること」です。

とはいえ、わたしたちはいつどんな時にでも、他者が置かれている状況を想像することができるでしょうか。日常生活の中にあって、そこから離れた状況を想像することは容易ではありません。家族のことを思うことはできても、赤の他人が苦しんでいる状況を想像することはできるでしょうか。たとえば2015年来、ドイツに110万人のシリア難民が入ってきました。その人たちの苦しみ、どういう状況から逃げ出して怖い目に遭ってドイツまでたどり着いたのか。それを想像できることが市民レベルでの連帯にとって、また政治的判断にとっての前提となるのです。

こうした想像力を各自が喚起し、相互に共有できる機会と場所と時間を与えてくれる重要なメディアが芸術文化です。劇場や美術館もまた、国境を超えた連帯のためのプラットフォームとなります。他者の状況を想像できることというケイパビリティをどのように制度的に保障し保護してゆくのか。これは文化政策の主要な責務なのです。

◎**参考文献**
- 池田清（2014）『災害資本主義と「復興災害」』水曜社
- 平田オリザ（2013）『新しい広場をつくる』岩波書店
- 藤野一夫（2014）「創造都市論と〈都市への権利〉のディレンマを超える復興の構想力」『社会文化研究』第15号、社会文化学会編、晃洋書房
- 藻谷浩介他（2013）『里山資本主義』角川書店
- アンリ・ルフェーブル（森本和夫訳, 2011）『都市への権利』ちくま学芸文庫
- ナオミ・クライン（幾島他訳, 2011）『ショック・ドクトリン』岩波書店
- 吉原直樹他（2013）『コミュニティを再考する』平凡社新書
- ユルゲン・ハーバーマス（三島他訳, 1990）『近代の哲学的ディスクルス』岩波書店
- マーサ・ヌスバウム（神島裕子訳, 2012）『正義のフロンティア』法政大学出版局

12
講義

文化的コモンズとしての
ゲノッセンシャフト

初期マルクスにみる社会的存在としての人間

　講義11で言及したヌスバウムのケイパビリティ論のルーツが初期マルクスにあることが分かってきました。若きマルクスは、自然と人間との関係、人間と社会との関係、社会と自然との本来の関係を根源的に構想していました。どうやって人間は自然とかかわり、他者とかかわるのか。そして「労働」は、これらとどのように関係するのか。その労働が本当に人間と社会を豊かにしているのかどうかを、若いマルクスは根本から考え抜きました。

　19世紀の中頃、産業革命後に労働者となった人間は、その労働を通じて自分自身がどんどん貧しくなっているのではないか。そうした実感がマルクスの出発点でした。彼はその実感を『経済学・哲学草稿』において「疎外された労働」という概念でとらえたのです。

　工場労働者の「労働」に対して、職人の世界の「仕事」はどうでしょうか。例えば、今でも工芸を生業にしている職人がいます。工芸職人のように、手業の仕事では、人はその腕を日々磨き、自分の技を通して作品を創ります。その作品が人々を喜ばせ、同時にその対価として収入を得ています。大切なのは、作品制作を通して自分の技がどんどん磨かれていくことです。制作のための道具も自ら磨いてゆく。生産するための手段を磨き、自らの腕を磨きながら、それによって生み出されたプロダクトが作品としての輝きを放つのです。

　自らの生産物が、物としては職人の手を離れ、他者に譲渡されたとしても、それによって生産者の技や人間性は損なわれることも、すり減ることもありません。ここでの仕事は、素材（自然）と技を結びつけて作品を生み出します。その作品を通じて人と人が喜ばしく結びつくのです。仕事が社会を幸多く形

成している。仕事が人間たちを育て、人間と社会を豊かにしているのです。

　現在でも工芸の世界に残っている光沢、いぶし銀、黒光りのオーラ。それを手がかりに、かつての職人の仕事を思い浮かべてみよう。産業革命以後の工場労働者、とくにベルトコンベアの歯車となって日々単純労働を強いられている人間は、なぜ誇りある職人の仕事から疎外されて、自らのケイパビリティを損ない、すり減らす労働者へと貧困化していったのでしょうか。経済学的のみならず人間学的に、根本的に再検討する必要があるでしょう。それはまた文化政策の根本問題でもあります。

　それでは、マルクスにとっての社会（ゲゼルシャフト）とは何でしょうか。社会とは「人間と自然とをその本質において統一するものであり、自然の真の復活であり、人間の自然主義の達成であり、自然の人間主義の達成である」。一言で言うと、産業化の中で分離し、疎外された自然と人間との関係、その溝を埋めて自然と人間の和解を果たすのが社会の役目なのです。

　近代化の中で離れてしまった自然と人間とを再び和解させ、自然と人間を一体化させてくれる仕組み。それが社会です。わたしたちが用いている利益社会の意味でのゲゼルシャフト概念とは相当異なりますが、初期マルクスは、非常にピュアな社会にたいするコンセプトを抱いていました。最も注目したいのは以下の一節です。

　　　世界にたいする人間的な関係の1つひとつ、見る、聞く、嗅ぐ、味わう、感じる、直観する、感じ取る、意志する、活動する、愛する等々が対象としての現れ方や対象との関わり方において、対象をわがものとする働きである。

　もう一度、職人の手業を考えてみよう。そのような仕事のあり方が人類全体に（再び）普及したとしたら、世界は全然変わったものになっているでしょう。もし職人のように労働、いや仕事が人間を豊かにし、自然から得られた生産物に磨きをかけ、そして他者とのつながりをつくるとしたら、労働はどれだけ重要な意味をもつでしょうか。人間をつくり、社会をつくるものとしての仕事の本質がここにあります。

　そのときに大切なのは、五感から出発することです。まずは感じること。聞く

こと、見ること、嗅ぐこと、味わうこと、触ること。こういったケイパビリティをフルに発揮して、労働を通して人間が自然と関わるとき、そこで生まれるものは単なる製品ではなくて「作品」となります。そのような作品としての物の性格は、芸術や工芸には残されていますが、近代社会のプロダクトにおいては、作品としての特性は失われてしまいました。

　それではもし、芸術家や職人が生み出す「作品」と同じように、仕事において、すべての人が自然とかかわり、世界とかかわり、他者とかかわることができたとしたら、どんなに素晴らしい社会がつくられるでしょうか。170年前に、マルクスはそのような世界を構想していました。その出発点が、人類の歴史が形成し発展させてきた「感覚」と「感性」にあることを、若きマルクスは強調したのです。このような一説があります。

　「直接に他人となされる活動が、わたしの生命が発現する一器官となり、わたしの人間的生活を獲得する一方法となる」。そのさいに重要なのは、「社会的人間のもつ感覚は、非社会的人間のもつ感覚とは別のものである」という洞察です。

　マルクスの意味する「社会的人間」がアーティストやクリエイターのことであるとして、それでは「非社会的人間」とは誰のことでしょうか。一方には、資本の奴隷である新自由主義者がいます。しかも彼らは、自分自身が、真の労働と自然および人間関係から疎外された存在であることを知りません。それを自覚するすべをもたない。彼らにとってのアートや工芸は、おおかたはステイタスシンボルか投機の対象にすぎないのです。

　資本家にとっては、芸術作品を含めて、物と財の一切は交換価値（貨幣、金融商品、記号、ブランド）としてのみ意味をもちます。とくに美術品は投機の対象となっています。美的観想そして美感的判断力は欲望の思惑によって曇らされています。彼らは、自然や芸術を味わい尽くすこと、すなわち使用価値を通して自らの内面と社会関係を豊かにしてゆく道を見失ってしまった、疎外された人間たちなのです。それが「非社会的人間」の正体です。

　他方では、物理的かつ物質的に虐げられた人々も「非社会的人間」へと貶められています。紛争地の難民や貧困にある人々は、本来の人間が発揮すべきケイパビリティを著しく制約されています。資本家や新自由主義と、難民や

貧困。世界の両極端にありながら、両方とも非社会的な状況におかれた「非社会的人間」なのです。

けれども、そのような人たちの貧しい感覚と、アーティストやクリエイターといった「社会的人間」のもつ豊かな感覚との差異は、世界認識にとって決定的です。「社会的人間のもつ感覚は、非社会的人間のもつ感覚とは別のもの」なのです。

感覚の感度や違いによって、世界の現れ方が全然違ったものになります。してみれば、アートマネジメントは何にかかわり、何を変革しなければならないのでしょうか。現代社会の歪んだ仕組みを、まずは感性を通して白日のもとに曝け出し、その歪みの原因を、ひとりでも多くの人が自覚、認識できるようにしなければなりません。そして人間的な感性の次元から、自然と人間と社会の、あるべき関係の回復をめざすことが、アートマネジメントの使命です。

しかし、その「あるべき関係」は、いったいどのようにしたら予感され、広く可視化されるのでしょうか。現代社会の中でアートマネジメントが果たすべきミッションの原点はここにあります。けれども、その課題の実現は容易ではありません。それゆえわたしたちは、先人の思想と実践に学ぶことから始めなければならないでしょう。

マルクスとワーグナー

ここでわたしが注目してきたのがリヒャルト・ワーグナーの芸術です。ワーグナーは、マルクスと同じ時代に芸術家として活動し、マルクスとほとんど同じことを考え、行動していました。巨大な舞台作品と理論的著作を創造し、その綜合芸術を通して社会を根本的に変革しようとしたのです。

ワーグナーは『ニーベルングの指環』において、技術の力によって全自然を支配できると思い上がった人類の文明を（舞台上で）没落させました。自然と人間との間に、もはや修復不可能なまでの傷を負わせてしまった資本主義の病を暴き出しました。しかもワーグナーは、『ニーベルングの指環』の大半を、チューリヒ亡命時代に、スイスの豊かな自然と対話しながら創作しました。

ワーグナーもマルクスも、ともにフォイエルバッハという思想家から出発しま

した。人間は世界を感じ取る存在であり、感覚こそがすべての出発点であると強調したのがフォイエルバッハです。一方で、感覚性の哲学を経済学的に発展させ、稀有の社会哲学を打ち立てたのがマルクスです。他方で、ワーグナーは諸芸術を綜合することで未来の社会構想を実現しようとしました。

　「五感の形成は、これまでの世界史全体において成し遂げられた成果である」。これはマルクスの言葉です。しかしワーグナーとマルクスは、五感の形成の成果が社会の中で生かされず、むしろ疎外されている19世紀のヨーロッパ社会の矛盾を直視しました。人間の感性は、一方では芸術家としては研ぎ澄まされてゆくが、他方では労働者として抑圧されて、疎外されてしまった。そうした分離、分断された社会文化状況を、ワーグナーとマルクスは根源的に変革しようとしたのです。

　それはわたしたちにも突きつけられている根源的な問いです。いったい都市は誰のためのものでしょうか。アートは誰のためにあるのでしょうか。現在のクリエイティブシティについても、ワーグナーやマルクスがえぐり出した思想の深みから改めて考え直す必要があるでしょう。

ワーグナーの文化政策論

　ワーグナーは、たしかに反ユダヤ主義思想の持ち主であり、ドイツ・ナショナリズムの急先鋒と見なされることも多い芸術家です。とはいえ、彼の思想や作品と虚心坦懐に向かい合うならば、民族主義とは異なる、グローカルな社会哲学者としての先見の明に驚かされます。ワーグナーほど、コミュニティの内部と外部のダイナミックな関係を考え抜いた芸術家はいない、とさえ思えてきます。

　たとえばわたしたちは、彼の楽劇『ニュルンベルクのマイスタージンガー』の弁証法的構造を通して、コミュニティの閉鎖性と開放性の両面を、まさに感覚を通して理解することができます。現代の世界がめざすべきポスト・グローバリゼーションの社会構想、言葉を換えれば、インターローカルな立場からの社会変革の可能性を、ワーグナーは徹底的に考え抜いていました。そのドラマの形式と内容の両面から、コミュニティ再生の仕組みを追求していました。

今日、わたしたちが文化政策の課題として議論している根本問題のほとんどを、ワーグナーは150年前に根本的に考察し、理論化し、社会変革を実践していたのです。

　ワーグナーの文化政策論において、今日ますますアクチュアリティを獲得してきた概念は「ゲノッセンシャフト」（Genossenschaft）です。この言葉は、後に意味を狭められて、日本では「協同組合」と訳されるようになりますが、ワーグナーが考えていたゲノッセンシャフトは、もはやギルドのような同業者組合ではありませんでした。むしろ出入り自由で、ある目的に即して離合集散を繰り返すテーマ型コミュニティのようなアソシエーションを構想していたのです。

　ゲノッセンシャフトという言葉は、ゲニーセン（genießen）という動詞に由来します。「楽しむ」とか「味わう」という意味です。飲食についても、芸術文化についても共通して使われます。ゲニーセンの過去分詞のゲノッセンを名詞化した言葉がゲノッセンシャフト。語尾のシャフトは、ひとの集まりや組織を意味します。「ある目的をもって楽しみを分かち合う仲間たち」というのがゲノッセンシャフトの原意です。

解放の契機としてのゲノッセンシャフト

　ゲノッセンシャフトには2つの解放的契機があります。1つ目は、地縁血縁関係でまとまったゲマインシャフトの閉鎖性からの解放。2つ目は、近代的な産業社会のように、利益の追求を目的として組織されたゲゼルシャフトからの解放です。つまり、利益社会が生み出した社会矛盾や人間疎外の状況からの解放です。ゲマインシャフトのしがらみと、ゲゼルシャフトの非人間性という2つの社会形態を止揚する、新しい社会組織の基礎単位がゲノッセンシャフトです。

　ゲノッセンシャフトの目的は、共通の経済的、社会的、文化的な必要を充足することです。その組織運営の基本的な価値として重視されるのは、自助（助け合い）、民主主義、平等、公正、連帯、公開性、社会的責任、他者への配慮などです。「寄り添うこと」（ケア）と「分かち合うこと」（シェア）。そして自分たちで考え、「始めること」。それがゲノッセンシャフトの精神です。ゲマインシャフトからゲゼルシャフトへの近現代的展開において損なわれた「文化的コモンズ」

を再生する仕掛け。それがゲノッセンシャフトであると、わたしは考えています。

ゲノッセンシャフトは、ワーグナーがザクセン王国の首都ドレスデンの宮廷歌劇場の指揮者をしていた時代、つまり1840年代に彼の周辺で注目を集めていた考え方であり、また組織です。それは無政府主義的なコミュニズムをめざす社会の基礎単位で、今日のコモンズに近い概念でした。コモンズは共有地という空間概念だけでなく、ネットワークやクラスターをも意味します。つまり、国家の独裁ではなく、新自由主義のような市場の独裁でもない、真に人間的な市民社会をつくるための理念が、ワーグナーにとってのゲノッセンシャフトでした。

未来の芸術作品

ではワーグナーは、なぜゲノッセンシャフトに新しい社会構想の期待を託すようになったのでしょうか。ドレスデン革命の直後、チューリッヒに亡命した1849年に、ワーグナーは『未来の芸術作品』において、この点を明確に理論化しました。ワーグナーは芸術創造の主体を、特定の芸術家ではなく、民衆（Volk）に見いだしました。しかしワーグナーが考える民衆とは、誰だったのだのでしょうか。

ワーグナーにとっての民衆とは、社会階級の底辺の人びとではありません。人間とその社会にとって必要不可欠な事柄は何かを自覚した人びとこそが、ワーグナーの考える民衆でした。しかし、このような民衆は、近代文明社会においては人間性を歪められている。

そこでワーグナーは、近代文明の腐敗と近代芸術の堕落を厳しく批判し、社会変革の仕組みを模索しました。とりわけ、人間らしい生活にとって不必要な贅沢品や流行、つまり文化産業の生産システムを徹底的に攻撃しました。それらが人間の主体性を奪い、ゲノッセンシャフトの形成を阻み、その結果、国家権力と宗教権力の非人間的な支配を許してしまうからです。

もとよりワーグナーは政治家ではなく芸術家です。しかし、政治家にはできないことがあり、それを芸術家は実現しなければならない、とワーグナーは考えていました。ゲノッセンシャフトを「感覚の共同性」にもとづいて具現すること

です。現実の苦境に直面することで、人間にとって本当に必要なこととは何なのかが見えてくるでしょう。わたしたちが流行や広報マーケティングに踊らされることなく、必要不可欠のものを共に実感としてつかむことのできるメディアを創造しなければならない。この人間の共同性を回復するメディアを、ワーグナーは「未来の芸術作品」と呼んだのです。

テンニエスと賀川豊彦

　ここで少しワーグナーから離れ、ドイツの社会学者フェルデナント・テンニエスの言葉に耳を傾けてみましょう。テンニエスの主著『ゲマインシャフトとゲゼルシャフト』は1887年に出版されましたが、1911年に書き加えられた補遺の中に、次のような記述があります。

　　　最近10年くらいの間に、ゲノッセンシャフトの名のもとに財力のない人々が集って、さしあたり商品の協同購入を行い、ついで必要なもの、つまり使用価値を自己生産するために大きな力を発揮するようになった。小さな組合が多数集って、大量購入、大量生産を行なう組合にまで発展する。このような組合の法的形式は、有限責任の原理に従って、株式会社の法に倣って作られる。これによってゲマインシャフトの経済原理がゲゼルシャフト的な生活条件に適合する形態をとりながら、きわめて重要な発展能力をもつ新しい生命を獲得する。家族生活やその他のゲマインシャフトの形式は、(ゲノッセンシャフトの活動を通じて) その本質や生の法則が深く認識されるようになり、(現代における) 復活の根を下ろしていくのである。

　ところで、日本における協同組合の理論と実践は、賀川豊彦 (1888-1960) によって築かれました。賀川は、1844年にイギリスの小さな町ロッチデール (Rochdale) に設立された職工たちの消費者共同組合の仕組みを研究しました。また同じころにドイツで設立されたゲノッセンシャフトの運動にも精通していました。賀川は1937年に英語で出版した『友愛の政治経済学』において、協同組合の運動を通して「開かれたコミュニティ」を提唱しました。

現代の協同組合は、中世の組合（ギルド）の延長線上に改良され発展
してきた。中世のギルドは搾取なき経済活動の組織化を達成したのだが、
その組織は非組合員にまで兄弟愛を及ぼすことはなかった。

　他方、現代の協同組合の基本原則の一つは、そのサービスをコミュニ
ティ全体に広げることである。真の協同組合とは、その活動の広がりにお
いて、全コミュニティ的なものである。古い組合はそのサービスを自分の
組合に限定してきた。

　賀川豊彦が着目しているのは、共益団体としてのギルドから公益団体として
の協同組合への発展です。協同組合の活動が限定的なメンバーシップから全
コミュニティ的なものへと開かれ、世界に広がってゆく。しかしここで賀川は
注意を喚起します。レーニンが協同組合のシステムを国家全体に適用したた
めに、ロシアが「強制協同組合」になってしまったことです。このような誤りを
踏まえて、賀川はアソシエーションの連合体をめざす協同組合運動を唱導しま
した。

　　現代の協同組合は、単一の組織の中に、一定の社会集団の全ての人
　びとを包含しようとするものではない。そのような単一組織は、いずれは
　機能し難くなるであろう。協同組合というものは、ある財貨に対する共通
　の要求、職業の類似性、あるいは地理的な近さといった、なんらかの繋
　がりをもとに組織される、小さな自発的なグループから始まる。そして、こ
　のような小グループが、こんどは地域連合を構成していく。これらから全
　国的な連合、そして国際的な協同組合が結成されるのである。

　協同組合は強制力によって組織されてはならない。協同組合運動は人びと
の自発的な行動によってこそ達成される。そのためには「発想豊かな精神が
極めて重要である」。これが賀川の主張でした。このような賀川の思想は、ワー
グナーが構想した芸術家のゲノッセンシャフトと深いところで共通していました。
ワーグナーがゲノッセンシャフトを芸術論の中心に据えたのは1850年頃です。

つまり市民革命の時代に、新しい社会をつくり出すための基礎単位がゲノッセンシャフトでした。おりしもワーグナーが活躍していたザクセン王国では、ヘルマン・シュルツェ・デーリッチェがドイツで初めての手工業者によるゲノッセンシャフトを設立し、3月革命前期のムーブメントになっていました。

感覚の共同性としての綜合芸術

　ワーグナーの主張の核心は、芸術家のゲノッセンシャフトが、新しい市民社会を形成してゆくためのモデルとなる点です。このモデルには2つの側面があります。1つは劇場をはじめとする芸術組織そのものがゲノッセンシャフトとして組織され、運営されるという面。このような新しい組織のあり方が、他の分野の組織にも波及し応用され、社会全体がゲノッセンシャフトのネットワークとして構成されます。アソシエーションの連合体として市民社会が形成される。それによって国家権力のヒエラルキーは切り崩されてゆくのです。

　しかし新たな中央集権的な組織は避けなければならない。そのような落とし穴を避けるために、ワーグナーが重視したのが、感覚の共同性に基づく綜合芸術でした。

　この点に、芸術家のゲノッセンシャフトが新しい市民社会のモデルとなるというさいの、もう1つの側面があります。ワーグナーの綜合芸術作品そのものがゲノッセンシャフトの理念を感覚的に具現しているのです。綜合芸術とは人間の五感を統合した芸術作品です。聴覚と視覚だけでなく、人間の身体感覚全体のはたらきを「共通感覚」という根っ子から刺激して、さまざまなしがらみに捕われていた感性を活性化するからです。

　わたしたちは綜合芸術を享受することによって、「あるがままに感じる心」を取り戻すことができるでしょう。すると、自分と世界との新しい関係が立ち現れてくるのです。このときわたしたちは、「人間にとって本当に必要不可欠なものとは何か」を、共通の根本経験として実感することができる。綜合芸術というメディアは、感性をとおして人々を結びつけるのですが、そのときにわたしたちは、人類の現在と未来にとって「欠けていてはならない事柄」を共通認識できるようになるのです。

写真1, 2　ライプツィヒ近郊にあるドイツ・ゲノッセンシャフト博物館

　人間の五感を統合する共通感覚を活性化し、それによって感性が解放される。それまで自分の感じ方や考え方を束縛していた「慣習」を超え出ることができる。特定のイデオロギーから解放される。このような感覚の刷新と感性の活性化を通じて、新しい共同体のイメージが立ち現れてくる。それを「感覚の共同性」と呼びましょう。

　ゲノッセンシャフトは、このような「感覚の共同性」にもとづいて形成される必要があります。そして、その根っ子にあるものは共通感覚でした。もしも新しい共同体が、このような感覚や感性の共同性にもとづいたものでないとすれば、それは賀川が指摘したように「強制協同組合」に陥り、早晩機能しなくなることでしょう。ワーグナーは同じ難点を、ゲノッセンシャフトの理念にもとづいて克服する仕組みを考えていたのです。

　たとえば、通常のドラマの主人公は、それが悪玉であれ善玉であれ、強烈な個性を発揮することでドラマ全体を独占してしまいます。俳優の場合も然り。主役はまるで独裁者のように振る舞います。観客もそれに圧倒されて快感すら感じます。しかしワーグナーが考えた自由な芸術家のゲノッセンシャフトには、強い個性の持ち主が主人公であり続けるという独裁体制を回避する仕組みが備わっていたのです。

感覚の復権と自由な世界市民社会への道

　ワーグナーの考える芸術家のゲノッセンシャフトを、今日のアートプロジェクトのプロトタイプと見なしてよい。それはアソシエーション的なコミュニズム、つまり文化的コモンズとつながっています。

　このころワーグナーは、後にバイロイト祝祭として実現されることになる祝祭劇を構想していました。この近代フェスティバルの起源にはゲノッセンシャフトの理念が染み込んでいました。そしてこの祝祭劇の理念、すなわち『マイスタージンガー』と『ニーベルングの指環』に代表されるドラマと、祝祭劇の組織形態、つまりゲノッセンシャフトの理念とが表裏一体となって、ワーグナーは『未来の芸術作品』において、未来の人類社会のあり方を根本的に構想したのです。

　　　外的強制によってのみ維持されている現在の硬直した国家的結合とは異なり、未来の自由な連合は、あるときは並外れた広がりを、あるときは緻密な構成を示す流動的な変化のなかで、未来の人間の生そのものを表出するだろう。こうした生には、多種多様な個性の不断の変化が豊かな魅力を無尽蔵に添えるが、他方、流行と国家管理の画一性のうちにある現在の生（とりわけ現代の劇場機構・制度も同様）が示すものは、残念ながら身分制度、官職、戒厳令、常備軍などを備える現代の国家の、あまりに忠実な模写にすぎない。（中略）

　　　しかし、芸術家の連合より以上に豊かで、無限に鮮烈な変化を示す連合はないだろう。というのも、芸術家の連合におけるあらゆる個性は、共同体の精神に呼応して振る舞えるようになるやいなや、自身によって、そして現存することが明らかとされた自分の意図を通して、この一つの意図を実現するために新たな連合を呼び起こすからである。

　ワーグナーにとっての民衆とは「共通の苦境＝必要（Not）というものを感じている、すべての人びとの総体」でした。その民衆は、たしかに近代文明の中で人間性を疎外され、共通の必要を認識できなくなっています。しかし、未来の芸術作品を通して、民衆の真の姿を取り戻すことができる。ワーグナーにとっ

ての民衆は、世界の神話的起源にあった「純粋に人間的なもの」です。しかし近代では、民衆の人間性は歪められている。だからこそゲノッセンシャフトを通じて、共通の苦境＝必要を認識した民衆を取り戻そうとしたのです。

このようにワーグナーは、芸術家のゲノッセンシャフトをモデルとして、国家権力にも宗教権力にも抑圧されないアソシエーション型の自由な共同社会を構想しました。繰り返しになりますが、ゲノッセンシャフトが自発的に形成されるためには「発想豊かな精神が極めて重要」です。それは共通感覚の活性化によって感覚の共同性を復権することです。

平たく言えば、思い込みを捨て、感性を開いて、あるがままに感じる心を取り戻すこと。というのも共通感覚は、他のひとの気持ちとつながり、自然の気分にも通じている、ある根源的な能力だからです。このときわたしたちは、自分自身を他者の立場に置きかえて感じ、考えることができるようになる。そこから幅の広い思考力と的確な判断力が育ってきます。

エゴを超えて他者の立場に身を置いて共通の利益、つまりコモンズを形成するためには、豊かなイマジネーションが不可欠です。その想像力を養ってくれるのは芸術です。純粋な美的経験の只中で、わたしたちは利害打算を超えた、とても清々しい心持ちになります。世の中のあらゆる諍いが愚かなことに思われてくるでしょう。

こうした美的経験を共有することで、わたしたちは物事を公平・公正に判断できるようになるでしょう。美感的判断力は、本来の政治的判断力が育まれる母胎なのです。だからこそ美的教育が、文化教育が、文化政策の基本となるのです。

芸術文化はなぜ社会にとって必要なのでしょうか。わたしには信念があります。自然と人間との共生の大地を再建し、資本主義によって疎外されることのない社会を築くために、芸術文化は必要不可欠なのです。それは私利私欲を超えて、他者の立場に自分の身を置き換えて、幅広い視野から世界全体の秩序と平和を構想させる有力なメディアです。国民ではなく「世界市民」として生き、行動すること。芸術文化はそのための道を開くのです。

◎**参考文献**

• カール・マルクス（長谷川宏訳, 2010）『経済学・哲学草稿』光文社古典新訳文庫
• リヒャルト・ワーグナー（藤野一夫訳, 2012）『未来の芸術作品』（『友人たちへの伝言』所収）法政大学出版局
• 藤野一夫（2014）「恣意を超えた純粋に人間的なもの ─〈ニーベルングの指環〉における個人と社会の自律的生成」『ワーグナーシュンポジオン2014』日本ワーグナー協会編、東海大学出版部
• フェルディナント・テンニエス（重松俊明訳, 1966）『ゲマインシャフトとゲゼルシャフト』（『ドイツの社会思想　世界の思想19』所収）河出書房
• 賀川豊彦（監修＝野尻武敏, 2009）『友愛の政治経済学』日本生活協同組合連合会

13
講義

文化多様性と
マイノリティの文化権

　世界の先進諸国のあいだでは、明らかに国民国家が解体の時期に入っています。とくにEUの地域統合にともなって、政治・経済面では国民国家としての主権が制限されてきました。文化面ではどうでしょうか。もしヨーロッパ共通の文化政策が進展していくとすれば、国民国家の枠組みに依存した文化政策は、それにつれて重要性を失っていくのでしょうか。そして19世紀の遺物ともいうべき「国民文化」や、それを支えてきた「国語」という観念も意義を弱め、多文化主義や多言語主義が促進されるのでしょうか。

　一方で、ヨーロッパという大きな地域の枠組みが形成されることによって、文化の面でも国民国家の垣根が低くなり、国境を越えた文化交流がさらに促進されるのではないか。場合によっては、かつてのキリスト教芸術がそうであったように、何か新しいヨーロッパ共通の文化（様式）が生み出される可能性があるかもしれません。他方では、これまで国民国家の枠組みのなかで抑圧されてきたマイノリティの文化や言語が、その権利を保障されることによって、新たな動きが出てくるではないでしょうか。

　マイノリティの文化が保障されるといっても、それが文化財扱いされ、博物館の中でのように保護され珍重される場合には、他の（多くの場合メジャーな）文化との接触と混合のダイナミズムから取り残され、新しい文化を生み出す触媒の役割を果たすことはできないでしょう。せいぜいのところ、観光政策や文化産業と結びつく程度でしょう。

　しかしマイノリティの文化が、他の文化との接触と混合のダイナミズムの中で、触媒的な役割を果たす場合には、いわばクレオール的な雑種性の中から新たな文化が生まれるかもしれません。これは19世紀的国民文化とも異なり、また新たなヨーロッパ共通文化とも異なる、ハイブリッドな文化の出現を予想

させるものです。

　このような問題を考えるうえでの1つの足がかりを文化政策の観点から探ってみましょう。つまり文化政策の立場から、民族的マイノリティの文化権や言語権の問題を中心に「文化多様性」について考察し、またその概念の背景をも明らかにしたいと思います。

国民国家と多文化主義

　ここで「国民国家とは何か」という大問題を議論している余裕はありませんが、単純化するならば、1つの文化、1つの言語、1つの民族に基づいて創設された近代的な国家を「国民国家」と呼んでよいでしょう。しかし実際には、1つの文化、1つの言語、1つの民族からなる純粋な国民国家なるものは、いわゆる「想像の共同体」にすぎません。

　実際に成立した国民国家の内部では、中心文化による周辺文化の抑圧が行われてきました。多数民族の文化や言語や習慣に、少数民族の文化や言語や習慣を同化させようとする「同化政策」です。国民国家の形成には、このような同化主義による国民統合政策が避けられません。ここから数々の民族・エスニック紛争が生じてきたのです

　これに対して「多文化主義」とは、移民や難民、外国人労働者、周辺地域に住む少数民族などの文化、言語、生活習慣などを、中央政府が積極的に保護しようとする国家的政策といえます。そのために国家は、人種差別禁止法を制定し、エスニック・マイノリティの教育や職業のための公的援助を行い、社会参加を促します（吉川・加藤編『マイノリティの国際政治学』有信堂）。

　なぜ国がすすんで多文化主義を採用するのかは、各国の内部事情に深く依存していますが、多文化主義の最大公約数的な定義を紹介しましょう。梶田孝道によれば、「一つの社会の内部において複数の文化の共存を是とし、文化の共存がもたらすプラス面を積極的に評価しようとする主張ないしは運動」（『世界民族問題事典』平凡社）が、多文化主義と呼ばれるものです。

　多文化主義は、従来の国民国家のイデオロギーであった「同化主義」「同化政策」とは、たしかに反対の考え方です。しかし、複数文化の共存という形で

国民社会を統合し、維持していこうとする国家的政策である、という点では、国民国家のイデオロギーと必ずしも敵対するものではありません。多文化主義は、国民国家の解体を防ぐ安全弁、つまりガス抜きとして採用されることもあります。しかし、多文化主義や多言語主義の採用が、国民国家の解体を促進する諸刃の剣であることも事実です。

後に見るように、ヨーロッパにおいても、たとえばフランスの場合には、その共和国理念と多文化主義、多言語主義とは真っ向から対立します。EU統合の進展にともなって、マイノリティの文化権や言語権を保障するさまざまな法律が批准されてきました。しかし、多文化主義や多言語主義の点では、フランスは他のEU諸国と足並みを揃えることができないでいます。なぜでしょうか。

「一にして不可分」というジャコバン的国家理念、つまりフランス人民の単一性原理が足枷となって、マイノリティの集団的権利を法的に認めることができないのです。ここに近代国民国家の限界があります。他方、それにもかかわらず、GATTウルグアイ・ラウンドでは、フランスは「文化特例」なる概念を持ち出し、「文化多様性」を擁護する急先鋒となりました。国内およびEU域内にむけての（広い意味での）文化政策と、アメリカを中心とするグローバル化に対抗する文化政策とのねじれについては、後ほど詳しく述べたいと思います。

文化政策におけるマイノリティの文化権

グローバルレベルにおいて、現代の文化政策が扱うべきイシューを確認しておきましょう。その水準に照らして、日本の文化政策の問題点が浮き彫りとなるからです。ユネスコは1982年に第2回世界文化政策会議において、文化政策の推進対象として以下の7項目を重点的に規定しました。

1）文化的アイデンティティの尊重
2）文化政策における民主主義と参加の重要性の確認
3）文化的発展を社会的発展の目的それ自体としてとらえる新しい価値観の確認
4）文化と教育の相互関係の強調
5）文化と科学技術

6) 文化とコミュニケーション

7) 文化と平和の関係

　また1996年に更新されたスウェーデンの文化政策の目的は、以下の7項目です（二文字・伊藤編著『スウェーデンにみる個性重視社会』桜井書店）。

1) 表現の自由を守ること、表現の自由を行使する機会を与えること

2) すべての人々が文化的生活、文化的経験、創造活動への参加の機会を保証されること

3) 商業主義の悪い影響を退け、文化的多様性や新たな創造、文化的質を向上させること

4) 文化が社会に対し、ダイナミックで挑戦的な強いインパクトを与えられるようにすること

5) 文化遺産の保護と活用

6) 文化教育の促進

7) 文化の国際交流の促進

　近年の文化政策の中心的課題とされているものに「文化的アイデンティティ」の促進があります。文化政策というと、まずは音楽・オペラ・演劇・絵画など、いわゆるハイカルチャーの振興を思い浮かべるかもしれません。しかし、このような芸術文化政策は、文化政策の重要な部分ではあっても、その一部にすぎません。

　ユネスコが提唱する「文化的アイデンティティの尊重」とは、主に少数民族集団や社会的弱者の文化的アイデンティティを尊重するという意味です。自国内に住むマイノリティ、つまり民族的、宗教的、社会的な背景の異なるマイノリティに対して、その文化的アイデンティティを保障しようという考え方です。そこには、文化多様性の尊重が、人類社会全体の発展にとって不可欠である、という基本認識があります。

　このような「マイノリティの文化権」の保障は、多文化共生社会の前提であるにもかかわらず、日本の文化政策においては、いまだに認識不足なのです。

それでも1997年に「アイヌ文化の振興並びにアイヌの伝統等に関する知識の普及及び啓発に関する法律」（略称「アイヌ文化振興法」）が成立し、「アイヌの人々の自発的意思および民族としての誇りを尊重するように配慮する」と言明されたことは、マイノリティの文化権の確立へ向けた第一歩と言えるでしょう。

　2019年に成立した「アイヌの人々の誇りが尊重される社会を実現するための施策の推進に関する法律」（略称「アイヌ施策推進法」）では、日本の法律として初めて、アイヌ民族を日本の先住民であると規定しました。そこにはまた、今後のアイヌ民族をめぐる文化施策について、包括的な理念と方針が打ち出されています。

国際法にみるマイノリティの文化権

　ここで多文化共生に関係する国際的な法律を、少し振り返っておきましょう。大前提となるのは1948年に採択された「世界人権宣言」です。その第1条には、「すべての人間は、生まれながらにして自由であり、かつ、尊厳と権利とについて平等である」と規定されています。「世界人権宣言」は、「すべての人民とすべての国とが達成すべき共通の基準」を示したもので、それ自体は条約のような法的拘束力をもつものではありません。しかしこの宣言が、その後の国際的な人権保障体制の展開の出発点となったことは確かです。

　その後、国際連合は、「世界人権宣言」を実効性のあるものとするために、1966年に「国際人権規約」を採択しました。これは「経済的、社会的及び文化的権利に関する国際規約」（社会権規約あるいはA規約と略称）と「市民的及び政治的権利に関する国際規約」（自由権規約あるいはB規約）から成ります。ここで注目すべき点は、この自由権規約の中で、少数民族（マイノリティーズ）の問題が取り上げられていることです（田畑茂二郎『国際化時代の人権問題』岩波書店）。

　「種族的、宗教的又は言語的少数民族が存在する国において、当該少数民族に属する者は、その集団の他の構成員とともに自己の文化を享受し、自己の宗教を信仰しかつ実践し又は自己の言語を使用する権利を否定されない」（第27条）と規定しています。

日本は1979年に、国際人権規約の双方について批准しているので、この国際法を根拠として、わたしたちは、多文化共生社会の実現に向けた、さらに具体的な法整備や施策に取り組むことができるはずなのです。

　それでは、日本国憲法の規定では、なぜ不十分なのでしょうか。たしかに、日本国憲法第14条には「すべて国民は、法の下に平等であって、人種、信条、性別、社会的身分又は門地により、政治的、経済的又は社会的関係において、差別されない」とあります。しかし差別されない対象は、あくまでも「すべての国民」に限定されています。つまり日本国籍をもたない在日外国人等は、この規定から排除されてしまうのです。

　講義3で述べたように、日本の文化政策の根拠法となる「文化芸術振興基本法」が2017年に改正されて「文化芸術基本法」になりました。しかし改正基本法においても、その文化権の対象は依然として日本国民に限定されているのです。このように、在日外国人や民族的マイノリティの文化的市民権は、日本国民のみを対象とする国の法律によっては十分に保障されないことになります。

　さて、日本の国レベルの文化政策において、多文化共生という点から改めで浮き彫りとなるのは、社会的マイノリティの文化権（文化的アイデンティティの保障）の問題が軽視されていることです。これを現代ドイツの文化政策と比較するならば、日本の国レベルでの文化政策の立ち遅れが目につきます。

　他方、ナチス時代の文化統制政策への反省から出発した戦後（西）ドイツの文化政策の原則は、①文化の地方分権、②文化のデモクラシー（すべての人が文化的生活を享受）、③文化的アイデンティティの促進（国内の諸地域や宗教的・社会的・人種的集団の文化的アイデンティティの保障）、さらに対外的には④ドイツの良い面だけでなく、否定的な面も含め幅広く、ドイツ文化の実像を批判的・客観的なまなざしをもって紹介すること、が強調されています（『事典現代のドイツ』大修館書店）。そのことによって、ドイツ固有の問題、あるいは現代社会・文化に共通の課題を国際社会に投げかけ、異文化理解と国際協力のためのプラットフォームを形成しようという、明確な姿勢が見て取れます。

　「とりわけ1998年秋のシュレーダー政権成立以降は、非欧米文明圏における民主主義や人権の推進、地球規模の市民社会建設を強く志向すると同時に、

画一的な大衆文化の急速な普及にローカルな立場から対抗する〈多様なヨーロッパ文化〉の保護推進を、文化交流事業の目標として求める傾向がはっきりしてきた」(戦後日本国際文化交流研究会著、平野健一郎監修(2005)『戦後日本の国際文化交流』川村陶子分担執筆「地域統合のなかの国際文化交流」勁草書房)といってよいでしょう。

文化多様性から文化多元主義へ

　文化多元主義的理念にもとづく強靭な公共文化政策を再構築し、これによってグローバル資本主義と、その文化的画一化に対抗しうる都市戦略を練り上げることが焦眉の急です。ここでの「文化多元主義」を、わたしはユネスコの「文化多様性に関する世界宣言」の意味で用いたいと思います。

　　第2条―文化多様性から文化多元主義へ
　　　地球上の社会がますます多様性を増している今日、多元的であり多様で活力に満ちた文化的アイデンティティを個々に持つ民族や集団同士が、互いに共生しようという意志を持つとともに、調和の取れた形で相互に影響を与え合う環境を確保することは、必要不可欠である。すべての市民が網羅され、すべての市民が参加できる政策は、社会的結束、市民社会の活力、そして平和を保障するものである。この定義のように、文化多元主義を基礎とすることで、文化多様性に現実的に対応する政策をとることが可能である。文化多元主義とは、民主主義の基礎と不可分のものであり、文化の交流と一般市民の生活維持に必要な創造的能力の開花に資するものである」(文化庁長官官房国際課国際交流室による仮訳、平成16年9月。なお、この訳について現在インターネットで検索できるのは文部科学省の仮訳「文化的多様性に関する世界宣言」(国際統括官付) https://www.mext.go.jp/unesco/009/1386517.htm です。しかし本書では特記なき場合、文化庁のこの仮訳を使用して論を進めることにします)。

　ここでは文化多元主義が、文化多様性に現実的に対応するための理念か

つ政策的基礎と見なされています。文化多様性が現象や状況を把握する概念であるのに対し、文化多元主義は一定の立場を表明し、何らかの行動指針となるものです。しかも、文化多元主義（Cultural Pluralism）は多文化主義（Multiculturalism）からも区別されます。

　この区別を国家政策との関係で明らかにするならば、多文化主義は、1つの国家の中で異なった文化が共存できるように、文化的背景の異なる集団の間での政治的、経済的、社会的な不平等を是正しようとする立場のことです。その場合、法制度や政策は、複数の文化を積極的に許容し、集団間の共約不可能性を重視します。このことは同時に、文化的背景の異なる集団が、相互に没交渉のまま並存し、相互理解への媒介項を見いだせないというディレンマをも抱えこんでしまいます。

　これにたいし文化多元主義は、近現代社会の法制度に抵触しない限りで、それぞれ多様な文化を許容する立場です。つまり、人びとやマイノリティ集団の多様性を保ちながらも、同時に国家などの政治システムが統一体として機能するための理念が文化多元主義です。

　近現代の市民社会には、主に人権と民主主義を基礎とする普遍的ルールがあり、その規範の上で多様性を保障しようとします。「多様性の中での統一」を理念とするEUは、その典型です。とはいえ、文化多元主義と多文化主義の相違は、次のような例によって、その自己矛盾も含めて明らかとなるでしょう。

　近代国家以前には世界各地で見られた生贄の習慣が、ある近現代国家の内部でのマイノリティ集団に残っている場合があります。たとえば大きな災害が起きたときに、それを神の怒りと見なし、怒りを鎮めるために、子どもを生贄にするという習慣があるとします。もちろん、この習慣を「前近代的な野蛮な行為」と判断する場合、その判断主体の世界観、宗教観などの価値観複合や思考のメカニズムそのものを問い直す必要があるでしょう。

　しかし、その点を保留するならば、文化多元主義の立場では、生贄は人権の侵害であると主張できるのです。他方、多文化主義の立場を徹底するならば、1つの国家内の出来事であっても、生贄の習慣は文化の相違（多様性）によるものとして許容しなければなりません。もちろん、それを理不尽と感じる「国民」は多いと思います。

それだけではありません。文化多元主義の立場を鮮明にしているEUの内部でさえ、文化多様性を文化多元主義によって保護・育成する政策過程において多くの自己矛盾が生じている現状があります。近年のフィールドワークの中で衝撃的だったのは、ロマ（roma）の文化（権）をいかに守りながら、それを国民国家の一員、そしてEU市民として統合していけるのか、という深刻な問題です。その点に簡単に触れておきましょう。

マイノリティ・コミュニティと文化多元主義のアポリア

　ロマは、ジプシーと呼ばれてきた集団のうち、主に北インドのロマニ系に由来し、中東欧に居住する移動型民族です。移動生活者、放浪者と見なされることが多いのですが、現代では定住生活をする者も少なくありません。わたしは近年、チェコやハンガリーの国境地帯で、現地の研究者とともにロマの定住コミュニティを視察しようとしてきました。けれども、身をもっての参与観察は非常に困難なのです。

　たとえば、2012年夏、南西ハンガリーの中心都市でクロアチアとセルビアの国境三角地帯に位置するペーチ（Pecs）を訪れました。ペーチは欧州文化首都2010に選ばれ、多文化が重層し融合した麗しい古都ですが、文化首都事業のインフラ投資の後遺症は深刻でした。多くの文化施設がすでに閉鎖されておりました。

　その折に、さらに衝撃的な事実を知りました。ペーチ周辺部の炭鉱地帯が、

写真1 ロマの集落に目立つ高級車

写真2 ロマの集落となった元炭鉱住宅

その閉山後数万人に上るとされるロマに占拠され、すでに定住コミュニティとなっていました。わたしが現地を訪問する直前、ロマのコミュニティで参与観察を行っていた心理学者の女性が、現地で殺害されたとのニュースが報じられ、ハンガリー系住民のロマへの恐怖と反感が極度に高まっていたのです。

元炭鉱住宅に住みついたロマ系住民たちは、民主的法制度のもとで自分たちの代表をペーチ市議会に送り込み、その結果、大半のロマ系住民が国民国家の社会福祉制度の枠組みで生活保護を受けています。しかし、マジョリティのペーチ市民のような勤労モラルもその習慣もないため、定職に就くことはほとんどありません。ロマの子どもに義務教育を受ける権利があるのは当然です。ところが大半の親たちは、学校教育に価値も意味も見出していないため、子どもを登校させようとはしません。

他方、生活保護のためには子だくさんが有利なので、ロマのコミュニティには子どもが目立ちます。しかし、あいかわらず街中での風評は、「親の差し金で、盗みや物乞いが仕事のジプシーの子ども」というステレオタイプです。実際、放浪の民であった文化的遺伝子の継承というべきか、ロマの車へのこだわりは尋常ではありません。スラム化したコミュニティから、ピカピカの高級外車で続々とどこかへ出かける光景は、とても異様です。

ヨーロッパの文化多様性を文化多元主義によって保護する政策には、このようなアポリアも根深く付きまとっています。民主主義的な人権保障は、西洋近代の根底をなす価値観です。しかし、そこから外れる価値観を「文化」として継承するマイノリティが、西洋近代の制度に「便乗」して生活しているのです。しかも権利に対する義務を十分に果たすことなく、同じ都市・地域に隣接して暮らしている実情。そのためにマジョリティが日常的に感じている恐怖と嫌悪は、いかばかりでしょう。

わたしは「都市への権利」と「コミュニティへの権利」を、その差異に留意しながらも架橋する文化政策を模索しているのですが、ロマの例に見られるような文化的・民族的マイノリティを「多様性の中での統一」へともたらす方策については、いささか悲観的にならざるを得ません。文化多元主義ではなく、多文化主義の立場に利があるのではないか、とすら思ってしまうのです。

ペーチのマジョリティ住民にとっての「都市への権利」とは、マイノリティが

もたらす恐怖と嫌悪からの解放と、それによる安心と安全の保障ということになるでしょう。しかしそれは同時に、マイノリティにとっては「都市への権利」からの排除ともなります。

反対にマイノリティは「コミュニティへの権利」を主張して炭鉱住宅跡を定住コミュニティとし、これによって都市部と周辺部コミュニティの分断、つまりコミュニティのゲットー化が固定しています。そのかたちは多文化の共生でも共存でもありません。ましてや異文化間の接触・交流による「創造的能力の開花」など絵に描いた餅なのです。

文化多元主義の理念には程遠い現状があります。とはいえ、マジョリティにとってもマイノリティにとっても、日常的には没交渉であること、そして法制度や福祉政策の面でのみ権利を享受し、また享受させることが双方の当事者にとってベターである、と考えるべきなのでしょうか。

ロマがジプシー音楽に表象される「芸能の民」であり、ロマ固有の文化的営為がヨーロッパの中心文化に「ミューズ」としての少なからぬ影響を与えてきたことは言うまでもありません。そうした文化論的考察とならんで、政治社会面での峻厳な現実があるのです。今後の課題として、両側面を社会文化的観点から媒介するチャンスを見出したいと考えています。

総じて、集団間の共約不可能性を重視する多文化主義においては、人権の侵害と見なされる習慣や行為も、文化の違いによるものとして許容しなければなりません。しかし文化多元主義においては、人権侵害にあたる習慣や行為は許容されないのです。そのため、文化多元主義は西洋近代の産物にすぎない、ヨーロッパ中心主義である、という多文化主義からの批判も絶えることがありません。

しかも、西洋の政治思想の流れを概観すると、人権概念そのものが、個人主義的な所有権思想と同じ根から生まれたものであることがわかります。その思想を基盤として自由主義と資本主義が成立し、やがて国民国家体制が確立されるに至ったのです。

とするならば、同じヨーロッパ内を移動しながらも、このような近代化のプロセスから排除されてきたロマのようなマイノリティは、国民統合の「異物」と見なされることになります。何よりもロマにとっての自由とは、土地の所有とは結

びつかない「移動の自由」なのです。また、ロマの価値観が、勤労による富の獲得や財産所有とは異質なものであるとすれば、その自由を西洋近代の人権概念によって束縛することは、私的所有権にもとづく（法維持の）暴力を意味することにもなるでしょう。

　ユネスコの「文化多様性に関する世界宣言」では、「文化多元主義とは、民主主義の基礎と不可分のものであり、文化の交流と一般市民の生活維持に必要な創造的能力の開花に資するものである」と述べられていました。しかしながら、文化多元主義が人権概念にもとづいて、ロマにおける「定住コミュニティ」と「都市への権利」との関係を秩序化しようとするとき、西洋近代の基盤そのものが問い直されるのです。ここには、解決不可能といってもよいほどの、深刻なアポリアが浮かび上がります。

「文化多様性に関する世界宣言」と日本の対応

　ここまでヨーロッパにおける文化多様性の可能性と難題について深掘りしてきました。日本の国レベルでも「文化（的）多様性」をキーワードとした文化政策の検討が行われてきましたが、その文脈と内容は、およそヨーロッパとはかけ離れたものです。

　2004年9月に「文化審議会文化政策部会　文化多様性に関する作業部会報告─文化多様性に関する基本的な考え方について─」が出されました。しかし、その検討の背景は内発的なものではありませんでした。ユネスコは2001年に「文化多様性に関する世界宣言」を採択し、2003年の第32回ユネスコ大会において、2005年秋の次回総会に向けて、文化多様性に関する条約の策定手続を開始しました。日本では「我が国のユネスコへの貢献」という大義名分で、文化多様性に関する検討が行われたのです。

　文化多様性に関する作業部会は、6名の委員によって2004年6月から8月にかけて、わずか5回の審議によって報告をまとめましたが、その内容は、ユネスコの「文化多様性に関する世界宣言」の基本理念とは程遠いものになっています。「文化多様性に関する世界宣言」（ここでは文部科学省の仮訳を参照します。https://www.mext.go.jp/unesco/009/1386517.htm）

アイデンティティー、多様性及び多元主義

　第1条—文化的多様性：人類共通の遺産

　第2条—文化的多様性から文化的多元主義へ

　第3条—発展の1要素としての文化的多様性

文化的多様性と人権

　第4条—文化的多様性の保障としての人権

　第5条—文化的多様性を実現するための環境としての文化的権利

　第6条—すべての人が文化的多様性を享受するために

文化的多様性と創造性

　第7条—創造性の源泉としての文化遺産

　第8条—文化的財・サービス：ユニークな商品

　第9条—創造性の触媒としての文化政策

文化的多様性と国際的連帯

　第10条—創造と世界的普及の能力の強化

　第11条—公的セクター、民間セクター、市民社会間のパートナーシップ構築

　第12条—ユネスコの役割

　つぎに「文化多様性に関する作業部会　報告」の構成を以下に記しますので、比較してみてください。

まえがき

第1　文化多様性について

　1. 文化多様性とグローバリゼーション（地球規模化）

　　（1）文化多様性の意義

　　（2）グローバリゼーションと文化多様性の関係

　2. 文化と経済との関係

　　（1）文化の持つ固有の価値

　　（2）自由貿易と文化多様性の関係

第2　文化多様性を保護、促進するための我が国の取組み

　さて、世界宣言に明記された基本理念に鑑み、作業部会報告では欠落しているポイントを指摘しておきましょう。まずは第2条の「文化的多様性から文化的多元主義へ cultural diversity to cultural pluralism」という観点です。繰り返しになりますが、文化多元主義とは「多元的であり多様で活力に満ちた文化的アイデンティティを個々に持つ民族や集団同士が、互いに共生しようという意志を持つとともに、調和の取れた形で相互に影響を与え合う環境を確保する」ことです。

　つまり文化多元主義とは、文化多様性に現実的に対応する政策にとっての思想的基礎であり、文化多様性を市民社会の発展と平和のために活用する仕組みづくりの理念なのです。「文化多元主義は、民主主義の基礎と不可分のものであり、文化の交流と一般市民の生活維持に必要な創造的能力の開花に資するものである」。そしてここから、文化多様性は「より充実した知的・感情的・道徳的・精神的生活を達成するための手段として理解すべき、発展のための基本要素の1つである」という、第3条の認識が導き出されるのです。しかし、これらの基本理念は、作業部会報告にはほとんど反映されていません。

　つぎに、第2のセクションで扱われている「文化多様性と人権」の問題は、ユネスコの世界宣言における核心部分です。ここでは「文化多様性の保護」は、「特に少数民族・先住民族の権利などの人権と、基本的自由を守る義務」（第4条）と規定されています。

　ところが作業部会報告では、文化多様性の保護は、国が「多様な文化芸術の保護及び発展を図る」ことであるとして、その意味が限定されています。そのうえで、「文化多様性を保護、促進する観点から、特定の領域だけでなく、

文化的、社会的な実情も踏まえ、生活文化やアニメーション、ポップミュージックなど幅広い分野を支援していくことが重要である」と述べられています。

とはいえ、具体的施策となると、「国は、文化芸術振興基本法に規定する多様な文化芸術に対して効果的な支援を行っていく必要があり、以下①文化遺産、②オペラ、オーケストラその他の舞台芸術等、③メディア芸術、の分野ごとに検討する」と書かれています。

結局のところ、文化（的）多様性の保護、促進とは、これまで文化庁が重点的に支援してきた文化芸術ジャンル、および文化産業の振興を視野に入れたメディア芸術に限定されています。そのため、主にマイノリティの人権・文化権の保障を意味するユネスコの方針とは、およそ乖離した内容になっているのです。

さらに、世界宣言の第5条では、国際的な基本的人権の1つとして文化権を基礎付け、しかも文化多様性を実現するための環境づくりにまで言及しています。これは文化（的）多様性の実現を、社会的文化権として位置づける極めて重要な条文なので、全文を引用しておきましょう。

第5条　文化的多様性を実現するための環境としての文化的権利
　文化的権利は、人権に欠くことのできないものである。文化的権利は、全世界の人々に共有され、個々を分割してとらえることは不可能で、個々の文化的権利は相互に影響・作用しあうものである。創造性という面での多様性を開花させるためには、「世界人権宣言」第27条及び「経済的、社会的及び文化的権利に関する規約」第13条、第15条に定義された文化的権利の完全実施が必要である。従って、人権と基本的人権に基づいて、すべての人が各自で選択する言語、特に母国語によって自己を表現し、自己の作品を創造し・普及させることができ、すべての人がそれぞれの文化的アイデンティティーを十分に尊重した質の高い教育と訓練を受ける権利を持ち、すべての人が各自で選択する文化的生活に参加し、各自の文化的慣習に従って行動することができなくてはならない。

これに対し作業部会報告では、「すべての国民がその居住する地域にかか

わらず、等しく、文化芸術を鑑賞し、これに参加し、又はこれを創造することのできる環境の整備を図ることを基本とすべきである」とだけ述べられています。この文言は、2001年に制定された文化芸術振興基本法の第2条（基本理念）の2に盛り込まれたものと同じです。

ただし基本法では、「文化芸術の振興に当たっては、文化芸術を創造し、享受することが人々の生まれながらの権利であることにかんがみ」という文が、この前に付けられています。一般には、この条文をもって、国民の文化権を謳ったものと見なされていますが、ユネスコの世界宣言における文化権規定と比べるならば、いかに抽象的で、しかも視野が狭いものであるかがわかるでしょう。

つぎの講義14では、日本がなぜ「文化多様性条約」を批准できずにきたのか、その理由を、政治・経済をめぐる国際関係の観点から考察してみましょう。

◎**参考文献**
・吉川元、加藤普章編（2000）『マイノリティの国際政治学』有信堂高文社
・二文字理明、伊藤正純編著（2002）『スウェーデンにみる個性重視社会』後藤和子「第8章 文化―創造的多様性と持続可能な発展」、桜井書店
・田畑茂二郎（1988）『国際化時代の人権問題』岩波書店
・戦後日本国際文化交流研究会著、平野健一郎監修（2005）『戦後日本の国際文化交流』川村陶子分担執筆「地域統合のなかの国際文化交流」勁草書房

文化多様性条約の
政治経済学

欧・米の価値観のはざまに置かれた日本

　講義13では、文化（的）多様性をめぐり、理念と政策と現実とのディレンマやアポリアが浮き彫りとなりました。講義14では、これらの諸問題について、グローバル化における政治と経済をめぐる複雑な力関係に光を当てて考えてみましょう。

　まず、ユネスコにおいて「文化多様性に関する世界宣言」が検討された背景には何があったのでしょうか。フランス等がGATTウルグアイ・ラウンドのサービス貿易交渉において、自国の映画産業などの保護の観点から「文化特例」を打ち出した点は、たしかに重要です。文化的財・サービスを含めたすべての財・サービスの自由無差別の貿易原則を主張して譲らないアメリカに対して、ECやカナダは、音響・映像サービスにおける文化的固有価値の保護のための例外措置を主張しました。

　文化的財・サービスの流通を自由競争原理に全面的に委ねた場合、いったいどのような事態が起こるでしょうか。とりわけ音響・映像の分野において、ヨーロッパの市場がアメリカの文化産業によって席巻されるおそれが大きいのです。そうしたグローバル資本主義への対抗上、文化多様性の保護の観点から、フランスなどがユネスコの世界宣言を強く求めてきた、という思惑を見逃してはなりません。

　またフランスは、アメリカの文化産業が世界規模での文化の画一化を招くとして、文化多様性の保護を求めていますが、その国内において文化多様性をどこまで保障しているでしょうか。イスラムの女子学生のスカーフ事件に象徴されるように、フランスが文化多様性を抑圧している現状についても、その自

己矛盾を見逃すことはできないでしょう。

　文化多様性をめぐる議論の腹の内には、グローバル資本主義への対抗策というEUの政治戦略がうごめいているのです。ですから、宣言文の高邁な人権理念の背後に潜む「政治性」をも見逃してはならないでしょう。

　とはいえ、このような文化多様性をめぐるアメリカ対ヨーロッパの対立構図には、やはり評価すべき点もあります。各国、各地域の特殊な利害関係を超えて、世界全体にとっての普遍的構図へと高められ、そのうえで国際的連帯が説かれているからです。ここには「国際公共性」とそのルール化への期待があります。ユネスコの「文化多様性に関する世界宣言」第10条には、以下のようにあります。

　　　現在、文化的財・サービスのグローバルレベルでの流通・交流は不均衡であり、すべての国、特に開発途上国及び開発の過渡期にある国々において、国内・国際的に存続可能で競争力のある文化産業を育成することを目的とする国際的な協力と連帯を強化することが必要である。

　さらに第11条では、文化多様性の保持・促進のために「公的セクター、民間セクター、市民社会間のパートナーシップ構築」が提唱されています。公共政策の中にNGO／NPOの活動をいかに位置づけ、公的セクターとの協働と連帯を推進していくかが、ユネスコにとっての大きな課題です。しかし講義13で述べたように、文化審議会文化政策部会の「文化多様性に関する作業部会報告」では、こうした各セクター間の連携についても、何ら提言されておりません。

　もとより文化多様性の保持・促進という理念は、ヨーロッパ統合のプロセスにおいて積み重ねられた議論の産物です。すでに1980年代から欧州議会を中心に、EC加盟国内の文化的マイノリティに関する決議を重ねてきました。1994年に採択された「EUにおける言語的・文化的マイノリティに関する決議」では、「EUにおける言語の多様性は、EUの文化的豊かさの中核となる要素である」と言明されています。

　さらにマーストリヒト条約を契機に設置された「地域委員会」においては、

加盟国内の地域格差の是正とともに、地域的多様性の維持が主要な政策課題となりました。1999年の地域委員会定期総会では、ヨーロッパにおける文化多様性に関して、「われわれの目的は補完性と多様性に基づくヨーロッパの構築であり、そこでは地域自治体当局は、マイノリティ文化集団を同じ市民として扱う」と宣言されています（坂井一成編『ヨーロッパ統合の国際関係論』芦書房）。

このように「多様性の中での統合」をめざしてきたEUは、とりわけマイノリティの集団的文化権と市民権に関して議論の蓄積がありました。ユネスコの「文化多様性に関する世界宣言」は、ヨーロッパ統合の過程における諸経験を地球規模へと応用したものと見てよいでしょう。

これに対して「文化多様性に関する作業部会　報告」は、文化の意味を狭義の芸術文化プラスアルファに限定していることからして、時代錯誤の観を否めません。その背景には「文化芸術振興基本法」の負の拘束力が潜んでいると思われます。作業部会報告は、「文化多様性に関する基本的な考え方」を示す、国の文化政策の根幹にかかわる提言となるべきものですが、このような認識レベルに基づいては、日本の文化政策が国際水準での文化政策論議にコミットし、実質的な影響力を与えてゆくことは難しいでしょう。

また、表向きは「文化の多様性」を尊重するとした日本の文化政策が、将来的に多文化共生社会の実現に寄与するものとなってゆくのか、それとも多文化主義を巧妙に避ける意図で提起されているのかについても、今後、注意深く見極めてゆく必要があります。そのさいの試金石の1つは、2005年10月にユネスコが採択した「文化的表現の多様性の保護及び促進に関する条約」（文化多様性条約）を日本が批准するかどうか、にあります。

言語法と言語権

渋谷謙次郎によれば、「1990年代以降、言語をめぐる問題が、政治的、法的な問題として、より先鋭化するようになった」（渋谷謙次郎編『欧州諸国の言語法』三元社）といいます。言語権は、文化権の主要な部分です。言語権という概念は、すでに民族的マイノリティの文化権を規定した「市民的及び政治

的権利に関する国際規約」(自由権規約、B規約) のうちで述べられていました。「種族的、宗教的又は言語的少数民族が存在する国において、当該少数民族に属する者は、その集団の他の構成員とともに自己の文化を享受し、自己の宗教を信仰しかつ実践し又は自己の言語を使用する権利を否定されない」。

こうした言語権を国家内のあらゆる言語集団に平等に保障するためには、言語法の制定が必要となります。しかし、言語権の保障によって、国家内の言語集団が政治的な独立をも要求するようになるとすれば、「社会がまるでユーゴスラヴィアの内戦のように分裂していくのではないかという危惧がうまれることもある」のです。

多言語主義政策が国民国家の解体を加速するのではないか、という保守派の危惧はここにあります。「かつては、言語的亀裂に直面している国家というのは、国民統合がうまくいっていない不安定な国家として否定的に見られた」のです。その場合に、言語的な国民統合に成功したモデルとして国民国家の理想とされてきたのがフランスでした。

しかし、ベルリンの壁の崩壊とEU統合の進展にともなって、マイノリティの文化権や言語権の問題を、それぞれの国民国家の枠組みの内部で解決しようとする政策は有効ではなくなってきました。とくに欧州審議会は、「従来、主権国家の国語や公用語の力の下で埋もれていた少数言語に関する憲章や、民族的少数者の権利」を保障する条約を策定してきました。

1949年に設立された欧州審議会は、「もっとも進んだ国際的人権保護制度と言われる欧州人権条約を監督する国際地域機構」です。「人権と基本的自由の維持およびそのいっそうの実現が、ヨーロッパ審議会の目的の1つとされたが、それは、審議会の目的というだけではなく、審議会に加盟するための資格条件」(田畑茂二郎『国際化時代の人権問題』) ともなってきました。このように欧州審議会は、各国の文化的マイノリティの保護について積極的に関与してきたのです。

では、なぜ東欧や旧ソ連諸国が言語的マイノリティの権利を保障する立法に積極的になってきたのでしょうか。その背景には2つの要因が考えられます。①その内部に深刻な言語対立を抱えているという内発的要因、②EU入りを果たすための条件をクリアーするためにマイノリティの人権問題に前向きに取

り組むようになってきたという外発的要因、です。このように、国際法のレベル
と国内法のレベルとの相関関係が顕著になってきたのも、1990年代以降の傾
向といえるでしょう。

欧州審議会によるマイノリティの権利保障

1）地域言語または少数言語のための欧州憲章（1992年署名開放）

　この憲章は言語的マイノリティの保護ではなく、「文化遺産としての」言語の
保護を目的としています。しかし保護の基準は、その言語の使用者である「集
団」、「領域」、「伝統」にあります。そのため、移民の言語や、イディッシュ、ロ
マニのような「領域なき言語」は、憲章の対象にはなりません。

　前文では「公私の生活における地域言語または少数言語の使用権が（中略）
奪うことのできない権利である」としながらも、「地域言語または少数言語の保
護促進が、国家主権と領域保全の枠内における、民主主義と文化的多様性
の原則に基づいた欧州建設への大きな貢献をなすことを認識」する、という
限定付きの文言になっています。つまり文化多様性というヨーロッパ的価値の
実現は、国家主権の意向の枠内でのみ可能なのです。

　言い換えれば、地域言語または少数言語の権利は、まだ「人権」として認
められるには至っていないのが現状です。しかし、国家の取るべき措置は具
体的に規定されています。そこで、それを国家が約束した場合には、地域言
語または少数言語の権利が「人権」として実現される可能性があるのです。
その例を「第12条　文化的活動および施設」に沿って具体的にイメージして
みましょう（渋谷謙次郎編『欧州諸国の言語法』）。

　　　1.文化的活動および施設について、とくに図書館、ビデオ図書館、文
　　化センター、博物館、資料館、アカデミー、劇場、映画館、ならびに、文
　　学作品、映画制作、庶民的文化表現、フェスティバル、文化産業、とりわ
　　け最新技術利用も含めて、締約国は、当該言語が使用されている領域内
　　において、公的機関が権限をもつ範囲内で、この分野において、以下の
　　権限または役割をもつことを約束する。

a. 地域言語または少数言語に固有の表現およびイニシアチブを奨励し、これらの言語による作品に接する様々な手段を促進すること。

　　b. 地域言語または少数言語の作品に、翻訳、吹き替え、アフレコ、字幕を援助開発することによって、他の言語で接する様々な手段を促進すること。（以下hまで、項目3まで）

　これらを実現するには、文化政策上のコストがかかります。つまり、地域言語または少数言語の権利とは、国家がその使用の自由を侵害しないという「自由権的文化権」だけでなく、国家がその権利の実現のために積極的に関与（促進）するという「社会権的文化権」をも保障する必要があるのです。

民族的少数者保護枠組条約（1995年署名開放）

　民族的マイノリティの文化権については、国連の自由権規約がこれを規定していました。民族的マイノリティが用いる言語や文化について、国家がこれに干渉し侵害してはならないという意味での、「国家からの自由権」を規定したものでした（消極的自由権）。これに対し「民族的少数者保護枠組条約」は、その自由権をいかに確保し実現するのか、という条件や環境づくりにまで言及しています（積極的自由権）。これは国家からの不干渉を定めた「自由権的文化権」を発展させ、「社会権的文化権」を表明したものと見なすことができるでしょう。前文の以下の2つの規定が重要です。

① 多元的で真に民主主義的な社会は、民族的少数者に属する者の種族的、文化的、言語的および宗教的アイデンティティを尊重するのみならず、そのアイデンティティを表現し、保持し、発展させることを可能にする適切な条件を創出すべきである。
② 文化的多様性を、社会の分割ではなく、社会を豊かにする源泉と要因にしていくために、寛容と対話の土壌を創出していくことが必要である。

　これらの規定はすでに述べたように、ユネスコの「文化多様性に関する世界宣言」（2001）の第5条「文化的多様性を実現するための環境としての文化的

権利」の内容を先取りするものです。すなわち、民族的マイノリティの人権の確立と文化多様性の実現に向けて、文化権の立場から、法整備と具体的な施策による環境整備を促す規定です。こうした欧州審議会での条約制定プロセスを前提として、ユネスコの世界宣言が策定されたのです。

　ただし渋谷によれば、民族的少数者保護枠組条約は、「民族問題に神経をとがらせている各国の妥協の産物でもあり、決して、民族的少数者にとっての理想的な規範であるわけではない」とされます。とりわけ言語権に関して言うと、国家の責務が巧妙に回避されています。「本条約の締約国は、可能な限り、民族的少数者に属する者と公権力との関係において、少数言語を使用できる条件を保証するために努力しなければならない」。これは国家の義務ではなく努力目標を示したものです。その実現は各政府の裁量に任されています。

　また、この枠組条約で規定される権利の主体は、「民族的少数者に属する者」という曖昧な表現になっています。これは民族的マイノリティの「集団的権利」を認めたわけではありません。

　さらに根本的な問題としては、この条約のキーワードである「民族的少数者」を、あえて定義していないという点があります。それぞれに国情が異なるので、欧州審議会構成国のすべてに一致するNational Minorityの定義は不可能だからです。そこで、この条約を批准した国は、そのさいに個別の宣言において、各国の状況に合わせて「民族的少数者」の定義を行っています。しかもその場合、大半の批准国は、外国籍の者を民族的少数者から除外しているのです。

　たとえば、オーストリアの「民族的少数者保護枠組条約批准に伴う宣言」では、民族的少数者は、こう規定されています。「オーストリア共和国の領土内に居住し、伝統的に生活を営んできており、ドイツ語以外の母語と独自の民族文化をもつオーストリア市民を構成する集団を指す」。このように、①当該国の国籍をもった「市民」であること、②伝統的に当該国の領土内に居住してきたこと、③固有の文化的、言語的紐帯を維持してきた集団であること、といった条件を満たす場合に「民族的少数者」と規定される傾向が強いのです。そのため、外国籍の者を民族的少数者からは排除する枠組みとなっています。

「欧州憲章」および「枠組条約」とフランス

　ここで注目したいのは、欧州審議会構成国の半数近くが「欧州憲章」を批准し、また大半が「枠組条約」を批准している中で、フランスが双方ともに批准を拒んでいることです。このうち欧州憲章については、フランス政府は1999年に署名したのですが、その直後に憲法院はこれを違憲とする判決を下したため、現在は批准が困難な状況にあります。その憲法院における違憲判決の理由を以下にあげましょう。

　　共和国憲法はその第1条にて〈フランスは不可分、非宗教、民主的でありかつ社会的である共和国である〉と宣言している。フランスは出自や人種、また宗教によるいかなる区別も行わず市民すべてが法のもとで平等であることを保障している。そしてフランスは、フランス人民の単一性原理もまた憲法上の価値を有し、その一部分にはいかなるものであれ国民主権を行使することができないことを、あらゆる信念をもって尊重している。

　　こうした基本的原理は、いかなる集団であれ、それが出自、文化、言語または信念による共同体により定義された集団に与えられた集合的権利を認めることとは合致しない。

　　地域言語または少数言語のための欧州憲法は、これらの言語が用いられている〈領域〉内で地域言語または少数言語の話者〈集団〉に特別な権利を認めるものであることから、共和国の不可分性、法のもとでの平等ならびにフランス人民の単一性という憲法上の諸原理に抵触している。かかる条件において、憲章に規定されている諸規定は憲法に反している。

　ここから明白なのは、民族的少数者の言語権と文化権の保障にとって、そして文化多様性の実現にとって、フランスの共和国理念がいかに足枷となっているかです。それは人権先進国を誇ってきたフランスのダブルスタンダードを暴露するだけではありません。フランスの自縄自縛の苦悩は、「多様性の中での統一」をめざすEU全体にとっても避けて通れないアポリアなのです。

　すでに述べたように、ヨーロッパの多言語主義政策は、主権国家の意向の

枠組みでのみ可能である、という限定付きのものでした。地域言語や少数言語は、まだ人権として確立されてはいません。それどころか、各国はそのアイデンティティにとって不可欠な要素である「国語」を、好きなように保護してかまわないという、ある種の反動傾向をも生み出してきました。

たとえばフランスは、マーストリヒト条約発効（93年11月発効）直前の1992年6月25日に憲法第2条を改定して、「共和国の言語はフランス語である」という文言を追加しました。これはフランス語の象徴的な地位を補強し、共和国の基本理念や国旗・国家と並ぶ地位を国語に与えるためです。

しかもこのタイミングは、「地域言語または少数言語のための欧州憲章」発効（92年11月）直後のことでした。ヨーロッパの多言語主義の奨励が、逆にフランスの言語政策を硬化させてしまった。「多様性の中での統一」をめざすヨーロッパの統合が進展するにつれて、フランスの単一言語主義的な動きが強化されてきたのです。

このようなフランスの言語政策については、フランスの内外でさまざまな批判が展開されています。日本でこの問題を追及してきた三浦信孝によれば、フランスの言語政策への批判は以下の2点に集約されます。

1）フランスが過去に国内の地域語や植民地の現地語に換えてフランス語を押しつけた言語同化政策への反省が不十分なこと。
2）その結果現在なお、対外的には英語に対してフランス語の地位を守るために「多言語主義」を主張しながら、対内的には言語の多様性を十分尊重していないこと（『ことばと社会　別冊1 ヨーロッパの多言語主義はどこまできたか』三元社）。

GATT「文化特例」の両義性

フランスにおける多言語主義の自己矛盾から、再び文化多様性の問題に戻ると、両者には同じ論理矛盾が見られます。ただし両者の違いは、フランスの言語政策が、ヨーロッパの内部での多言語主義の促進にとって足枷となってきたのに対し、（言語問題を除いた）文化多様性の次元では、ヨーロッパ内部の

結束を固める上で、フランスがリーダーとしての役割を果たす場面があった、という点でしょう。

すでに述べたように、文化多様性は、アメリカ主導のグローバリズムに対抗するヨーロッパ的価値を表象するものです。それは、ヨーロッパ的アイデンティティの構築にとっても戦略的な意味をもつキーワードなのです。ヨーロッパにとって文化多様性とは、内部的には、文化多様性の尊重そのものがEUの平和的な統合を促進します。外部的には、アメリカ主導のグローバル化の外圧に対抗する砦です。このような二重の戦略的側面をもっている概念が、文化多様性なのです。

さて、GATT ウルグアイ・ラウンドは、7年以上の議論を経た1993年末に暫定的に決着しました。その最終場面で、アメリカとヨーロッパの対立の焦点となったのが、映画AV（オーディオ・ビジュアル）貿易における「文化特例」の問題でした。文化特例とは「文化財や文化製品を市場原理にもとづく自由取引に委ねれば、経済的強者の支配が強まり少数文化は消滅する危険がある、したがって文化は自由貿易のルールの例外とすべきだ、とする主張」（三浦信孝編『多言語主義とは何か』藤原書店）です。

1980年代にはすでに、アメリカはヨーロッパの映画市場の4分の3以上を支配していました。AV分野でのアメリカ資本の攻勢に危機感を抱いた（当時の）ECは、89年に「国境なきテレビ」指令を出し、EC加盟国のテレビ局に、放映時間の過半数を自国ないしEC域内で制作された番組に割り当てることを義務づけました。またECは90年には、映画AV産業を支援する「MEDIA計画」を決定します。

ウルグアイ・ラウンドにおける争点は、これらのECの文化メディア政策に対し、アメリカが「保護主義」であるとして、その撤廃を求めたことに始まります。ヨーロッパの中で映画大国の伝統を誇ってきたフランスは、「文化特例」という要求を掲げて、アメリカの撤廃要求に抵抗しました。そのさいに、フランスは一国で交渉に臨んだのではありません。ECのパートナー国を説得し、「文化特例」をEC共通の交渉方針として採択させたのです。

結論から言うと、アメリカは交渉をデッドラインまでに妥結させることを優先したので、AV分野での貿易自由化の要求を一応引っ込める形となりました。

これはフランスおよびEC側の粘り勝ちを意味します。けれども、「文化特例」そのものをアメリカが認めたわけではありませんでした。

　アメリカとヨーロッパの対立の背景には、資本主義と自由主義をめぐる一種のイデオロギー対立があります。アングロサクソン型の「新自由主義」は、いかなる規制もない純粋な市場メカニズムの実現を優先し、そのために例外のない自由貿易を主張してきました。こうした私的利益優先型の「新自由主義」に対して、ヨーロッパは「社会的市場経済」の伝統を積み上げてきました。これは経済活動の目的を、社会全体の福祉の向上に置くものです。そのための公共政策の重要な分野として文化・芸術が位置づけられてきました。文化に関する事柄は他の商品と同一視できない、というEC側の根拠はこの点にあります。

　しかしアメリカは「グローバリゼーション」の名のもとに、こうした文化的公共財についても、その固有価値を容認することはありません。文化特例による保護主義は、かえって文化的多様性の自由な促進の妨げになると反論してきました。このアポリアの背景を、ピエール・ブルデューは次のように分析しています。

　　経済的にも政治的にも優勢な強国、とりわけアメリカ合衆国が、その伝統と利権を普遍化し、自らに最も好都合な経済的・文化的モデルを同時に規範、義務、宿命、普遍的運命として示しながら、一般的な同意あるいは少なくとも忍従を求めるような仕方で全世界に広めようとしている。（中略）文化に関してその強国は、商業主義的論理がそのなかで充分に発展を遂げている自らの文化的伝統の諸特性を、世界中に押し付けることで普遍化しようと狙っている」（ピエール・ブルデュー「文化が危ない」）。

　ここで重要なことは、政治学者の永井陽之助によれば、次の点にあります。「〈文化特例〉の攻防を通してあらわとなったのは、アメリカを代表する市場原理と自由貿易という〈普遍的ビジネス文明〉の論理と、商品原理には還元されない文化的差異にこだわる〈個別的文化〉の論理との対決」が表面化したことです。

　また、三浦信孝によれば、ここで奇妙な論理の逆転が生じてもいます。「フランス革命以来、西欧近代の普遍的価値を体現者をもって任じてきたフランス

が、文化的レベルで初めて〈特殊〉あるいは〈個別〉の立場を擁護する側に回ったという意味で、この事件は文明史上のひとつの転換点を示すもの」とみなすことができるでしょう。

　永井が対立軸として用いている「文明」と「文化」は、フランスとドイツの国民的な価値観を表象する対抗概念です。「文明」は普遍性を主張する先進国（フランス）の意識を表し、「文化」は民族の固有性や特殊性にアイデンティティを見出す後進国（ドイツ）の意識を表すもの、と理解されてきました。

　ところが「文化特例」の主張は、「18世紀以来長く普遍的文明の国をもって自認してきたフランス」が、アメリカ主導のグローバリゼーションに巻き込まれ、文化的に植民地化される危機に直面して、「文化」の立場、つまり個別性や特殊性の立場から自国のアイデンティティを擁護するために戦ったのです。そしてこの「文化特例」をめぐる論争から、やがて「文化多様性」という概念が主導権を握るようになっていきます。

文化特例から文化多様性へ

　GATTウルグアイ・ラウンド以後、AV分野におけるアメリカとEC（→EU）の交渉は、さまざまな場面で議論されてきました。その争点が再燃するのは、1999年秋のシアトルです。GATT（関税及び貿易に関する一般協定）を発展的に解消して組織されたWTO（世界貿易機関）は、グローバリゼーション時代に即応した貿易を促進するための包括的な枠組みづくりを目的としています。その第3回閣僚会議が99年の秋にシアトルで開催されることとなり、それに先立って、EU内部での足並みを揃える会議が開かれました。その会議の中で議長国のフィンランドは、「文化特例」に代わって「文化多様性」という概念を提案したのです。

　フランスは当初、この提案は「文化特例」から明らかに後退するものであるとして反対しました。ところが「文化多様性」というコンセプトが大多数の賛成を得る中で、フランスも「文化特例」という概念を引っ込めざるを得なくなります。シアトル・ラウンドにおいて「文化特例」という言葉にこだわった場合、再びその保護主義政策へのアメリカからの痛烈な批判が予想され、アメリカ以

外の国からの賛同を得ることが難しくなるという判断からでした。

　周知のようにシアトル・ラウンドそのものは、反グローバリズムの激しい抗議運動によって非常事態が宣言され、交渉は決裂しました。そのためにアメリカとEUとの対立は、平行線上をたどってきました。しかし「文化特例」から「文化多様性」へとキーワードをチェンジしたことで、このEUのコンセプトがユネスコに大きな影響を与え、「文化多様性に関する世界宣言」に結実したとみなしてよいでしょう。

　まさしくEUは、文化多様性を保持し促進することこそが文化政策の試金石であると位置づけ、ユネスコの「文化多様性交渉においては一致団結した行動への注目すべき力技を貫き通した」のです。そのさいに、アメリカに対抗するEUの行動原理となったのは「公共性」の概念です。

　アメリカが「国家の管轄をもっぱら文化的自由権の制限として定義」するのに対し、EUの理念は、国家でも市場でもない「中間項の問題にもとづいている。この中間項はポリス、つまり共同体の利害が個人の利害と媒介される公共空間である。この創造しまた創造される公共性、いわば共通感覚の潜在的な鎮守の森は、グローバル化によって新たな挑戦に直面している」（kulturpolitsche mtteilungen 111: Kulturpolitische Gesellschaft e.V., 2005）。EU文化政策の正念場は、公共性の再構築という観点から、いかに文化多様性を擁護するかにあったのです。

　ただし、そこに隠されたもう1つの意図を見逃してはなりません。このような側面から「世界宣言」を読み直すならば、とくにフランスにとっては「文化多様性と人権」を規定した理念的部分よりも、第8条の「文化的財・サービス」の意義を規定した部分のほうに、より大きな収穫があったと見られます。「文化的財・サービスは、アイデンティティ、価値及び意味を媒介するベクターであり、単なる商品や消費財としてとらえられてはならない」という規定です。ここには「文化特例」の根拠が、そのまま反映されています。

　フランスは、第4条の「文化的多様性の保障としての人権」、および5条の「文化的多様性を実現するための環境としての文化的権利」の面では、ヨーロッパ内部でいわば単独行動主義を採ってきました。先に触れたように、2つの国際法「地域言語または少数民族のための欧州憲章」と「民族的少数者保護枠

組条約」の批准を拒んできました。

　しかし、アメリカ主導のグローバリゼーションに対抗する戦略としては、フランスは「文化特例」の意図をユネスコの世界宣言の中に巧妙に織り込むことに成功したのです。このように「文化多様性」という概念には、その高邁な人権理念の背後に、フランスの高度な文化政策、いやリアリスティックな「文化政治」が隠されていたのです。

「文化多様性条約」の採択とカナダの牽引力

　以上、「文化多様性」概念の背後に潜むフランスの文化戦略と、フランス国内での少数言語や移民文化への抑圧という自己矛盾について考察してきました。つぎに「文化的表現の多様性と保護及び促進に関する条約」（通称「文化多様性条約」）締結に至るカナダの文化政策についてふれておきましょう。陸続きゆえにアメリカ文化の植民地化に直接さらされてきたカナダの「文化危機」と、これを回避するための粘り強い文化戦略が、文化多様性の擁護をめぐる国際的結束を強化してきたからです。こうしたカナダの牽引力なしには、フランスとEUの思惑は実現しなかったと思われます。

　2005年10月20日、第32回ユネスコ総会において、「文化多様性条約」が、日本も含む賛成148という圧倒的多数で採択されました。反対した国は、アメリカとイスラエルだけでした。この条約はユネスコにとって、1972年の「世界の文化遺産及び遺産の保護に関する条約」（世界遺産条約）、および2003年に発効した「無形文化遺産の保護に関する条約」（無形文化遺産保護条約）に続くもので、この3つの条約によって文化関係の国際条約の体系が整うとされます。無形文化遺産保護条約と文化多様性条約の起草に日本政府代表として参加した九州大学の河野俊行によれば、文化多様性条約の理解のためには、少なくとも3つの対立軸を念頭に置く必要があります（河野俊行「文化多様性条約をいかに読むか」文化庁月報）。

　第1の対立軸は、既述のように、AV産業をめぐるフランス・ヨーロッパ諸国とアメリカとの1世紀以上に及ぶ対立です。この間、第1次世界大戦後のフランス映画の衰退とアメリカ映画産業の台頭、第2次世界大戦後のアメリカによ

るヨーロッパ復興政策の枠内での、アメリカ映画振興策の成功がありました。とりわけ後者においては、「対ソ連を意識したアメリカ文化のプロパガンダとしての役割」を忘れてはなりません。

　第2の対立軸は、カナダが「強大な隣国アメリカに抗して自国の文化的独自性保持に腐心してきた」という背景です。カナダは自国の出版文化保護の立場から、アメリカで出版されるスポーツ雑誌のカナダ版に課税してきましたが、これがアメリカからGATT違反として提訴され、WTO紛争解決機関によってカナダが敗訴しました。人口比で10倍の超経済大国を前に、カナダの文化的保護政策は有効性の限界にあったのです。文化多様性条約策定会議に参加した文化庁参与の佐藤國雄は、つぎのように語っています。

　「もちろん、例えばテレビの商業放送では、1日平均放送時間の60％以上の、プライムタイムでは50％以上のカナダ製番組の放映が義務付けられているし、公共放送では時間帯を問わず60％以上と規定されている。問題はアメリカから流れてくるテレビ番組の"魅力"に勝てない国民が大多数だという悲しい現実である」（佐藤國雄「文化の多様性条約策定会議に参加して考えたこと」文化庁月報）。

　そこでカナダは、1998年以来INCD（International Network on Cultural Diversity）を立ち上げて、70か国以上の芸術家や文化関係NGOをネットワークし、2002年には文化多様性条約の草案を提案しました。さらにINCP（International Network of Cultural Policy）という各国文化大臣間の非公式の情報交換パネルをも発足させ、同じく70か国に及ぶ参加による文化多様性についての政策協議を重ねてきました。

　このカナダ主導のネットワークによる閣僚級会合は、1998年から2005年まで毎年開催され、議長を南アフリカ、起草委員会議長をフィンランドが務めました。こうして文化多様性条約交渉においては、フランスを中心としたヨーロッパ諸国のみならず、カナダが大きなリーダーシップを発揮してきました。これらの推進派は、中国や発展途上国の支持を着実に取りまとめて、自由貿易派を巧みに包囲することに成功します。かくして第3の対立軸は、発展途上国とアメリカの関係にあったのです。

　もとよりカナダは、アメリカによる文化的植民地化の危機という以前に（ある

いはその点と内的に連関して）、独自の多文化主義政策を推進してきました。それは多言語主義政策だけではありません。カナダ民族遺産大臣によれば、「カナダは、文化的表現の多様性を創造や技術革新の源として、また社会的一体性や経済発展の要因として考えている。カナダは、先住民の祖先、言語の二重性、多文化的特性をもつ自国の多様性を反映する包括的社会の構築に努めている」（リザ・ウルフ「ユネスコ文化多様性条約を世界で最初に批准した国カナダ」）とされます。

このようなカナダの文化多様性を尊重し、これを社会的・経済的発展に結びつけようとする文化政策は、非常に興味深いものです。それは、本講義において考察してきたようなフランスの文化政策の自己矛盾を超える先進性を示唆しています。文化多様性条約の起草・採択プロセスにおいて、文化多様性は開発の妨げになるのではなく、むしろ開発（社会的・経済的発展）をリードする要素である、と規定したカナダの文化政策が、発展途上国の関心と信頼を集めたことも確かでしょう。

既述したように、フランスは「文化多様性の保障としての人権」、および「文化多様性を実現するための環境としての文化的権利」の面では、ヨーロッパ内部でいわば単独行動主義を採り、「地域言語または少数民族のための欧州憲章」と「民族的少数者保護枠組条約」の批准を拒んできました。そして国益に直結する「文化特例」の実現の場として、文化多様性条約の採択を推進してきました。

このようなフランスの強引な姿勢がEU内での分断、また国際的な亀裂を生むことなく、巧妙にアメリカの市場原理主義と自由貿易一元論を包囲し得たのは、カナダの文化政策の国際ネットワークというソフトパワーによるところが大きかったと思われます。

とはいえ、佐藤國雄によれば、ユネスコの文化多様性条約策定会議では、「きわめて強引な会議運営」が行われ、「知的な議論がなく、本条約のCultural ExpressionやCultural Content等が具体的に何を意味するのか最後まで議論されなかった」といいます。なぜユネスコは、いやフランスとカナダは、これほどまでに条約の採択を急いだのでしょうか。

その第1の理由は、サービスの貿易に関する一般協定（GATS）第2条で認

められている最恵国特遇義務免除が2005年に期限切れとなるからでした。つまりWTOドーハ・ラウンドの進展によってアメリカ側の貿易自由化圧力が大きくなる前に、GATTウルグアイ・ラウンドで失敗した「文化特例」をユネスコに場所を移して国際的に承認させたいという政策意図が強く働いていたのです。

さて、文化多様性条約は30か国の批准により発効することになっていました。いち早くカナダが最初の国として批准を済ませ、2007年3月18日に条約は発効しました。しかし、日本の立場はきわめて微妙で、2021年時点でも、まだ非批准国にとどまっています。条約に賛成したにもかかわらず、締結をためらってきたのです。なぜでしょうか。

対米関係におけるアキレス腱ともいうべきWTOとの関係については、第20条において、他の条約との役割は相互補完的であり、それぞれ他に従属しない旨が明記されています。このWTOとの整合性を争点として、日本がアメリカの顔色をうかがい批准をためらっていると推測できるのです。

しかし、日本政府はこの条約を批准し、これを「文化外交の武器」として活用してゆくべきではないでしょうか。日本は、その単一民族＝言語イデオロギーに反省を加えて、文化多様性によって発展してきた国家モデルとして国際的プレゼンスを高め、カナダが築いてきたような国際的文化政策のネットワークの結び目となるべきではないでしょうか。

2010年3月、日本ユネスコ国内委員会は「文化的表現の多様性の保護及び促進に関する条約の締結に向けた取り組みについて（建議）」を採択し、「文化的表現の多様性の保護及び促進の重要性を認識し、条約締結に向けて、関係省庁による検討を早急に行い、早期締結にかかる必要な手続きに優先的に取り組むこと」と記しています。この時点で107か国とEUが文化多様性条約に締結しておりました。それから10年ほど経過した2019年7月29日、日経新聞に以下のような記事が掲載されました。

「政府は映画や音楽などコンテンツの貿易拡大を目指す『文化多様性条約』を来年にも批准する方針を固めた。批准すれば条約に参加する146の国・機関が集まる会合に出席し、日本のコンテンツを紹介する機会が得られる。貿易関係が乏しかった国々に接触することで輸出拡大につなげる狙いだ。2020年の通常国会で承認を目指す」。

ところが、149か国が批准している2021年6月の時点でも、文化多様性条約は日本国内での法的効力を有しておりません。政府は新型コロナへの対応に追われ、本件を先送りしているのでしょうか。

文化多様性をめぐる宣言と条約の違い

　アメリカ主導のグローバル化が進展するなかで、世界の各地域に残る文化（的）多様性がどのように変化してきたか、また今後、どのように変化してゆくのかに、わたしは関心をもってきました。そこで2010年10月に「グローバル化と文化多様性のせめぎあい」をテーマに、兵庫県立美術館で国際シンポジウムを開催しました。この問題は講義11で論じた「創造都市」のディレンマとも関連します。そこで、わたしが設定した国際シンポジウムの趣旨を掲げて、課題を整理しておきたいと思います。

　　ユネスコは1982年の第2回世界文化政策会議において、文化政策の重点項目の筆頭に「文化的アイデンティティの尊重」を挙げ、2003年「無形文化遺産の保護に関する条約」、2005年には「文化的表現の多様性の保護及び促進に関する条約」を採択した。その背景には、アメリカ主導による政治・経済のグローバル化と、文化産業による文化的画一化に対抗するさまざまな思惑が見え隠れしている。また、文化多様性条約を批准していない日本でも、神戸（2008、デザイン部門）や金沢（2010、クラフト部門）が「ユネスコ・創造都市ネットワーク」に認定されるなど、都市間レベルでの文化協力によって、文化多様性を尊重した創造都市への構想が具体化しつつある。

　　創造都市研究の第一人者、大阪市立大学の佐々木雅幸は、従来の「グローバル都市」と、これからの「創造都市」との根本的な相違を強調している。「グローバル都市」は、金融資本と高度専門サービス業を駆動させることで社会的格差の拡大を帰結した。これに対し、「創造都市」は市民の創造活動を基礎とする文化と産業（特に創造産業）の発展を軸に、水平的な都市ネットワークを広げ、文化的に多様なグローバル社会と社会

包摂的なコミュニティの再構築をめざしているという。

　この間、グローバル都市とその経済が世界規模での文化的画一化をもたらす危機に対抗すべく、たしかに高度政治的な文化政策ネットワークが構築されてきた。ハリウッド映画の世界覇権に業を煮やすフランスとカナダが、「文化多様性」を錦の御旗にEU諸国と第三世界を取りまとめ、アメリカ主導の自由貿易体制に一矢を報いたのである。ここで興味深いのは、すでに述べたように、ユネスコ文化局が「文化多様性条約」の策定と歩調を合わせて、「創造都市ネットワーク」の構築に乗り出したことである。

　しかし創造都市のネットワークが、文化多様性の保護・促進の立場から、いかにして芸術文化を生かした社会包摂的なコミュニティの再生に寄与しうるのだろうか？　たとえば、デザイン都市に認定された神戸の都市文化政策として、その具体的施策を打ち出すことは容易ではない。

　そこで、本国際シンポジウムでは、このような現代文化の新しい動向と課題を「グローバル化と文化多様性のせめぎあい」というテーマで切り取り、国際関係法、文化遺産の保護、現代アートと政治、都市文化政策などの観点から考えてみたい（神戸大学大学院国際文化学研究科紀要、2011年3月）。

　基調講演を引き受けてくださったのは、1999年から2009年まで第8代ユネスコ事務局長を歴任された松浦晃一郎氏です。ユネスコでの10年間に、3つの重要な国際条約の締結に多大な貢献をされた方です。2001年に成立した「水中文化遺産条約」に始まり、2003年の「無形文化遺産保護条約」、そして2005年の「文化的表現の多様性及び促進に関する条約」と続きます。

　松浦講演の中で印象的だった2点に絞って紹介しましょう。1点目は、文化に関するユネスコの条約体制を「6条約体制」と呼ばれたことです。もっとも有名なのは1972年に締結された「世界遺産条約」です。これは「文化遺産」と「自然遺産」に分けられますが、全体の8割を占める文化遺産の定義は「顕著な普遍的価値を持つもの」。具体的には、歴史的な建造物、記念碑、遺跡などです。

　しかも、当時の文化概念は芸術に中心があり、まだ「文化多様性」という価

値観は希薄でした。そこで「芸術的観点」もしくは「知的な創造物」という基準から、「顕著な普遍的価値」のある対象が選ばれていました。そのため世界遺産の大半がヨーロッパに偏ってしまったのです。

さて、この世界遺産条約の前に2つの条約が締結されていました。ユネスコは第2次世界大戦の反省から生まれた国際機関ですので、まずは戦争あるいは武力紛争時における文化財の保護が喫緊の課題でした。この文化財の保護に関する条約は、1954年にオランダのハーグで成立しましたので「ハーグ条約」と呼ばれています。2つ目は、文化財の非合法な国際取引を禁止する条約（文化財の不法な輸入、輸出及び所有権移転を禁止し及び防止する手段に関する条約）で、1970年に締結されました。

1972年の世界遺産条約で3つの文化に関するユネスコの条約が締結され、松浦事務局長時代に、さらに3つの国際条約が成立しました。これらをもってユネスコの「6条約体制」と呼ばれています。それでは2001年に出された「文化多様性に関する世界宣言」はどのような位置付けなのでしょうか。もう一つの焦点はここにあります。

松浦氏は講演の中で「文化の多様性については条約はありません」と明言されました。わたしは意表をつかれました。というのも、少なくとも日本では「文化多様性条約」という言葉が一人歩きしてきたからです。誤解を重ねないように正確に引用いたしましょう。

> 2005年にそれらしい条約はあると誤解されがちなのですが、こちらは文化全体ではなく、文学や音楽、演劇、デザインなどCultural Expression、つまり文化的表現の多様性に関する条約でして、文化の多様性に関する条約ではありません。ですから、文化の多様性全般をカヴァーしているのは2001年の文化多様性に関する世界宣言のみです。

ここで「文化多様性に関する世界宣言」と「文化的表現の多様性の保護及び促進に関する条約」の内容を詳細に比較する余白はありません。そこで、両者の相違を確認できるキーセンテンスだけを引用しておきましょう。世界宣言の第1条には「文化多様性は人類共通の遺産であり、現在及び将来の世代の

ためにその重要性が認識され、主張されるべきである」と書かれています。これに対し、条約の目的の (a) には「文化的表現の多様性を保護し、及び促進すること」と記されています。

「文化多様性」が「人類共通の遺産」として包括的かつ普遍的な価値を意味するのに対し、「文化的表現の多様性」は、より限定的な内容になっております。トーンダウンと言い換えてもよいでしょう。けれども、保護や促進を政策化するにはコストがかかりますので、その対象を限定することはやむを得ないのかもしれません。いずれにしても、文化多様性をめぐる宣言と条約の間に、なぜこのような違いが生じてきたのでしょうか。

松浦講演では、その舞台裏が語られています。2000年12月に開催されたユネスコ加盟国の文化大臣会議の目的は、文化の多様性についての合意形成でした。ユネスコが合意をめざしたのは、文化を広く生活様式全般としてとらえ、それを文書化することでした。文化を広くとらえるという点では各国の文化大臣間で異論は出なかったのですが、それをどのタイミングで、どのように文書化するかについては合意できませんでした。

この時点で、原案の作成に責任をもつ事務局長の立場として、松浦氏は「条約」の枠組みでの文書化には無理があると判断し、「宣言」という形を提案されたのです。これによって2001年11月のユネスコ総会において「文化多様性に関する世界宣言」が満場一致で採択されました。けれども条約と宣言との違いについて、松浦氏は以下のように説明されています。

　　まず条約というものは、それぞれの国がそれぞれの憲法に従って批准をし、批准をした国に関しては拘束力をもちます。ですから、一言一句みんなで慎重に議論します。例えば日本であればそれを国会にかけて検討し、批准するかどうかを決めます。他方、宣言というのは法的な拘束力はありませんが、政治的、道徳的な拘束力はもっています。これが条約と宣言の違いです。

松浦氏の主張の底流にあるのは、グローバル化が人類の宝である文化の多様性に対してマイナスの影響を及ぼしていることへの危機感です。そのマイナ

ス面を最小限に抑えるためには、ユネスコの文化に関する「6条約体制」をしっかりと実施していく必要があります。ところが日本は、このうち「水中文化遺産条約」と「文化的表現の多様性及び促進に関する条約」を批准しておりません。日本政府はこれら2つの条約を早期に批准し、6条約体制に基づいて、文化的表現のみならず、文化多様性の全般にわたって、その保護と促進のために国際貢献すべきでしょう。

◎**参考文献**
・藤野一夫（2007）「〈文化的多様性〉をめぐるポリティクスとアポリア」『文化経済学』通算第22号、文化経済学会〈日本〉
・坂井一成編（2003）『ヨーロッパ統合の国際関係論』芦書房
・渋谷謙次郎編（2005）『欧州諸国の言語法』三元社
・田畑茂二郎（1988）『国際化時代の人権問題』岩波書店
・『ことばと社会』編集委員会（2004）『ことばと社会 別冊1 ヨーロッパの多言語主義はどこまできたか』三元社
・三浦信孝編（1997）『多言語主義とは何か』藤原書店
・ピエール・ブルデュー（岡山茂訳）「文化が危ない」『現代思想』2001年2月号、青土社
・河野俊行（2006）「文化多様性条約をいかに読むか―その背景と今後」文化庁月報2006年1月号、ぎょうせい
・佐藤國雄（2006）「文化の多様性条約策定会議に参加して考えたこと」文化庁月報2006年1月号、ぎょうせい

15

芸術の自律性と
表現の自由

　2020年8月、あいちトリエンナーレの企画の1つ「表現の不自由展・その後」
が中止となりました。わたしはこの事件に大きなショックを受けました。日本の
アートとその表現に対する理解は、まだこんなレベルなのか。いやむしろ、ここ
までレベルが下がってしまったのか。それはどうしてなんだろう、という疑問
が次々と襲ってきました。ここ20年ほど微力を尽くしてきたことが、まったく社
会を変える動きにつながっていなかったという無力感です。

　この事件以後、ずっと気にかかっていることがあります。頭の中でぐるぐる
回っている疑問は「芸術の自律性」と「表現の自由」との関係はどうなっている
のか。つまり「芸術の自律性」の確立が「表現の自由」を可能にし、保障す
る前提条件なのかどうか、という問いです。最初から白状すると、わたしはこ
の問いの答えをまだ見つけ出せていません。歴史上のさまざまな事例を吟味
して、理論と現実との関係を多角的に考察する必要があるでしょう。それでは
「芸術の自律性」はいつ、どこで、どのような経緯で成立してきたのでしょうか。

　また、あいちトリエンナーレ事件に見られるように、現在の日本社会において
「表現の自由」が著しく損なわれていること。それも、ごく一部であるにしても
テロまがいの抗議があり、SNSを濫用した炎上があり、それらを、あたかも国
民全体の「声」や「心」であるかのように政治利用するポピュリズムが蔓延し
ていること。このような現状から考えて、日本において「芸術の自律性」はど
こまで根を張っているのでしょうか。

アートの道具主義化の功罪

　ここ20年、アートを地域活性化や観光振興に利用する「アートの道具主義

化」が広がり、一定の成功を収めてきました。瀬戸内国際芸術祭や六甲ミーツ・アートを思い浮かべてください。たしかに現代アートのお祭りが地域活性化や観光振興に貢献しています。その実績は評価すべきでしょう。しかし、そのために「芸術の自律性」という西洋近代の原理に対する風当たりが厳しくなってきたようにも思います。「芸術の自律性」と「芸術のための芸術」つまり芸術至上主義とを混同し、それをエリート主義として批判する人が増えてきたのではないでしょうか。

　アートの道具主義化と言いましたが、物事を目的と、それを実現する手段との関係で捉える考え方は、どのような分野でも当然のことです。わたしは芸術文化に関する自治体の条例や基本計画に数多くかかわってきましたが、政策や計画はすべて目的と手段、方針と戦略の関係で策定されます。芸術文化の分野も例外ではありません。学術研究の分野でも同じです。教育・研究の自由は憲法で保障されていますが、目的と手段を明らかにしてきちんと計画を立てないと研究費を獲得することはできません。

　わたしたちが生きている現実社会のほとんどすべては、目的と手段の関係で組み立てられています。そこに息苦しさを感じることはありますが、そこから逃れることはできません。大学でも、学術の社会貢献や地域連携が叫ばれてきました。象牙の塔に閉じこもる研究者は役立たず。作品の調査研究ばかりをして、普及や活用に興味のない学芸員は不要とさえ言われています。社会の役に立つものは良いものだ、経済の活性化に貢献するものは良いものだ、という価値観が、いつのまにか世間の通念として擦り込まれています。

　こうして有用性や功利主義の観点から、アートへの公的支援の良し悪しが判断されるようになってきました。地域再生や観光振興にとって利用しやすいタイプのアート、とくにインスタ映えするアートが優遇されるので、アーティストも資金獲得のために、そのような見かけの良い作品を作ろうとします。ここにある「表現の自由」とは、いったいどのようなものでしょうか。

　反対に、自分の内面を徹底的に掘り下げた作品、ぱっと見てわかりにくい作品や、社会の闇を深くえぐり出した暗く深刻な作品は、およそインスタ映えしません。作品の意図やメッセージが簡単には読み取れないために「唯我独尊」つまり「ひとりよがりの役立たず」と呼ばれます。多くの観客は、もはや作

品とじっくり向かい合い対話するだけの知的体力も集中力もリテラシーもありません。99％の疑問はスマホが即答してくれるからです。

　芸術文化においても道具主義的な価値観が支配的となってきました。役に立たないアートは意味のないものとして公的支援を得られにくくなっています。このご時世に「芸術の自律性」にこだわるアートワールドはエリート主義、いや、芸術を敷居の高い美の神殿に祭り上げる時代遅れの西洋近代主義者と非難されます。

　これまで芸術は、日常性から切り離されていること、つまり「非日常における美的経験」として価値づけられてきました。ところが「日常から切り離された芸術」というのは評判が悪くなってきたのです。

芸術の自律性と表現の自由

　ところで「芸術の自律性」と「表現の自由」は、常に表裏一体の関係なのでしょうか。表現の自由がある限り、芸術作品を通して、ある特定の政治的もしくは宗教的メッセージを表現することも許されるからです。より正確に言うと、表現の自由がある国や時代では、政治的もしくは宗教的権力者のイデオロギーとは相容れないメッセージを、芸術を通して表現することが許される、という意味です。

　反対に、特定の政治的もしくは宗教的権力者のイデオロギーにふさわしい表現しか許されない場合は、その芸術はプロパガンダとしてのみ、お上からお墨付きを与えられます。しかし、権力者にとってふさわしくない場合は、その表現（メッセージ）と芸術家は国から排除されます。表現の自由が著しく制限された国や時代ということになります。政治・宗教と表現の自由の関係はじつに複雑です。

　他方、「美的自律性」の原理を確立したとされるカントは、フランス革命の最中の1790年に『判断力批判』において、次のように述べています。「誰でも認めるべきだが、ほんの少しでも利害の絡んだ美に関する判断は、じつに党派的であって、純粋な趣味判断ではない」。

　芸術の自律性を、カントは「目的を持たぬ合目的性（Zweckmäßigkeit ohne

Zweck）」と規定しました。近代以前の芸術＝技術（Kunst）は、教会や宮廷のために奉仕する美的技術（Schöne Kunst）でした。つまり芸術＝技術の目的は、芸術＝技術そのものにではなく、それが奉仕すべき外部にありました。しかし、近代市民社会の成立とともに「芸術の自己完結性」や「芸術の自己目的性」を強調する美学思想が誕生したのです。

　これらの規定によって「芸術の自律性」という原理が確立されたと言えます。わたしたちは、あらゆる利害関心を排除したところで、純粋に芸術について、美的なものについて語らなければならない。それこそが「純粋な喜びである」。美的なものが純粋な喜びとなるのは、芸術の領域が、道徳とも、宗教とも、政治とも無関係であるときです。

　ということは、美的なものには、それ独自の法則もしくは文法があり、その法に従って芸術作品は形成されている。それだから、芸術の領域に、道徳や宗教、政治や経済といった芸術外部の利害関心が介入してはならない。これが「芸術の自律性」の意味です。それによって美的なものを純粋に観想（テオリア）し、享受する（味わい尽くす）ことができる、というのです。

美的自律性という革命

　カントは理想論を掲げているように見えますが、じつは美的自律性の原理は、極めてストイックなものでした。と同時に革命的なものでした。「根源的」という意味でラディカルなものでした。美に関する「党派性」つまり政治的権力や社会的身分とは無関係に、人間にとって公平・公正に、美的なものが形成され、享受されなければならない、というマニフェストでした。

　ですから、もしカントの美的自律性の原理を当時の現実社会に適用するとしたら、どうなったでしょうか。身分制社会は解体することになります。つまりフランス革命の精神が、美的なものの領域に憑依していたのです。その意味で「党派性」の排除を前提とした美的自律性の原理は、それ自体が極めて政治的な原理でした。

　カントの美的自律性の原理を最も忠実に実現した芸術家にベートーヴェンがいます。2020年は生誕250年でした。彼の音楽ノートにはカント哲学から

の引用がいくつも書き込まれています。ベートーヴェンの音楽は、フランス革命後の混乱を乗り超えて、市民階級が主人公となる近代市民社会の新しい秩序を追求したものです。

1800年ごろに成立するソナタ形式は、まさに美的世界秩序が自律的に形成される精神の文法です。ベートーヴェンのピアノ・ソナタや弦楽四重奏曲は、密かに認められた「自由の憲法」とみなしてよいでしょう。彼の交響曲は自由の憲法の大演説です。有名なメモを1つだけ紹介しましょう。

「われらの内なる道徳律と、われらの上にある星の輝く天空！ カント!!!」

芸術の自律性への長い道

さて、芸術文化の歴史を勉強すると、今日「芸術作品」と呼ばれているもののほとんどが、力と富をもった人々からの注文で制作されたものであること、もしくは制作者が権力者に献呈したものであることがわかります。アート作品が市場に出回って、他の商品と同じように市民社会の中で取引されるようになったのは19世紀からと言ってよいでしょう。

芸術という概念、芸術家という職能が確立されたのも近代になってからですし、美学という学問が成立したのも250年ほど前のことです。それ以前の作品制作者は、おもに2つの権力に仕える職人でした。一方は宗教権力、ヨーロッパではキリスト教の教会です。他方は世俗権力、つまり王侯貴族の宮廷です。

教会や宮廷のために、その権力を誇示する「華麗なもの」、娯楽のための「面白いもの」、儀式に「役に立つもの」を制作していたのは職人たちでした。お抱えの料理人や庭師と同じ職人の身分でした。ですから自分を雇ってくれている王侯貴族、あるいは聖職者の注文に応じて作品を制作することは、ごく当たり前のことでした。これらの職人が「芸術家」と呼ばれるようになったのは、いったいいつの頃からでしょうか。

そもそも自律（Autonomie）とは、ギリシャ語で「自己立法」を意味します。自分で立てた法（おきて）にきちんと従って考え行動することです。ジリツと聞くと、自ら立つと書く「自立」のほうが一般的でしょう。「親のスネばかりかじってないで早く自立しなさい」。こちらは主に経済的な自立を意味します。

別の意味のように聞こえますが、自己立法の意味での自律と、経済的な自立とは重なるところがあります。なぜでしょうか。その前に、もう1つ考えておくことがあります。教会や宮廷に雇われていた職人たちが「芸術家」と呼ばれるようになった時期、また彼らが芸術家としての意識をもって創作を行うようになった時代とは、いつだったのでしょうか。

　フランス革命の主役は第3身分、つまり平民でした。第1身分とは聖職者、第2身分は王侯貴族です。立ち上がった民衆たちは「自由・平等・連帯」を掲げて国王をギロチンにかけました。キリスト教の神の権威を失墜させました。と同時に起こったことはなんでしょうか。1つは、社会と国家と国民をまとめ上げていた秩序が崩壊しました。絶対的権力を握っていた国王が殺され、聖職者も力を失いました。国王とともに神も死んだのです。社会の中心がなくなって空洞になった。

　では誰が、何が、その空白となった中心を担い、新しい社会秩序を形成したのでしょうか。国王と神の代わりに「理性」を祭り上げました。理性は目に見えないものです。しかし、理性に形を与えてシンボルをつくろうとしました。その造形は、バロック建築やロココ趣味のように、王侯貴族の権力を誇示するものであってはなりません。フランス革命時代の建築家は、理性を象徴するものとして幾何学的記念碑をプランニングしました。純粋抽象の造形は、しかしフランス革命期に始まったものではありません。古代エジプトのピラミッドやオベリスク、古代ギリシャの古典建築にベースがありました。

　とはいえ、神に代わって理性を信仰するというのは自己矛盾です。信仰と理性は対立概念です。神学と哲学は異なる原理によって隔てられています。現実に、理性信仰は狂気に陥りました。フランス革命の直後、テロルの嵐が起きました。ロベスピエールの恐怖政治が始まりますが、彼自身もギロチンにかけられます。

　この大混乱に決着をつけたのは誰でしょうか。ナポレオンです。内乱の矛先を対外的な侵略戦争へと見事に転じた天才です。当時ライン川を隔ててフランスの隣国だったドイツは、300もの小国の寄せ集めでしかなく、吹けば飛ぶような軍隊しかいませんでした。あっという間にナポレオン軍に征服されていったのは当然です。

実は、このような政治・社会構造の激変と「芸術の自律性」そして芸術家の経済的な「自立」とは深く関係しています。単純化すると、お雇いの身分から解雇されてフリーターとなったものづくりの職人たちは、注文主の使用目的とは無関係に、自分がつくりたい作品をつくる自由を手にしました。そのなかにはベートーヴェンのように、新しい市民社会の見取り図を、音楽形式を通じて設計する天才も出現します。

　しかしながら、多くの元職人たちは、自由に創作できる芸術家としての意識をもちながらも、どうやって食べていくかで苦労しました。クライアントから解放されたと同時にパトロンを失ったからです。かつてのお雇い音楽家は、うまくいって良家の子女の音楽家庭教師の職を得るくらい。酒場で演奏してチップをもらうような生活も少なくありませんでした。ハンブルク時代の青年ブラームスも、そうやって糊口をしのぎながらピアノ曲をつくり始めました。

　もちろん、新興市民の中にはベンチャーで成功して富裕階級に成り上がるものも出てきます。他方では、農民や元職人の多くは、工場労働者として資本主義的産業システムに組み込まれていきました。封建的な身分制社会から解放されたはずの平民（一般市民）たちが、ふたたび階級社会の中で分断されようとしていたのです。

シラーの美的共同体

　さて、このような社会の分裂状況を深く憂慮し、美的なものの力によって新しい共同体を形成しようと努力した人がいます。美的教育論、美的国家論を唱えたフリードリヒ・シラーです。シラーの美学思想の誕生を促したのは、フランス革命がもたらした破壊と混乱でした。このときシラーは、国家の力と力、人間の欲望と欲望とがぶつかり合うさまを直視しました。王とともに古いキリスト教の神が殺されたあとで、いかにして新たな人間的社会の秩序を生み出すことができるか。シラーが注目したのは、美的なものが自然のままに宿しているコミュニケーションの力でした。

　　　美的な交わりの世界、すなわち美的な国家においては、人間は人間に

たいして形態（美的表象）としてのみ現れ、自由な遊戯の対象としてのみ対立することが許される。自由によって自由を与えることが美的な王国の憲法である。（中略）美的表象だけが、人間の感覚的性質と精神的性質を調和させ、全体としての人間を形成する。（中略）美的な伝達だけが社会を一つに結び合わせる、それは万人に共通のものにもとづいているからである（『人間の美的教育について』）。

　美的経験を共通の土台として、真に人間的な社会をつくりあげようというのが、シラーの美的教育論、美的コミュニケーション論のねらいでした。そのさいの大前提は、「芸術が社会から自律している」ことです。社会から切り離された美的表象の王国、それだけで自律した芸術作品の世界は、その純粋性ゆえに抑圧のない自由な社会をわれわれの目標として示してくれる。この美となって輝き出る理想つまりユートピアが、芸術作品のなかでわれわれを自然に（つまり強制的にではなく）、その理想社会の実現へと導いてくれる、というのです。

　しかし、もしもこの美的な現れが自らを裏切って、これが現実であると見せかけたり、何か現実社会の実利的な目的のための道具に成り下がったときには、もはや美的な現れは精神の自由のための証人とはなれない、とシラーは述べています。この点でシラーは、カントの美的自律性の考え方を受け継いでいます。

　カントは美的経験の本質を「利害関心を超えた心地よさ（Interesseloses Wohlgefallen）」と規定しました。美的なものは、現実の利害関心から切り離されているからこそ永遠の価値がある。現実の実利目的の道具にならないことがまず大切である。

　たしかに美的に自律した世界は、実利的な役には立ちませんが、だからこそ現実社会を変革するための、公平で公正な判断力を養う源となりうる。つねに現実社会に対する創造的で建設的な批判の拠り所となるのです。ハンナ・アーレントはカントの美感的判断力を、真の政治的判断力の原点である、と高く評価しています。一切の公平、公正で、人間的な政治は「利害関心を超えた心地よさ」という根源的な美的経験から始まるからです。

　シラーは次のように述べています。美的な現れを現実と錯覚して、美的な

世界と戯れて満足してしまうような審美主義の態度は、美的な堕落にほかならない。美的な現れが、矛盾に満ちている現実社会からの逃避を促す麻薬に変質してしまうことを、シラーは何より恐れました。芸術が社会から自律していることと、美的世界への自己逃避とは、似て非なるものです。つまり「芸術の自律性」と「芸術至上主義」は別物なのです。

さて、わたしたちが取り組んできたことは、カントやシラーに由来する美的自律性の思想を、いかにして現在の日本で生かすことができるか。一言で言えば、「芸術文化を、市場原理からも、また国家や行政の管理からも干渉されない領域に解き放つ」ことです。市民や地域住民が主体となったアートプロジェクトによって「新しい公共」「新しい市民社会」をつくるという目標でした。そのさいに「精神は自由だ」という合言葉を使うことがあります。これも「芸術の自律性」と深いつながりのある言葉です。けれども「言論の自由」や「表現の自由」と「精神の自由」との関係はどのようなものでしょうか。

精神の自由

「精神は自由だ」という言葉は、どのような文脈や状況のときに使われてきたのでしょうか。たとえば政治的な弾圧が激しい時代や、検閲が厳しい国の場合を考えてみましょう。言論にしろ、芸術にしろ、表現すること自体が著しく制限されている国があります。30年前までの東ドイツだけでなく、現在の北朝鮮もそのような国です。こうした状況が長く続くと、多くの人はその国家のイデオロギーに洗脳されるか、もしくは精神的に消耗して心の病にかかってしまいます。

しかし、そのような暗黒時代にあっても、一部の思想家や芸術家は、したたかに地下活動をして、時代の夜明けを待っています。本当に精神が自由で、精神的に強い人たちがいるのです。その人たちは危ない地下活動をしないまでも、書斎やアトリエに閉じこもって、自分の作品が人の目に触れないようにします。メモや日記も含めて表現したものが外に漏れないように隠し通します。

つまり自由にものが言えて、自由に表現活動ができるようになるまで、雪解けを、春の訪れを辛抱強く待ち続けます。その場合でも、理不尽な政治体制

への批判を自分の頭のなかで考えること、あるべき社会の姿を心に思い描くことは自由にできるでしょう。

　芸術や思想の歴史を研究すると、このような綱渡りの事例に数多く出合います。皮肉なことですが、こうした精神的にも肉体的にも抑圧された状況が作家や思想家を鍛え上げ、そこから密度の濃い作品が生まれることすらあります。いずれにしても、自分の表現したものが外に出ない限り、検閲に晒されない限りで、精神の自由は保たれています。

　これは誰にでも当てはまることではなく、多くの人は精神を病んでしまうので、少し危ない言い方なのですが、どれほど政治的に抑圧された時代でも、何かを感じること、何かを想像すること、何かを考え続けることは自由なのです。このような文脈で「精神は自由だ」と語られることがあることを忘れてはならないでしょう。

　問題は、それらを表現にもたらした場合、公表した場合です。書物や芸術作品として発表した場合です。そこに待ち構えているのは拷問であったり、国からの追放であったりします。強制収容所送りに続く死であることもまれではありません。

言論の自由と表現の自由

　さて、今度は「精神の自由」ではなく「表現の自由」とは何かについて、考えてみましょう。ドイツでは「言論の自由」（Meinungsfreiheit）と「芸術の自由」（Kunstfreiheit）が憲法で保障されています。前者の原語は「意見の自由」、正確には「自分の意見を表明する自由」（Meinungsäußerungsfreiheit）の意味です。後者は端的に「芸術の自由」ですが、「芸術表現の自由」を意味します。政府を批判するような意見を表明すること、それを芸術をとおして表現することも、もちろん自由です。ドイツ憲法には「政府は検閲をしてはならない」と規定されています。

　英語では free speech と free expression がありますが、前者は「言論の自由」になるでしょう。「表現の自由」と「言論の自由」とは重なるところがあります。と同時に、意味合いやニュアンスが異なる部分もある。「表現の自由」は、文

学や芸術といったフィクションに中心があり、主観的なニュアンスが加わります。文学や芸術の多くは想像力の産物ですから、イマジネーションにもとづくクリエーションです。それは現実でも事実でもなく、虚構の世界ということになります。もちろんフィクションだからこそ表現できることがある。これは「表現の自由」にとって決定的に重要なことです。

　ノンフィクションやジャーナリズムの場合はどうでしょうか。事実を客観的に伝える自由こそが生命です。「言論の自由」とは、制限されたり歪められたりすることなく、自分がつかんだ真実をありのままに伝えることのできる自由のことです。しかし、「言論の自由」の範囲に、どこまで主観的な要素、つまり個人の解釈や推測を含めることができるかは難しい問題です。「自分の意見を口に出すことは何でも自由だ」とも解釈できるからです。

　では、あいちトリエンナーレで炎上した電凸やヘイトスピーチも「言論の自由」の範囲に含めることができるのでしょうか。「言論の自由」がはらむディレンマやアポリアが一気に吹き出してきました。

　話は真逆の方向に逸れてしまいますが、『ソクラテスの弁明』をご存知だと思います。もとより、古代アテネで弁論術が発達したのは「言論の自由」があったからですが、ある時、ソクラテスの対話術は若者を堕落させるものであるとして禁じられました。ソクラテスは若者が自分の頭で考え、主体的に行動できるように導きました。しかし、そのような若者が増えることは為政者にとっては恐怖なのです。そこで、若者と議論することをやめなければ死刑だと脅したのです。

　この時、ソクラテスが選んだ道は何だったでしょうか。思想を議論する自由、すなわち「言論の自由」が奪われるくらいならば、生命も惜しくない。そのような時世に沈黙して一人静かに暮らすよりも、毒杯を飲み干すことで自ら進んで死ぬ道を選んだのです。ソクラテスの精神とは、死をも怖れぬ自由でした。つまり「言論の自由」を守るために死を受け容れることが、ソクラテスにとっての「精神の自由」を意味したのです。

芸術における表現の自由

　話を戻しましょう。「言論の自由」と「表現の自由」には微妙なズレがあります。そこで「言論・表現の自由」と並置することがあります。また「表現の自由」の中に「言論の自由」を含める考え方もあります。わたしが問題にしたいのは「芸術における表現の自由」とは何かです。そのことによって「言論の自由」と「表現の自由」との同一視がもたらす混乱を避けたいと思うからです。「言論の自由」が保障すべきことは、客観的とされる事実、もしくは真実を正しく伝える自由です。

　他方、「芸術における表現の自由」とは何でしょうか。芸術は原則としてフィクションです。フィクションは「荒唐無稽」という意味で使われることもありますが、それだけではありません。事実とされるものを超えた何か、あるいは現実の世界と呼ばれているものの背後に隠されているもの、もしくは日常世界の根底にある何者かを、感性を通じて知覚し、認識できるようにしてくれる。そこにフィクションの力があると思うのです。

ミル『自由論』から

　19世期イギリスの功利主義哲学者のジョン・スチュアート・ミルは、思想の自由と表現の自由が、そして自由かつ活発な議論が、人間の内面の充実（充実した人生の大前提）のために必要であることを、4つの明確な根拠にもとづいて説明しています。『自由論』（1859）からの長い引用になります。

　　　第1に、発表を封じられている意見は、もしかすると正しい意見かもしれない、そのことを否定するのは、自分は絶対にまちがいないと仮定することなのだ。
　　　第2に、発表を封じられている意見は、やはりまちがった意見であっても、一部分の真理を含んでいるかもしれない。一般に流布している意見が真理の全体であることはめったにない。というか、けっしてないのだから、真理の残りの部分は、対立する意見がぶつかり合う場合のみ、得られる

可能性がある。

　第3に、世間で受け入れられている意見が真理であり、しかも真理の全体であるとしても、熱心で活発な論争が許されない状態が続くと、また実際に論争がなされない状態が続くと、ほとんどの人にとってその意見は偏見と変わらないものとなる。それ自身の合理的な根拠がほとんど理解されず、実感もされなくなるからだ。

　第4に、自由な議論がなされない場合、自分の主義の意味さえわからなくなったり、ぼやけてしまう危険性がある。すると、それが人間の性格や行動に与えるはずの重要な効果さえ失われてしまう。信条は単なる標語にすぎなくなる。それは人間を育てるどころか、人間の成長を妨げる。理性や個人的体験から、本当の、心の底からの確信が育つのを妨げるのである。

　表現の自由にも限界がある。表現のしかたは穏健なものでなければならず、公正な議論の限界を超えてはならない。一般に、世間で当たり前とされていることに反対する意見を言うときは、つとめて穏やかな言葉づかいをし、無用の刺激を与えないように細心の注意を払わなければ、話を聞いてももらえまい。

　これにたいして、支配的な意見の側が、反対意見をやたらに非難すると、ひとびとは実際に反対意見を言う気を失うし、反対意見に耳を傾ける気もなくしてしまう。したがって、真理と正義のためには、支配的な意見の側にこそ、相手を中傷非難する表現を控えさせることが重要なのである。

　どういう意見の持ち主であれ、反対意見やその主について冷静に観察し、誠実に説明し、相手の不利な部分をけっして誇張せず、相手の有利な部分、あるいは有利と思われている部分をけっして隠さない人には、当然の賞賛を与える。これこそが公の場での議論における真の道徳である。これはほんとうに幸せなことだと思う。

　ミルによれば「思想と表現の自由」こそが、個人の人格の発展にとって最も大切なことであって、この自由の領域に国家はけっして干渉してはならない、と述べています。自由にものを考え、自分の思想を自由に表現できることが、

自律した個人が形成される条件なのです。近代市民社会とは、このような自律した個人の活発な議論と、自律した市民の連帯から成り立つと、ミルは考えています。

フンボルトにおける自由と多様性

このようなミルの思想に最も大きな影響を与えたのは、ヴィルヘルム・フォン・フンボルトでした。フンボルトはベルリン大学を創設した人文主義の思想家です。『国家活動の限界』（1792）という大著の中で、フンボルトは次のように述べています。

> 人間の真の目的——これは有為転変する性向ではなく、永遠不変の理性が人間に示してくれるものである——とは、自分の諸能力を最も均斉のとれた最高の形で一個の全体へと陶冶することである。この陶冶のためには自由が第一の必至条件である。とはいえ、人間の諸能力が発展するためには、自由のほかにもなお、それと緊密に結びついているけれども、それとは別種のもの、すなわち状況の多様性が必要である。どれほど自由闊達で独立不羈の人であっても、画一的な状態に置かれると、みずからの陶冶を完成しにくくなる。

フンボルトは、個人の人格形成、つまり陶冶の条件として「自由と多様性」がいかに大切であるか、反対にどれほど自由な精神をもって生まれてきた自律的な人間でも、画一的な状況におかれるとダメになるかを強調しました。18世紀末、いまから200年以上前に書かれたものですが、すさまじいアクチュアリティがあります。フンボルトが提唱した人文主義による人格形成がベルリン大学の理念となりましたが、現在の日本、そして世界の教育と文化政策の流れは、フンボルトの理念とは逆行する方向に動いています。

講義6で述べたように、アートマネジメントとは、わたしたちの日常生活（生活世界）のなかで、「美的なものとの出合い」がどのように生まれるかにかかわる、まさに「知の技法」です。もとよりわたしたちの人生には、つねに3つの欲

求が潜んでいるはずです。①真理を究めたい（学問）、②正しい行動を取りたい（正義）、③美的なもの・感覚的なものを通して自己を表現したい、あるいは他人の美的表現を楽しみたい（芸術・文化）、という欲求です。そしてこれらの3つの欲求が具体的に実現され、相互に結び付けられる条件や環境があるとき、わたしたちはその生活世界を、わくわくしながら紡ぎ出すことができるでしょう。

　しかし、こうした生活世界の具体的な生き方は、近代のシステムによってさまざまに分断され、とくに都会生活においては抽象的な生き方しかできなくなっています。経済発展の観点から要請された技術開発が至上命令となって、科学研究の細分化はとどまるところを知りません。しかしその目標はどこにあるのか。そのことによって、わたしたちの生活世界は、どのように豊かになるのでしょうか。むしろ真理を究めたい、正しく行動したい、美的にコミュニケーションしたい、という3つの根本欲求は相互に分断を深め、ますます生活世界そのものを貧しくしているのではないでしょうか。

　だからこそわたしたちは、人生観を根本から変えるような決定的な美的経験を必要としているのではないでしょうか。そのさいに、芸術の判定者は、国家でも市場でも専門家でもありません。それぞれの個人の内なる美感的判断力（美的センス）にもとづいた美的経験が大切でしょう。

　しかし、そうしたセンスを磨くためには、シラーが美的教育論で述べたように、開かれたコミュニケーションが不可欠です。この美的なものを通した、芸術についての対話的行為のなかで、美的に価値判断できる「主体＝自己」もまた（相互主観的に）形成されるからです。また、同じ時代にフンボルトが論じたように、「自由と多様性」の中での人格形成が不可欠です。こうした美的・文化的コミュニケーションによる人格形成を可能にするような環境づくりこそが、アートマネジメントの使命なのです。

◎参考文献
・エマヌエル・カント（篠田英雄訳, 1964）『判断力批判』岩波文庫
・フリードリヒ・シラー（浜田政秀訳, 1882）『美的教育』玉川大学出版部
・ジョン・スチュアート・ミル（斎藤悦則訳, 2012）『自由論』光文社古典新訳文庫
・ナジェル・ヴォーバートン（森村他訳, 2015）『「表現の自由」入門』岩波書店
・ヴィルヘルム・フォン・フンボルト（西村稔編訳, 2019）『国家活動の限界』京都大学学術出版会

16
講義

現代ドイツの
文化政策から考える

科学的論拠と美感的構想力

　2020年、新型コロナウイルス感染症の猛威は、加速したグローバル化にあおられて全世界を覆いました。その対策は、あたかも各国の政治指導者に課された共通テストのようでした。独裁国家の多くが強権的に感染を制圧した一方、西ヨーロッパなどの民主主義国は、市民権の尊重をめぐって苦戦を強いられました。さらに、科学的根拠を否認して大衆迎合する反知性主義が、新自由主義と軌を一にして拡大したことも浮き彫りとなりました。自由と放任の履き違えが経済と政治を貫き、急激な感染拡大のみならず、国民の格差と分断を招いたからです。そのなかで、2020年3月18日にドイツのアンゲラ・メルケル首相が行ったテレビ演説が世界中の共感を呼びました。

　　連邦と各州が合意した休業措置が、わたしたちの生活や民主主義に対する認識にとっていかに重大な介入であるかを承知しています。(中略) こうした制約は、渡航や移動の自由が苦難の末に勝ち取られた権利であることを経験してきたわたしのような人間にとり、絶対的な必要性がなければ正当化し得ないものなのです。民主主義においては、決して安易に決めてはなりません。もし決めるのであればあくまでも一時的なものにとどめるべきです。しかし今は、命を救うためには避けられなくなりました。(中略) わたしたちはデモクラシーを体現しています。わたしたちは強制ではなく、知識の共有と参加を生きる糧としています。現在直面しているのは、まさに歴史的課題であり、結束してはじめて乗り越えていけるのです。

科学的論拠を上げながら理性的に語るメルケル。しかし言葉の隅々にまで温かい血が通っています。民主主義、市民社会、連帯と結束など、反知性主義者の嫌う抽象概念が、彼女の口を通すと肉体をもったリアリティとなる。わたしはこの間、ドイツの指導者たちに際立つ言葉の存在感に深く心を揺さぶられてきました。しだいにわかってきたことがあります。ドイツの劇場で経験してきた芝居やオペラと同じ感情や気分が繰り返し呼び覚まされ、喜怒哀楽を通して人間の倫理に向かい合っていたのです。

　日本のマスコミが好む「劇場政治」というレッテル。それは大衆迎合の扇動に貼られるものですが、西洋演劇の起源が市民の議論にあったことを隠蔽する浅知恵でしょう。歴史を遡ると、古代ギリシャの公共広場では政治集会や裁判が行われていました。アゴラは、隣接する円形劇場とともに市民的公共性の発生装置でした。

　18世紀後半、劇作家のシラーは劇場を「道徳的施設」と定義しました。戦後の文化政策を通して、ドイツの公共劇場は民主主義を紡ぎ出す社会インフラとなってきました。さて、コロナ禍での政策論議から可視化されてきたものは何でしょうか。多様な芸術経験を通して育まれた人格とその美的構想力が、共生社会をめざす政治の母体を培っていたのです。

　科学的論拠と美的構想力が結びつくことで利害関心を超えた公正な政治的判断が生まれます。それが市民社会に共通するものとして合意される。具体的にはどのようなことでしょうか。コロナ禍でのメルケルの発言を辿ってみましょう。先のテレビ演説以降、最初のロックダウンが行われました。メルケルは広い層の信頼を取り戻し、感染拡大を押さえ込むことに成功。大型かつ迅速な経済対策、なかでも芸術家を含む個人向け緊急支援が決め手となりました。そのEUの優等生だったドイツが秋以降、第2波の制御に難航したのです。

　2020年11月2日から始まった第2次ロックダウンが不完全であったためか、12月に入っても感染者、死亡者ともに急増し、より徹底したロックダウンが不可避となりました（2021年11月時点で、ドイツの感染者数は再び増加し、1日数万人に達していますが、舞台美術等の公演は再開されています。ただし、入場制限などの対策は州ごとに異なります）。

社会構造政策としての文化政策

　メルケル首相は2020年12月9日の連邦議会で、感情を露わにしてクリスマスシーズンの市民の自粛を訴えました。「本当に心から残念なことですが、今年が祖父母と過ごす最後のクリスマスとならないように里帰りを避けてほしい」と、両手を合わせて懇願したのです。3月の沈着冷静なテレビ演説とは異なる母親のような姿。16年間の政権中、未曾有の「劇的な」シーンは世界を駆け巡りました（なおメルケルは、2021年9月の連邦議会選挙後の新政権の発足をもって12月に政界を引退しました）。

　もう1つの感銘深いシーンがあります。国立科学アカデミーの論拠に基づいて死者数の増加を予測したさい、メルケルはAfD（ドイツのための選択肢）の議員からヤジを浴びました。AfDは移民・難民を排斥する極右ポピュリズム政党で、マスクの着用も拒否してきました。普段はヤジに応酬することのない首相が、原稿から目を離して真正面を向き、「わたしは啓蒙の力を信じています」と力強く切り返したのです。

　「わたしは東ドイツで物理学を専攻したが、もし西ドイツにいたならば別の選択をしたかもしれない。人は多くのことを無力化できるが、重力を無効にすることはできない」。社会主義のもとで自由が制限され、社会科学や人文科学における真理の探究が困難だった時代、メルケルはいかなる権力によっても歪められない客観的事実を物理学に求めました。ファクトにもとづくエビデンスは政治判断の前提でもあります。ただし、未来の共生社会のための道筋を示すには、より大きな構想力が必要であることをメルケルは忘れてはいませんでした。2020年5月9日、首相はビデオ演説「コロナと文化」において自らの美的経験を次のように語っていました。

　　文化的イベントは、わたしたちの生活にとってこの上なく重要なものです。それはコロナ・パンデミックの時代でも同じです。もしかするとこうした時代になってやっと、自分たちから失われたものの大切さに気づくようになるのかもしれません。なぜなら、芸術家と観客との相互作用の中で自分自身の人生に目を向けるという全く新しい視点が生まれるからです。わ

たしたちはさまざまな心の動きと向き合うようになり、自らの感情や新しい考えを育み、また興味深い論争や議論を始める心構えをします。わたしたちは（芸術文化によって）過去をよりよく理解し、また全く新しい眼差しで未来へ目を向けることもできるのです。

　芸術文化は多様な視点や異なる価値観を提示し、さまざまな他者への想像力を活性化します。感情移入によって共感や違和感が生まれ、その差異を省察することから議論が生まれます。芸術文化は、自然環境や多文化との共生への、多様なマイノリティや次世代との共生への展望を拓き、その実現に向けた市民社会の討議を促し、媒介します。そのためには芸術家の生存が保障されなければなりません。自由に創造し、参加し、享受できる環境が必要不可欠です。文化政策は民主主義の仕組みづくりという意味で社会構造政策なのです。
　メルケルはこの演説において、芸術支援は連邦政府の最優先課題であると言明しました。こうした政策決定の内面的プロセスに迫る洞察があります。理論物理学者の北原和夫の深慮です（村上陽一郎編『コロナ後の世界を生きる』岩波文庫）。

　　広く学問を俯瞰してみると、物理学者のように具体的なものを抽象化することによって、自然現象の中にある基本法則を見出してきた学問がある一方で、全ての要因が複雑に絡み合って現実に起こっている事柄そのものを認識しようとする学問がある。後者においては、論拠をつなぎ合わせて論証することによって、物語を構築していくのであり、物語によって我々はまだ経験したことのない未来をも物語ることができる。

　しかし、そのためには想像力が不可欠です。だからこそ「藝術が学術の中に位置づけられる必要がある」と北原は強調しています。メルケルのリーダーシップが科学的論拠と美的構想力との統一に由来することを裏付ける明察といってよいでしょう。

文化的生存配慮と民主主義

　メルケル首相の「盟友」とされる（通称）連邦文化大臣モニカ・グリュッタースの発言とその支援策も世界の注目を浴びてきました。日本でも「文化は社会にとって必要不可欠」という彼女のスローガンが流布し、「不要不急」として後回しにされた芸術文化関係者の羨望の的となりました。しかし、その経緯や背景については十分に理解されていません。まずは2020年3月から12月時点までの芸術文化支援の流れを振り返っておきましょう。

　グリュッタースは3月23日、ドイツ連邦政府経済・エネルギー省の「零細企業と自営業者のためのコロナ‐緊急支援」500億ユーロ（約6兆円）のパッケージを文化領域にも適用し、大規模な支援策を発表しました。連日メディアに登場し、とくにフリーランスの芸術家に希望を与えてきました。

　緊急支援は主にギャラリー、書店、小規模映画館、ライブハウスの賃貸料や光熱費などを対象とし、損失リスクの80％は連邦政府の復興信用銀行によって肩代わりされる。また、たとえば「コンサートがパンデミックが原因で実施できない場合、一度支払われた助成金の返還を要求することはない」とグリュッタースは述べました。ベルリン州では申請から3日後には1人当たり9,000ユーロ（110万円）が支給され、レーデラー州文化大臣からは、当座の生活費としても使用できるとの説明がありました。

　連邦政府による支援策は全国一律に適用されるのですが、それが緊急助成の全てではありません。ドイツの文化振興は地域主権の立場から、州と自治体が主体で行い、連邦文化庁の予算は全体の17％にすぎません。したがって各州や市町村、そして数多くの公私の財団も独自に芸術支援策を打ち出してきました。たとえばバイエルン州では月額1,000ユーロ、バーデン＝ヴュルテンベルク州では月額1,150ユーロを、個人芸術家の生活費に特化して給付。また、ザクセン州ではフリーランスの芸術家に「奨学金」として2か月分で2,000ユーロを支給しました。これら連邦政府、州政府、基礎自治体、基金・財団等を合算して初めて、ドイツ全体の文化・創造経済分野への支援総額が明らかとなります。

　本来グリュッタースは、連邦レベルでの公共文化政策のみを所管しており、

経済・エネルギー省が所管する創造経済分野にはタッチしません。これは日本でも同じで、文化庁の管轄と、経産省の管轄を横串にすることは簡単ではありません。2020年3月にグリュッタースが、いわば越境して「文化・創造経済」を一括りにして支援策を打ち出した背景には、さまざまな理由があるでしょう。

　ドイツの公共文化政策は高度に制度化されており、劇場、ミュージアム、オーケストラなどの施設や機関への助成が公共文化予算の90％以上を占めています。たとえばドイツの公共劇場は、大学や病院のようにほぼ税金で賄われ、その職員約4万人（芸術職を含む）は準公務員としての安定した雇用が保障されています。

　このような公的機関の場合、州や自治体からの恒常的な補助金で運営されており、すぐに倒産することはありません。組合や職員協議会が力をもち、簡単に失業することもない。ただし、今回のコロナ危機では活動制限が長期化しているため、多くの公立文化施設が短時間労働を導入し、正規職員の場合、月給の80〜90％の支払いとなっています。これにたいし、通常はプロジェクト助成に依存して活動しているフリーランスの芸術家の場合、その支援は十分ではなく、休業による収入減が甚だしいのです。

　他方、創造産業の従事者もその収入、労働形態ともに多様です。しかし個人での起業が多いため、スタートアップの支援はあるが、恒常的な支援はありません。劇場のような公営企業ではなく民間企業なので、コロナ禍でのダメージは極めて大きいのです。したがってグリュッタースは、近年「稼ぐ文化」として成長している創造経済のクリエーターの危機とその支援の根拠を表に出すことで、もともと公的助成に依存してきたアーティストへの支援と一体化し、芸術家とクリエイター（デザイナー）との連帯・団結を促す意図があったと思われます。そうしなければ、文化全体の危機を乗り越えることはできないからです。

　現代ドイツの文化政策論の中心には「文化的生存配慮」というキーワードがあります。もともとは、市場原理主義のグローバル化の中で、民営化によって淘汰されてはならない公共文化政策の本質をめぐる法哲学的議論です。ドイツ憲法で保障された「人格の自由な発展」を可能にする条件を、芸術の自律性および現代市民社会の民主主義的基盤の形成という観点から基礎づけたのです。

公共文化政策の基本枠組みは以下の4点に区分できます。①文化施設の設置と維持、②芸術・文化の振興と文化的人格形成の促進、③文化事業の企画と資金調達、④芸術家と文化を生業とする者、市民活動、文化領域で働くフリーランサー、文化産業のための条件整備。今回のコロナ危機のように、ドイツに居住する者の「文化権」が損なわれた場合、「文化的生存配慮」を法的根拠として、国家や自治体には公的支援を行う責務が生じます。とりわけ甚大なダメージを受けている④の分野への支援が「必要火急」なのです。グリュッタースの発言の根底にも「文化的生存配慮」の思想と責務が反映しています。

　2020年12月のインタビューで連邦文化大臣はこう語りました。「コロナ禍がまさに明らかにしたのは、文化が社会的結束にとっていかに重要かということだ。芸術家が発する示唆や思考への刺激、また精神的インパルスや批判をわたしたちは必要としている。こうして現在の民主主義は生きたものとなる。言葉の真の意味で、芸術家は社会システムにとって重要なのである。（中略）文化はグルメのための特選食品なのではない。万人にとってのパンなのだ」。

　具体的に、2020年秋以降の文化支援はどのように行われてきたのでしょうか。緊急支援策が出された3月末時点では、数か月のロックダウンの後に再開、再稼働が予想されていました。メルケル連立政権は2020年6月3日、「一連のコロナ禍と闘い、豊かな社会を確かなものとし、未来への力を強化する」というスローガンのもと、新たに16兆円規模の景気刺激策のパッケージに合意。このうち10億ユーロ（1,200億円）超が芸術文化支援に充当されました。グリュッタースは6月4日、この文化支援プログラムを「ニュースタート・カルチャー」（NEUSTART KULTUR）と名づけ、「1,200億円の追加によって、わたしたちはドイツの文化的生活の新しいスタートを支援し、未来へ向けてポイントを切り替える」と語りました。

　2020年12月初旬までに、「ニュースタート・カルチャー」への4万件の申請に対して750億円が運用されました。グリュッタースは「まさにパートナーとしての市民社会との協働はスムーズに進展しており、この新たに組成した分権的構造は卓越したものである」と述べています。この発言は意味深長です。日本で羨望の的となったドイツの文化支援の構造は、けっしてトップダウンではありません。「地域主権の国」ドイツにおける分権的構造とは、基礎自治体→

州→連邦各レベルの補完性原則だけでなく、政府・自治体と市民社会との分権をも意味するからです。

文化政策を支える市民社会

ここで、ドイツの文化政策の策定プロセスにおける市民社会セクターのかかわり方について考察しておきましょう。そもそも「文化的生存配慮」の概念を最初に提起したのは、2004年のドイツ文化評議会の声明でした。ドイツ文化評議会は、文化政策協会とともに、市民社会セクターにおける文化政策研究と政策提言を中心的に担い、両組織ともエーファオ（e.V）と呼ばれる非営利活動法人（NPO）です。

ドイツ文化評議会は、音楽、演劇・ダンス、文学、美術、建築・文化遺産、デザイン、メディア、社会文化・文化教育といった8分野の評議会（連盟）を包括する連邦レベルの上位組織で、各分野にとって重要な文化政策上の案件全般に関して、連邦、16州、EUへの助言と提言を行っています。プロ・アマを問わず芸術文化団体が会員となっている点で、個人を会員とする文化政策協会とは性格が異なります。

一方の文化政策協会は、芸術文化団体の利益を代表する必要はありません。そこで「文化政策は社会構造政策である」というテーゼによって一層幅の広い、長期的視野に立った現状批判と政策提言を行ってきました。もとよりドイツにおける「文化インフラストラクチャー」とは、文化施設だけでなく、芸術家、アートマネジャーなどの人的資源、さらに活動や事業を含む包括概念です。この充実した文化インフラこそが、民主主義の議論に寄与し、社会的合意形成の反映と発展のための機会を提供しています。

戦後ドイツの文化（政策）関係者は、芸術文化とその議論を通して民主主義を根づかせ、新しい市民社会の形成と発展に大きく貢献してきました。連邦政府としての国家ではなく、ボトムアップ型民主主義の文化運動が、多様で豊穣なドイツの芸術文化環境を形成してきたのです。

文化の現状是認的性格の克服

　ドイツの文化政策が、これほどまでに草の根民主主義の市民社会を志向するのはなぜでしょうか。戦後ドイツが、国家主導による文化統制政策がもたらした負の遺産を重ねて背負い込んできたからです。ナチスの独裁政権だけではありません。東ドイツも中央集権型の文化政策によって芸術の自由を抑圧してきました。これらの過去を克服する道筋は平坦なものではありませんでした。ここでは戦後西ドイツにおいて、どのようにして芸術文化が、民主主義のための社会インフラとして合意されてきたのかに絞って考察してみましょう。

　第1次大戦後のドイツに誕生したヴァイマル共和国では、その民主的憲法によって「芸術の自由」の保証のみならず、国家による「芸術の振興」にも法的根拠が与えられました。これによって劇場、ミュージアム、オーケストラなどの大型文化施設と芸術機関が公的に制度化されたのです。公共政策としての手厚い文化振興は、ハイカルチャーの民主的普及に寄与した反面、1933年のナチス政権以降、皮肉にも排外主義的な文化政策が跋扈する温床ともなりました。しかも、このとき知識人や芸術家は全体主義の侵食に対して無力でした。なぜでしょうか。

　もとより近代のドイツでは、フランスの物質的な「文明」に対抗する精神的な「文化」が強調され、教養形成の中核を担う芸術が重視されてきました。とくにドイツ・ロマン主義においては、形骸化したキリスト教に代わり、自律した芸術が聖なるものを独占していた。目的と手段の関係で組み立てられた実利の世界を超えた「目的なき合目的性」（カント）が、芸術作品そのものの絶対的価値を規定しました。

　ところが、その価値を共有できたのは一握りの教養市民層にとどまったのです。芸術の価値を内面化しえたエリートは、ほどなく世俗的な政治や経済の世界を見下すようになります。非政治的知識人の多くが、ナチスの蛮行に直面しながらも、それと闘うことなく芸術と観念の世界に逃げ込んで保身を図ったのです。こうした「文化の現状是認的性格」（マルクーゼ）が、後に厳しく批判されることとなります。もちろん芸術自体が現状是認的なのではありません。社会と隔絶した芸術至上主義的態度が現実逃避を招き、逆説的に、歪んだ

現状を肯定してしまう構造が問題なのです。パラレルワールドの悲劇です。

　ナチス時代の苦い経験から、戦後の西ドイツ憲法では、芸術振興についての条文は削除されました。代わって芸術と教育に関する事項は、州および市町村の権限が連邦政府の権限に優越するとした「州の文化高権」が謳われました。この「文化分権主義」にもとづいて、1950～60年代には戦前の文化施設や芸術機関の再建が、州および市町村の主導で推進されました。

　芸術文化領域での戦後復興は、奇跡的な経済成長を原動力に可能となりました。そのさいに、経済成長を支えた世代のメンタリティに目を向けておく必要があります。1950年代と60年代には、演劇、ダンス、文学、音楽などの古典的形式が文化的生活を支配していました。非日常的な芸術世界は、現実社会と隔絶した非政治性においてこそ意味をもちました。というのも、ドイツ経済の奇跡を担った世代の多くは、青春期にナチスの文化政策を経験しており、芸術の政治利用への根深い懐疑を共有していたからです。

　この懐疑的世代にとって、芸術の非日常空間は、熾烈な競争社会からの現実逃避の場となりました。経済戦士は、束の間の感動によって生気を取り戻しました。しかし、芸術体験が開示する美感的構想力にもとづいて経済や社会の改革をめざす「文化の政治化」には関与しませんでした。こうした保守的文化観と復古主義的文化政策は、結果的にナチスが犯した過去と正面から向き合う機会をも国民から奪うこととなります。「文化の現状是認的性格」が戦後にも再現されたのです。

　戦後生まれの若者たちは、親の世代の集団的自己欺瞞に反逆を始めます。1968年以後の学生運動とブラント社民党政権の政治改革によって、西ドイツの社会全体に民主主義の徹底を求めるうねりが高まり、保守的文化観と復古主義的文化政策に揺さぶりをかけました。70年代初頭に状況は大きく変わり、多くの政治家も文化と社会の関係について再考を迫られました。こうして市民社会セクターの中から文化政策協会と文化評議会が自発的に誕生し、ボトムアップによる新しい文化政策が生成したのです。

分権的構造によるレジリエンス

コロナパンデミックが深刻化した2020年3月以降、わたしは連邦文化庁の支援策のみならず、ドイツ文化評議会および文化政策協会の声明、レポート、プレスリリース、会員の論争ペーパーなどを詳細にチェックしてきました。そこで明らかとなったことがあります。グリュッタース連邦文化大臣の発表内容の多くが、文化評議会側から事前提案された施策メニューに沿ったものだったのです。実際、連邦文化大臣と文化評議会との交渉が頻繁に行われてきました。「ニュースタート・カルチャー」に相当する支援策も、すでに3月時点で文化評議会から提案されていたことがわかりました。

6月の発表後、「ニュースタート・カルチャー」の助成メニューを具体化したのは文化評議会と、これに加盟する各分野の評議会でした。各地域で活動する芸術文化関係者と市民の多様な声を汲み上げ、連邦レベルの施策に的確に反映させてきました。しかも、これまで公共文化政策と縁遠かった民間の文化施設やフリーの芸術家に特化した支援策が主眼でした。

こうして、かゆいところに手の届く50余りの助成メニューが用意されました。映画館や映画製作に240億円、民間劇場に40億円、ライブハウスに33億円など。公的に運営されている劇場、ミュージアム、オーケストラだけでなく、ライブエンターテイメントの分野でも文化的多様性が損なわれないように、芸術家と文化関係者の基本的な生存を保障する施策です。また、若手や子育て世代へのスカラーシップの充実ぶりにも目を見張ります。

各分野の評議会は、多種多彩な助成制度の窓口と審査を担ってきました。もちろん経験豊富なスタッフが相談に応じてくれます。信頼にもとづく中間支援組織は市民社会の魂です。日本の文化庁のように代行会社に業務委託する必要はありません。また、自己資金の要らない100パーセント助成が大きなインセンティブとなっています。国家と個人を媒介する公共圏を、民営化（資本主義化）から防衛しなければならない。ドイツの文化政策の倫理です。市民社会との協働が、新たに組成した分権的構造にもとづいて円滑に進展している、というグリュッタースの評価は、具体的には文化評議会等との連携プレイを意味していたのです。

一方、文化政策協会は2020年3月末に声明「コロナ‐パンデミック後の文化政策のための10項目」を発表。中長期的な視点から文化政策内部の構造改革と、文化政策による社会システムの改革を鋭く提言しました。すべての項目が意味深なのですが、文化評議会との違いが際立つフレーズに絞って引用しましょう。

　「各自の参加をもっと深めること！　文化政策のアピールは政治に向けられるだけではない。市民社会にも向けられているのだ。わたしたちは〈共通のものである危機〉を共に克服しなければならない」。

　「わたしたちは文化政策の観点から新たな合意形成に参画しなければならない。それはまた社会の方向性を刷新するチャンスをも意味している」。

　文化政策協会は、パンデミックのもとでの連邦文化庁と州政府・自治体、そして市民社会との分権的スキームによる連携を高く評価する一方、寛大な財政出動による支援策については、持続可能性の観点から厳しい見方をも示しています。従来から制度疲労の改善を指摘されてきた一部の公共文化施設等への延命措置は、公営企業の構造改革を遅らせ、フリーのアートシーンにみなぎる活力をも損ない、市民社会の合意形成を難しくするのではないかという懸念からです。財政力と権力によって危機を克服することは、市民社会の主体性を弱体化させ、国家主導型の文化政策の再来を招く恐れがあるのです。

　私見では、もちろんメルケルやグリュッタース個人には、そのような権力志向は見られません。しかし、過去への反省を怠らないドイツの文化政策関係者は、たとえわずかな兆候であっても、その問題を鋭く批判し、幅広い議論の場に引出そうとします。文化政策協会内部での論争だけではありません。文化評議会との議論も、市民社会セクターの文化的民主主義の活性化にとって不可欠なのです。

　もとより、社会構造政策としての文化政策とは、文化政策による社会構造の変革を意図しています。しかし、そこには文化政策の主体をめぐって常にリスクがともなうでしょう。その主体が国家の手に握られた場合、ナチスや東ドイツの過ちを繰り返すことになるからです。文化政策は社会構造政策である、という合意が成り立つのは、もっぱら文化政策の主体が市民の場合です。市民社会セクターの熟議と提案が、政府や自治体の政策決定に主体的に関与する

場合です。いずれにしても、文化政策における分権的構造の柔軟な組成が、コロナ危機の支援策において円滑に機能したことは、文化的民主主義に内在するレジリエンスを印象付けるものとなりました。

日本版文化評議会の必要性

それでは、コロナ禍における日本の芸術文化活動と支援策の状況はどのようになっているのでしょうか。長年、日独比較の複眼を通じて体験し、考えてきたことを踏まえて簡潔に述べてみましょう。

日本の文化庁は2020年7月、総額500億円にのぼる大胆な「文化芸術活動の継続支援事業」の募集を開始しました。しかし申請額が低迷して予算が消化できず、予定外の第4次募集まで行うことになりました。芸術家の実情に見合った制度やメニューになっておらず、支援の歯車が噛み合っていないからです。いったい芸術家とは誰か。どこで何をやっている人なのか、その実態が把握できていないのです。最適な制度をつくるための文化統計など、芸術家とその活動に関する基本データが揃っていない実態が浮き彫りとなりました。

では、文化庁の助成制度を、どのように改善すればよいのでしょうか。芸術家と芸術文化活動の実態を十分に把握したうえで、ニーズにジャストミートする支援制度を練り上げていく必要があります。文化庁の年間予算の半分にあたる500億円もの補正予算が出されたこと自体は快挙です。これを弾みとして文化庁予算そのものを倍増させるチャンスでもある。しかし、その予算消化の想定外の遅れは、国の文化政策と実際の芸術文化活動との乖離を可視化しました。また、NPOなどの中間支援組織の脆弱さは、過去20年の分権化の推進が、実際には営利企業による民営化にほかならなかった実態を明らかにしました。

新型コロナ下でドイツの文化政策から学んだことは何でしょうか。支援メニューの設計については中央集権的に一律に行うべきではない、ということです。市民社会との分権的構造を推進し、地域主権にもとづいて制度設計すべきなのです。文化庁とそのロビー団体がトップダウンで決めることではないのです。国は大枠の予算取りだけを行い、各自治体に財源移譲する。同時に若

手のアートマネジャーに権限委譲し、各地域の実情にあった支援メニューを新鮮な発想でデザインしてもらう。そのような制度設計が必要でしょう。

それでは、どのような仕組みをつくるべきでしょうか。各地に文化評議会が根を張り、ボトムアップで国や自治体に政策提言を行う必要があります。政府から自律した芸術文化支援のための中間支援組織が急務です。アーツカウンシルは文化イベントを主催するエージェントではありません。プログラムディレクターやプログラムオフィサーといった専門職を雇用し、各地域の芸術文化活動の実態調査にもとづいて、適切な支援施策を構築するのです。助成申請の適正な審査を行い、その成果を公正に評価する。支援の効果をさまざまなレイヤーとレンジで検証し、問題点を改善する。非営利動機に貫かれた専門性の高い文化評議会の活動は、芸術文化による地域主権の確立と市民社会の形成に大きく寄与することが期待されます。

日本における文化の自己疎外

2020年の夏、わたしの研究室では「新型コロナウイルスの影響下における兵庫県内の芸術文化活動に関するアンケート調査」を実施しました。ここでもプロとアマの境界の曖昧さが課題となり、県内で年末までに590億円と想定される損失額の積算に苦慮しました。観光業などとは異なり、職業として自立した芸術家の数と実像が見えず、産業としての経済規模も不明なのです。

芸術文化は趣味・道楽であり、贅沢品と見なされてきた社会背景も大きい。文化は私事であって公的な事柄ではない。だから公的支援の対象にはならない、という通念が世間に染み込んでいます。これを素地に「不要不急」の烙印が押されたのですが、そればかりではありません。

現在困っていることや不安に思っていることとして、芸術家の大半が「感染源にならないか」や「自粛警察・バッシング」をあげました。感染者を出しては世間様に申しわけない、という同調圧力が芸術家や文化活動を萎縮させているのです。けれども、多様なものへの理解を欠いた社会は行動と表現の自由を奪い、心と体の健康を蝕み、お上への忖度を増長するでしょう。社会的連帯と民主的合意形成の自由空間を拓くべき芸術文化の土壌が、急速に損なわ

れつつあります。とはいえ、日本における文化は、植民地時代の朝鮮半島やアイヌ民族とは異なり、あからさまに奪われたり、抑圧されたりした経験はほとんどありませんでした。しかし自らの放棄も含め、さまざまな疎外を被り、あるいは自己疎外を招き寄せてきました。どういうことでしょうか。

　まずは日本の戦後文化の歩みを反省する必要があります。講義1で論じたことですが、日本ではイベント文化が現代市民社会、あるいは市民的公共性の形成と発展を妨げ、本来あるべき文化を衰退させてきました。戦中、ナチスの文化政策に倣って、国家が芸術文化を統制したことが悪夢の始まりでした。終戦後、GHQの徹底的な文化検閲によって、とりわけ日本の伝統文化がファシズムに協力したとして組織的に解体されました。「文化政策」という用語の使用自体が禁止され、文化財行政のみが社会教育の一部として許容されたのです。

　芸術文化は公共政策の対象から疎外され、贅沢品と見なされ、特権階級のステイタス・シンボルとなりました。けれども「文化の現状肯定的性格」を克服する運動は起こりませんでした。以後、民主主義を唱える文化運動が色眼鏡で見られるようになる一方、ハリウッド映画などの大衆文化による精神の植民地化が進み、日本における文化の自己疎外が深まっていきました。

　1960年代からの高度経済成長、物の豊かさから心の豊かさの時代へ、そしてバブル景気を通して、イベントとしての文化事業が全国に広がり、文化は一過性の華やかな消費財となっていきました。1970年の大阪万博が、その大きな転機となりました。1981年、神戸で開催された神戸ポートアイランド博覧会の成功を受けて、全国で地方博ブームが起きました。

　しかしどれも画一的な一過性のイベントに終始し、お祭りのあとには何も残りませんでした。首都に本社を置く大手の広告代理店が、これらの博覧会や大型イベントを見栄え良くプロデュースしましたが、各地域の住民がイベント文化に主体的に参加することはありませんでした。市民も従順に熱狂するクライアントとして、華やかなイベントを消費するだけでした。

　大地に根を張った多様でたくましい草花ではなない。見た目が美しいだけの切り花、それがイベント文化です。それでも、生きた切り花であれば、花瓶の中で数日間は目を楽しませてくれる。もっと劣悪なのは造花です。生命をも

たない作り物によって、一時的に華やかさが演出される。造花は、お葬式の花輪のように使い回しが可能なので、日本中いたるところで画一的な文化イベントが開催された。それによって、地域独自の個性的な文化の衰退に拍車をかけてしまったのです。

　端的に、業者丸投げによる日本の文化行政の失敗です。稼いだのはゼネコンとコンサルと広告代理店でした。戦後ドイツは、市民社会に根差す地域主権の国に生まれ変わりました。日本は対照的です。民間の巨大文化産業が国民の感覚的欲求を駆り立て、刹那的な満足を濫用して消費を拡大しました。ここに、文化における人間の自己疎外は極まったのです。

インターローカルな文化的コモンズに向けて

　文化とはカルチャー。人の心を耕し、その潜在能力を開発する営みです。個人の内面を耕して豊かにするだけではありません。コミュニティの中でさまざまな才能に長けた人たちが、それぞれの能力を発揮し、お互いに刺激し合あう。相互のコミュニケーションを通じて、そのコミュニティ全体のポテンシャルを高めることも文化の意味です。

　繰り返しになりますが、各地域に根ざした伝統的な祭りは、つねにコミュニティを形成するエンジンでした。それはたんなる神事的儀式ではない。収穫への祈りや豊穣への感謝から生まれ、また自然災害や疫病からコミュニティを再生した記憶を集合的に担ってきました。京都の祇園祭りの起源は、鴨川の氾濫によって蔓延した疫病からの復興を寿ぐ町衆のイニシアティブに遡るとされます。東日本大震災の廃墟から最初に立ち上がったのも、神楽などの祭りでした。祭りによる集団の記憶が芸能文化によって継承されてきました。コミュニティが結束して苦難を克服し、また喜びを分かち合ってきました。そのような人間の知恵の所産が文化なのです。みんなで支え合い、参加する文化の中で、コミュニティが再生し持続してきました。各地の祭りは、コミュニティにとって、また1人ひとりの人間にとっても必要不可欠な文化です。文化は「コモンズ」としてのコミュニティを再生し、共創する力をもっているのです。

　ただし、旧来の祭りは、コミュニティの絆を相互に確認し、維持強化するた

めに、ときには共同体の外者を排除し、内部の個人に参加を強要することもありました。しかし21世紀の祭りは、そのような排除や抑圧から自由になることが大切でしょう。ゆるやかにつながりながら出入り自由な「文化的コモンズ」をつくりたい。新しいコミュニティを共創するために、ことさら配慮すべきは、自分とは異なるもの、つまり他者との出会いに心を開くこと。未知の異物だったとしても、それを恐れることなく認め合い、理解しようとする寛容さです。

　グローバル化に対抗して自分の内面とコミュニティの殻を閉じるのではありません。市場経済とは異なるもう1つのグローバル化を、芸術文化を媒体として、ローカルなコミュニケーションを通じて推し進めるのです。

　幾多のアートマネジメントの挑戦から確信を得た持論があります。国家や大都市の総力をあげた巨大イベントは虚しい。それは造花か、せいぜい切り花として短期間に消費されてしまい、人間と社会を耕す持続的な媒体とはならない。市民たちの自発的なプロジェクトを新たに生み出す豊かな土壌にはならない、という認識です。

　市民と学生と芸術家が主体となった手作りのアートプロジェクトを、国境を超えてインターローカルに仕掛けていくこと。国境が閉ざされたパンデミックの時代だからこそ必要不可欠なことです。当面は身体的接触を避けなければならないとしても、他者への想像力の源泉を枯れさせてはなりません。

　もはやメガ・イベントは必要ありません。マイクロ・プロジェクトが国境を超えてローカルとローカルをつなぎ、無数に並存することが人間的共同体の定常となるべきなのです。手触りの公共圏がゆるやかにつながり、お互いの信頼関係がじっくりと醸成されてゆく。そのための土壌を耕すことが文化です。このようなマイクロ・プロジェクトを基礎単位とするインターローカルな文化的コモンズを地道につくっていきたい。それが、わたしの願いです。

◎**参考文献**
・村上陽一郎編（2020）『コロナ後の世界を生きる』岩波新書
・大関／藤野／吉田編（2021）『市民がつくる社会文化　ドイツの理念・運動・政策』水曜社
・秋野有紀（2019）『文化国家と「文化的生存配慮」』美学出版

おわりに

　2021年春、わたしは32年間奉職した神戸大学を早期退職し、兵庫県北部の豊岡市に開学した県立の芸術文化観光専門職大学に着任しました。芸術文化と観光を架橋することで地域社会に新たな価値を生み出すことをミッションとする大学です。第2の人生を、文化政策による地域主権の担い手の育成に賭ける決意をしました。平田オリザさんとともに新大学の基本理念をデザインし、神戸大学での経験を生かしたアートマネジメント分野のカリキュラムづくりに4年余りを費やしました。

　本書の中心テーマ「インターローカルな文化的コモンズの形成」もまた、この多忙な時期に構想されました。その理念は、一方で各地の自治体文化政策に反映され、他方でアートマネジメント教育に活用されています。

　学生時代にドイツ観念論哲学に出合って以来、わたしは美学・芸術学の研究に没頭し、またワーグナーの楽劇と芸術論から多大な影響を受けてきました。2000年ごろから社会的ニーズに応えるべく文化政策に関与するようになり、さまざまなアートマネジメントの企画・運営に携わってきました。同じ芸術文化の領域でも理論・歴史研究から応用・実践への踏み出しは、当初は大学の社会貢献のための時限付きプロジェクトのつもりでした。

　もう座学の安全地帯へは後ずさりできない。そう覚悟したのは、文科省の大型教育改革プロジェクト（現代GP）の責任者となった2006年ごろでした。「アートマネジメント教育による都市文化再生」をテーマに獅子奮迅。その過程で志を同じくする多くの若い仲間たちと出会い、奇しくもその縁が、現在の芸術文化観光専門職大学の設立にまでつながりました。

　現代GPを推進していた2008年、びわ湖ホールの自主オペラ制作への県費投入をめぐり滋賀県議会で厳しく追及され、閉館の危機すらささやかれました。指定管理者制度の導入とあいまって、公立文化施設や芸術団体のサバイバルの時代が始まりました。そこで若い研究仲間たちと調査研究を行い、2011年に『公共文化施設の公共性　運営・連携・哲学』（水曜社）を上梓しました。こ

のとき以来、水曜社の仙道弘生社長には、ひとからならぬお世話になってきました。

2016年から2018年にかけて、おおさか市町村職員研究センター（マッセOSAKA）主催の「文化・芸術を活かしたまちづくり研究会」の指導・助言者を仰せつかり、その調査研究の成果を『基礎自治体の文化政策　まちにアートが必要なわけ』（水曜社、2020年）にまとめることができました。さらに、社会文化学会の有志とともに、長年ドイツの社会文化センターとその運動の現地調査を継続してきました。コロナ下にもかかわらず、その成果を『市民がつくる社会文化　ドイツの理念・運動・政策』（水曜社、2021年）として出版できたのも、仙道社長の寛大なご配慮の賜物です。

本来であれば、本書『みんなの文化政策講義』のほうが先に計画され、『基礎自治体の文化政策』の姉妹編として世に問われる予定でした。しかし、大学設立という生涯の大事業のために作業が遅れ、仙道社長には多大な迷惑をかけてしまいました。改めて、お詫びと感謝を申し上げます。

さて、2017年に出版した共編著『地域主権の国　ドイツの文化政策』（美学出版）も、10年に及ぶ現地調査の成果をまとめたものでした。これらの4冊と、5冊目となる本書によって、わが日独の文化政策研究20年の歩みに一区切りを付けることができたのではないかと思います。まだ広く社会と次世代に伝達し、問いかけたいことは少なからず残っていますが、自分の中でその機が熟すまで待ちたいと思います。

最後に、本書の成立にご協力いただいた数多くの関係者のみなさま、そして、鉄砲玉のような多忙な日々を背後で温かく支えてくれているパートナーの優子と家族全員にも、この場を借りて心から感謝申し上げます。

藤野　一夫

索引

藤野 一夫（ふじの・かずお）

芸術文化観光専門職大学副学長。神戸大学名誉教授。日本文
化政策学会会長（第6期）、（公財）びわ湖芸術文化財団理事、（公
財）神戸市民文化振興財団理事ほか文化審議会等の委員を多数
兼任。編著に『公共文化施設の公共性：運営・連携・哲学』『基
礎自治体の文化政策：まちにアートが必要なわけ』『市民がつくる
社会文化：ドイツの理念・運動・政策』（以上 水曜社）『地域主権
の国 ドイツの文化政策：人格の自由な発展と地方創生のために』
（美学出版）『ワーグナー事典』（東京書籍）『ワーグナー 友人たちへ
の伝言』（共訳、法政大学出版局）など。

みんなの文化政策講義
——文化的コモンズをつくるために

発行日	2022年10月10日　初版第二刷発行
著者	藤野 一夫
発行人	仙道 弘生
発行所	株式会社 水曜社
	160-0022
	東京都新宿区新宿1-26-6
	TEL 03-3351-8768　FAX 03-5362-7279
	URL suiyosha.hondana.jp
装幀	井川祥子（iga3 office）
印刷	日本ハイコム株式会社

©FUJINO Kazuo 2022, Printed in Japan
ISBN 978-4-88065-519-2　C0036

全国の書店でお買い求めください。価格はすべて税込（10%）